D0783844

Melody 3
Onvoltooide symfonie

Bij Uitgeverij De Kern verschenen de volgende V.C. Andrews™-boeken:

Bloemen op zolder
Bloemen in de wind
Als er doornen zijn
Het zaad van gisteren
Schaduwen in de tuin
M'n lieve Audrina
Hemel zonder engelen
De duistere engel
De gevallen engel
Een engel voor het paradijs
De droom van een engel
Dawn – het geheim
Dawn – mysteries van de morgen
Dawn – het kind van de schemering
Dawn – gefluister in de nacht
Dawn – zwart is de nacht
Ruby
Ruby – parel in de mist
Ruby – alles wat schittert
Ruby – verborgen juweel
Ruby – het gouden web

Virginia Andrews

Melody 3
Onvoltooide symfonie

DE KERN BAARN

Na de dood van Virginia Andrews werkt de familie Andrews met een zorgvuldig uitgekozen auteur aan de voltooiing van haar nog bestaande verhalen en ideeën en aan het schrijven van nieuwe romans, waartoe ook deze
behoort, die zijn geïnspireerd door haar vertelkunst.

Belettering omslag: Chaim Mesika BNO
Omslagillustratie: Lisa Falkenstern/Pockets Books, New York
Copyright © 1998 Virginia C. Andrews Trust and The Vanda Partnership
Copyright © 1998 voor het Nederlandse taalgebied:
Uitgeverij De Kern, Baarn
Zetwerk: Scriptura, Westbroek
Verspreiding voor België: Verkoopmaatschappij Bosch & Keuning,
Vrijheidstraat 33, 2000 Antwerpen

CIP-GEGEVENS KONINKLIJKE BIBLIOTHEEK, DEN HAAG

Andrews, Virginia

Melody 3 – Onvoltooide symfonie / Virginia Andrews ; [vert. uit het Engels door
Parma van Loon]. – Baarn : De Kern
Vert. van: Unfinished symphony
ISBN 90 325 0651 X
NUGI 336
Trefw.: romans; vertaald.

Proloog

De skyline van New York City was adembenemend. Toen Holly en ik de fonkelende stad naderden, dacht ik na over de stroom van gebeurtenissen die me hierheen had gevoerd. Te opgewonden om te kunnen rusten, maar te moe om met Holly te praten, besloot ik Alice Morgan te schrijven en haar te bedanken voor het toezenden van de foto die me halsoverkop in deze odyssee had gestort, deze reis om mijn verleden te vinden.

Lieve Alice,
Dank je, dank je, dank je voor het sturen van die catalogus met de foto van het model dat zoveel op mijn moeder lijkt. Kenneth en ik waren het helemaal met je eens. Kenneth nam contact op met de uitgever en ze gaven hem de naam van het model, Gina Simon, en haar adres. En je raadt nooit waar ik nu, terwijl ik deze brief schrijf, op weg naartoe ben. Los Angeles! Hollywood! Op dit moment ben ik nog in New York City (althans, we rijden er doorheen, we zijn net het Empire State Building gepasseerd!). Kenneths vriendin Holly bood aan me naar New York te brengen, en daarna mag ik logeren bij Holly's zus Dorothy en haar man in Beverly Hills. Toch niet te geloven?
Maar het beangstigt me wel om zo'n verre reis te maken voor een droom. Als die Gina Simon nu eens gewoon een vrouw blijkt te zijn die veel op mamma lijkt? Of, misschien nog erger, als ze werkelijk mijn moeder is? Wat zou dat nog meer betekenen? Wie ligt dan in haar graf in Princetown? En waarom heeft ze me niet laten weten dat alles in orde is met haar, dat zij het niet was die bij dat auto-ongeluk om het leven is gekomen? Misschien is ze ziek geworden en heeft ze haar geheugen verloren. Als mamma aan geheugenverlies lijdt, heeft ze me nu meer dan ooit nodig. Ik móet er gewoon heen.

Ik moet de antwoorden op al die vragen weten.

Je zou denken dat ik me gelukkiger zou voelen met al die opwinding van het zoeken naar mijn moeder. Maar het vertrek uit Princetown heeft bijna mijn hart gebroken. Ik weet dat ik, toen ik je de laatste keer schreef, vertelde dat ik me eenzaam voelde en dat grootma Olivia het me zo moeilijk maakte. Dat is niet veranderd, maar Cary en ik zijn zo naar elkaar toegegroeid dat het me veel verdriet deed hem te verlaten. En het was vreselijk om May te zien huilen toen ze me uitzwaaide. Ze zijn echt familie van me geworden. En Cary is natuurlijk veel meer dan dat. Ik zal je alles vertellen als we elkaar spreken.

Alice, ik hoop dat ik spoedig nieuws voor je heb, en ik hoop dat je geniet van je leven in Sewell. Ik mis West Virginia. En jou natuurlijk! Doe iedereen op school de groeten en duim voor me!

Liefs, Melody

1. Een glimp van de toekomst

Holly's winkel met kristallen leek klein van binnen, omdat elke beschikbare ruimte gebruikt was. Het rook er naar wierook en er speelde een soort muziek uit het Verre Oosten. Grote kristallen, allemaal glanzend en puntig, stonden op antieke tafels in het midden van de winkel en lange, eikenhouten boekenplanken hingen aan de zijwanden. De planken stonden vol met boeken over meditatie-oefeningen, astrologie, gebedsgenezing, het hiernamaals en paranormale wonderen, wat die ook mochten zijn.

Tegen de achterwand stond een lange, glazen vitrine vol geboortestenen en in oorbellen gevatte amethisten, blauwe topazen, gele kwarts, granaten en andere mineralen. Op de planken achter de glazen vitrine stonden dozen met wierook, allerlei soorten thee, tarotkaarten en genezende kruiden. Het plafond was bedekt met kaarten van de constellaties en met posters die de krachten beschreven van verschillende stenen. Boven de kassa hing een in bloemen gelijste foto van een man die, zoals Holly zei, de boeddhistische goeroe was die haar had leren mediteren. Een gordijn van veelkleurige kralen hing voor de deuropening die toegang gaf tot de kamers achter de winkel.

We waren nog maar net in de winkel toen een jongeman in een rolstoel, die niemand anders dan Billy Maxwell kon zijn, het gordijn scheidde en tevoorschijn kwam. Hij had zijdeachtig haar, zo zwart als ebbenhout, dat op zijn schouders hing en zijn gezicht omlijstte, een gezicht dat een engelachtige gloed had door zijn mooie, bijna albastkleurige teint. Zodra hij ons zag, begonnen zijn groene ogen te stralen, en hij glimlachte. Misschien omdat hij invalide was en afhankelijk van zijn armen en schouders, was zijn bovenlichaam stevig en gespierd, wat zelfs in zijn wijde, lichtblauwe hemd te zien was. Hij droeg een donkere spijkerbroek, witte sokken en gymschoenen. Om zijn hals hing een grote, ronde edelsteen in een gouden zetting aan een gouden ketting, en in het gaat-je in zijn rechteroor droeg hij een turkooizen oorbel.

'Hoi, Billy,' zei Holly toen hij dichterbij kwam, zijn blik strak op mij gericht.

'Hoi. Je bent vroeger dan ik verwacht had. Goeie reis gehad?' vroeg hij aan haar, terwijl zijn blik mij niet losliet.

'Ja. Dit is Melody.'

'Hoe maak je het,' zei Billy, en stak zijn hand uit. Hij had lange, zachte vingers en een palm die warm tegen de mijne rustte.

'Hai,' zei ik. Zijn gezicht straalde zo'n rust en vrede uit, zo'n kalmte, dat ik me op mijn gemak begon te voelen.

'Dus je onderneemt een grote reis,' zei hij, achteroverleunend.

'Ja,' antwoordde ik. Ik kon mijn nervositeit niet verbergen.

'De Chinezen zeggen dat een reis van duizend mijl begint met een enkele stap, en die enkele stap heb je genomen. Die is meestal de moeilijkste,' ging hij verder. 'Nu neemt het momentum het over en brengt je waar je heen moet.'

Ik knikte en keek even naar Holly. Ik wist niet goed wat ik moest zeggen of doen. Ze lachte.

'Je zult hier een hoop goede raad krijgen, Melody. Billy is de beste gids in onze melkweg.'

Billy glimlachte, maar wendde zijn blik niet van me af. Ik vond het wel een beetje vreemd dat hij me zo intens aanstaarde, maar ik voelde me niet geïntimideerd of verlegen. Ik voelde zijn oprecht-heid, zijn bezorgdheid, en het was of hij en ik elkaar al jaren ken-den in plaats van enkele minuten.

'Wat is hier intussen gebeurd?' vroeg Holly, voor we door de winkel liepen.

'Mevrouw Hadrons dochter is vanmorgen vroeg voortijdig bevallen, maar de baby maakt het goed. Ze kwam langs om ons te bedanken voor de rokerige kwarts, het heeft haar dochter geholpen de crisis te doorstaan. En meneer Brul was vanmorgen hier om ons te vertellen dat de varisciet hem heeft geholpen zich een vroeger leven te herinneren. Hij wist heel duidelijke details.'

'Vroeger leven?' informeerde ik.

'Ja. Hij zag zichzelf in Engeland, in het midden van de negen-tiende eeuw. Hij zei dat hij boekhouder was, wat hem aannemelijk leek. Hij is nu accountant.'

'Bedoel je dat we allemaal al eerder geleefd hebben?' vroeg ik. Ik keek van hem naar Holly en weer terug.
'Ja,' zei Billy glimlachend. 'Ik twijfel er niet aan.'
'Nou, voorlopig zullen we ons moeten concentreren op haar huidige leven,' zei Holly. 'Hierheen, liever.'
'Het spijt me dat ik jullie niet kan helpen met je koffers,' zei Billy verontschuldigend.
'We kunnen het gemakkelijk alleen af,' antwoordde Holly. 'Tot straks.'
'Nogmaals welkom, Melody, en maak je geen zorgen. Je bent omgeven door goede energie.' Zijn ogen versmalden. 'Alles komt in orde voor je,' zei hij vol zelfvertrouwen. Het was of hij werkelijk in de toekomst kon zien.
'Dank je,' zei ik.
De deurbel ging toen twee oudere vrouwen binnenkwamen. Terwijl Billy hen hielp, bracht Holly me door het kralengordijn naar de woonruimte achterin de winkel.
'Onze kamers zijn achterin,' legde ze uit. Ik volgde haar naar een korte gang. Rechts was een kleine zitkamer met een bank, een kleiner zitbankje, twee gemakkelijke stoelen, een glazen tafel en twee staande lampen.
'Dit is Billy's slaapkamer,' zei ze met een knikje naar de eerste deur links. 'Dat is gemakkelijker voor hem, daar is hij dicht bij de winkel. Ik heb de kamer ernaast en jij kunt deze kamer nemen aan de andere kant van de gang,' zei ze, terwijl ze de deur opendeed.
Het was een heel klein kamertje met één raam dat uitkeek op de achterkant van het gebouw. Veel was er niet te zien: alleen een oprit voor de vuilniswagens en een kleine, afgesloten ruimte voor iemands hond. De hond was op dit moment in het hondenhok, en alleen zijn grote, zwarte poten waren zichtbaar. Voor het raam hingen lichtbruine, katoenen gordijnen en een rolgordijn met een maansikkel en een ster erop geschilderd. Op het nachtkastje stond een grote, bolvormige, lila kaars. Op het bed van donker pijnhout lag een lichtbruin dekbed met bijpassende kussens. Het zag er comfortabel uit. De kamer was gezellig, met het lichtbruine kleed, de donkerroze muren, lamp, schommelstoel, tafel en bijpassende, pijnhouten toilettafel. Een parelmoeren klokkenspel hing in de hoek boven de stoel. Het bewoog nu nauwelijks.

'Deze kamer wordt vaak gebruikt,' vertelde Holly. 'Veel vrienden die tot ons netwerk van vrienden behoren, hebben altijd wel een reden om naar New York te komen en blijven hier korte tijd logeren. Ik weet dat het klein is, maar...'

'Het is perfect, Holly. Dank je.'

'Maak het je gemakkelijk. De badkamer is aan het einde van de gang. Knap je maar wat op. Ik doe hetzelfde en dan bel ik mijn zus en eten we wat. Billy kookt altijd, weet je.'

'Heus?'

'O, en goed ook. Hij is een fijnproever.'

'Ik ben vergeten wat je me vertelde over die rolstoel. Zei je dat hij was neergeschoten?'

'Overvallen, een jaar of vijf geleden, niet ver hiervandaan. Billy holde weg en de overvaller schoot op hem en verbrijzelde zijn ruggengraat.'

'Wat verschrikkelijk! Maar ik ben blij dat je het me verteld hebt. Ik wilde niet iets verkeerds zeggen.'

'Maak je daar geen zorgen over. Billy heeft vrede met zichzelf en zijn conditie. Omdat hij zo spiritueel is, heeft hij medelijden met meer mensen dan er medelijden hebben met hem. Ik kan me geen moment herinneren dat hij gedeprimeerd was in de afgelopen paar jaar. Als er iemand binnenkomt die ook maar een klein beetje medelijden heeft met zichzelf, schaamt hij zich meestal over dat zelfmedelijden als hij weggaat na met Billy te hebben gesproken. En hij is een fantastisch dichter, hij heeft in veel literaire tijdschriften gepubliceerd. We zullen vragen of hij je later wat voorleest.'

Holly sloeg haar arm om mijn schouders en drukte die even. 'Net zoals Billy zei, alles komt op zijn pootjes terecht, Melody.'

Ik knikte. De ontdekkingen, het snelle besluit om de reis te maken en de rit naar New York, en ook het overweldigende van de stad, maakten me plotseling doodmoe. Mijn lichaam leek ineen te zakken, mijn benen voelden aan of ze van rubber waren en mijn oogleden waren loodzwaar.

'Ga wat rusten,' was Holly's verstandige raad. Zodra ze weg was ging ik liggen en liet mijn hoofd op het kussen vallen.

Een getinkel, als van glazen die zachtjes heen en weer bewogen werden in een afwaskom, wekte me. Een paar seconden lang wist ik niet waar ik was. De zon was onder en de kamer was gevuld met schaduwen. Iemand was binnengekomen terwijl ik sliep en had de kleine lamp naast de schommelstoel aangeknipt. Ik ging rechtop zitten en wreef de slaap uit mijn ogen. Het raam stond een eindje open en het briesje dat naar binnen woei deed het klokkenspel dat aan het plafond hing, zachtjes rinkelen, wat de oorsprong van het geheimzinnige geluid verklaarde.

Ik hoorde zachtjes op de deur kloppen.

'Ja?'

Holly, in een van haar lichtgele jurken met een geel-met-groene hoofdband en zilveren, kristallen oorbellen tot op haar schouders, stak haar hoofd om de deur.

'Je hebt een hele tijd geslapen.'

'Ja,' zei ik.

'Mooi. Ik heb mijn zus Dorothy gesproken en alles is geregeld. Zodra we weten hoe laat je vliegtuig landt zal ik haar bellen, en zij en haar chauffeur zullen je van de luchthaven afhalen. Mijn vriendin is bezig met het ticket en heeft beloofd me binnen een uur te bellen. Billy maakt een feestmaal klaar. Fris je wat op en kom bij ons als je klaar bent,' zei ze.

'Dank je, Holly.'

'Graag gedaan, schat. O,' ging ze verder, voor ze de deur weer dichtdeed, 'ik heb Kenneth gesproken. Ik moet je de groeten van hem doen en je het beste wensen.' Ik hoorde een verandering in haar stem.

'Was er iets mis?'

'Hij klonk alleen een beetje gedeprimeerd. Misschien mist hij ons. Vooral jou.'

'Waarschijnlijk werkt hij twintig uur per dag.'

'Twintig? Ik denk eerder tweeëntwintig,' zei ze met een kort lachje. Toen deed ze de deur dicht en ik stond op en maakte mijn koffer open om er iets uit te halen dat ik aan kon trekken. Toen ik me had gewassen, mijn haar had gedaan en me had aangekleed, ging ik naar de keuken. De geur van het eten was aanlokkelijk en mijn maag begon te knorren. Billy, die over een tafel gebogen zat, die blijkbaar was aangepast voor zijn rolstoel, draaide zich om toen ik binnenkwam. Holly was in de winkel met een klant.

'Hallo. Hoe gaat het ermee?' vroeg Billy.

'Beter, nu ik wat geslapen heb. Ik lijk langer te hebben geslapen dan ik van plan was. Kan ik helpen?'

'Alles is klaar,' zei hij met een knikje naar de gedekte tafel. 'Holly sluit de zaak over een minuut of tien en dan gaan we eten. Ik zal de kaarsen aansteken,' zei hij. 'Ik hou van schemerlicht bij het eten. Het verhoogt je smaak als je de kracht van de andere zintuigen vermindert. Wist je dat?'

'Nee.'

'Het is waar,' zei hij, lachend om mijn sceptische blik. 'Heb je nooit gemerkt dat voedsel beter smaakt in het donker? Aangenomen tenminste dat het goed voedsel is.' Hij stak de kaarsen aan en ging toen terug naar zijn werktafel.

'Hoe lang kook je al?'

'Sinds ik vegetariër ben geworden. Het is gewoon een stuk gemakkelijker om voor jezelf te koken, en bovendien is het bereiden van goede, smakelijke gerechten een kunst en heel bevredigend. De meeste mensen denken tegenwoordig dat het een beproeving is, maar dat komt omdat ze niet trots zijn op wat ze doen. Ze zijn niet op zoek naar de essentie, de innerlijke beloning. Ze vinden het leven een last. Ze voelen zich nooit op hun gemak en genieten zelden van hun eigen prestaties. Hun dagen zijn vol stress en negatieve energie.'

Hij draaide zich weer naar me om.

'Het is niet mijn bedoeling je te vervelen met een preek. Holly zegt dat als ik eenmaal begin, ik net een klok ben die niet afloopt.'

'Nee, echt, ik vind het niet erg,' zei ik. 'Waarom ben je vegetariër?'

Billy pauzeerde even met koken en draaide zijn stoel om, zodat hij me aan kon kijken.

'Ik volg veel boeddhistische tradities en beschouw al het dierlijke leven als heilig, maar andere religieuze groepen hangen ook het vegetarisme aan. In de rooms-katholieke kerk bijvoorbeeld wordt het in de kloosters sinds 1666 gevolgd door de Trappisten, en door de Zevendedagsadventisten bij de protestanten. Ik vind dat het doden van dieren onnodig en wreed is en mogelijk kan leiden tot minachting voor het menselijk leven. Het is ook een gezondere levenswijze, zolang je de proteïnen niet verwaarloost.'

Hij lachte.

'Nu vind je me natuurlijk een malloot, hè?'

'Nee,' zei ik, 'maar ik ken een hoop mensen in Cape Cod die zich erg ongelukkig zouden voelen als mensen geen vis meer aten.'

'O, nou ja, daar maak ik een uitzondering voor,' zei hij met een knipoog. 'Bij gelegenheid eet ik vis die met een net is gevangen, zolang ik maar weet dat er geen chemicaliën aan toegevoegd zijn.'

'Het ruikt erg lekker,' zei ik.

'Het menu van vanavond,' verklaarde Billy, die rechterop ging zitten. 'We beginnen met koude okra-yoghurtsoep, dan een salade van sinaasappel, walnoten en romainesla, gevolgd door burgers van rijst, wortel, paddestoelen en pecannoten op geroosterd zevengranenbrood. Als dessert heb ik een cake gebakken van Johannesbrood met glazuur van Johannesbrood-ricotta. Iets speciaals om je komst te vieren,' ging hij verder.

Toen ik zweeg begon hij te lachen.

'Je weet niet wat je te wachten staat, hè?' zei hij.

'Het klinkt... interessant,' zei ik, en hij begon nog harder te lachen.

'Wat is hier aan de hand?' vroeg Holly, die net binnenkwam.

'Ik heb Melody net het menu verteld, en ze was sprakeloos. Toen zei ze dat het interessant klonk. Diplomatiek, hè?'

'O, maak je niet bezorgd, Melody. Er staat je iets verrukkelijks te wachten,' beloofde Holly.

'Heb je afgesloten?' vroeg Billy. Ze knikte.

'Dan kan het feestmaal beginnen,' verklaarde hij, en klapte in zijn handen.

Weer vroeg ik of ik kon helpen, maar Billy hield vol dat ik de eregast was. Het verbaasde me hoe snel hij zich met zijn rolstoel door de keuken kon bewegen. Holly draaide lampen laag en ging zitten.

De soep was heerlijk en verfrissend. De sla was erg goed, maar ik was vooral onder de indruk van de groenteburgers, omdat ze qua consistentie en zelfs smaak op vlees leken.

'Hoe doe je dat?' vroeg ik al kauwend.

'Hij heeft magische handen,' zei Holly.

Billy stelde vragen over Cape Cod, mijn leven daar en mijn vroegere leven in Sewell, West Virginia. Hij kon goed luisteren en nam alle bijzonderheden in zich op. Nu en dan wisselden hij en Holly

13

een blik, die me duidelijk maakte dat ze uitvoerig over mij en mijn situatie hadden gesproken.

'Je moet goed beseffen,' zei hij, toen ik uitgelegd had waarom ik aan deze reis was begonnen, 'dat mensen veranderen als ze in andere plaatsen komen. We reageren op onze omgeving, op de mensen om ons heen, op het klimaat en vooral op het soort aanwezige energie. Zelfs al is die vrouw je moeder, dan is ze nu misschien meer een vreemde voor je dan je denkt.'

'Dat hoop ik niet,' zei ik triest.

'Bereid je er in ieder geval op voor,' adviseerde Billy.

'Ik weet niet hoe ik me op zoiets moet voorbereiden.'

'Misschien kan ik je helpen.' Er lag een intense blik in zijn ogen.

De telefoon ging en Holly sprak met haar vriendin van het reisbureau. Toen ze ophing, vertelde ze me dat de vlucht voor overmorgen geregeld was.

'Je bent ongeveer 11 uur 's morgens plaatselijke tijd in Los Angeles. Ik zal Dorothy bellen om haar het vluchtnummer en de aankomsttijd door te geven,' ging ze verder, terwijl ze terugliep naar de telefoon. Mijn hart begon te bonzen nu mijn plannen op het punt stonden werkelijkheid te worden. Toen ik naar Billy keek, zag ik dat hij naar me glimlachte. In zijn ogen lag een troostvolle blik. Het hielp me om me weer te ontspannen.

Deze keer schudde Holly haar hoofd toen ze weer ophing.

'Dorothy gaat met je lunchen in een of ander restaurant in Beverly Hills, waar je ongetwijfeld een stengel selderij en een kop pasta krijgt voor honderd dollar,' zei ze. 'Beschouw mijn zus maar als iemand tegen wie je een beetje toegeeflijk moet zijn. La La Land is gewoon Disneyland voor de rijken en beroemden.'

'Laat Melody haar eigen conclusies maar trekken, Holly,' zei Billy rustig. 'Wie weet? Misschien bevalt die wereld haar wel.'

'Niet dit nuchtere meisje. Luister goed naar me, Melody. Ga erheen en als de bliksem er weer weg. Ontdek wat je moet ontdekken, en als het niet is wat je verwacht of wat je wilt, stap dan op het eerste het beste vliegtuig en kom hier terug als je wilt, voordat je weer naar Cape Cod gaat,' zei Holly. 'Negeer ook negentig procent van wat mijn zus je vertelt en sta sceptisch tegenover de andere tien procent.'

De telefoon ging weer. Holly sprak even met iemand en toen ze ophing, zei ze dat ze even weg moest.

'Ik moet een astrologische interpretatie geven voor iemand. Dat had allang moeten gebeuren. Ik vind het vervelend om je je eerste avond hier alleen te moeten laten, maar...'

'Geen probleem,' zei Billy.

'Wil je haar een van je gedichten voorlezen?'

'Als ze dat wil,' antwoordde hij, naar mij kijkend.

'O, ja, alsjeblieft,' zei ik. 'Maar je móet me laten helpen met opruimen.'

'O, graag. Ik ben een gourmetkok en alle gourmetkoks laten mensen helpen met opruimen.'

Hij en Holly lachten, en ik glimlachte. Ik was pas een paar uur in New York, maar ik voelde me hier meer thuis dan in de huizen van mijn zogenaamde familie. Misschien had Billy gelijk; misschien bestond er werkelijk zoiets als positieve energie en misschien zou hij me genoeg daarvan geven om me door de donkere dalen en tunnels die voor me lagen heen te helpen. De vraag was of ik licht zou vinden aan het eind ervan?

Toen ik de keuken had opgeruimd en borden en kookgerei had weggezet, bleef ik even staan bij de zitkamer, waar Billy in een notitieboekje zat te kijken.

'Kom binnen,' zei hij. 'Ik zat net te bedenken wat het meest toepasselijk zou zijn voor jouw omstandigheden van alles wat ik geschreven heb, en het heeft me helemaal teruggevoerd naar mijn wedergeboorte.'

'Wedergeboorte?'

Hij knikte en streek een paar haarpieken uit zijn ogen. Er lag weer een zachte, aantrekkelijke glimlach om zijn lippen. Ik had nog nooit iemand ontmoet die zo in harmonie leek met zichzelf. Het deed me denken aan de intense kalmte voor een storm, als de hele wereld zijn adem leek in te houden. Cary noemde het het bedrog van moeder natuur en beweerde dat ze ons voorspiegelde dat alles goed was vlak voordat ze de furiën op ons afstuurde.

'Ja, wedergeboorte, want ik was voor zoveel dingen dood voor mijn... mijn dood,' zei hij. 'Ik was als de meeste mensen, blind en doof, verward door de drukte en het lawaai, op jacht naar materiële dingen. Ik leefde op het laagste niveau, zonder ooit het lied te horen.'

'Het lied?'

'Het spirituele lied, de stem diep in ons binnenste, de stem die ons met elkaar verbindt, met elk levend en zelfs niet-levend ding. Zelfs de man die op me schoot is deel van deze algehele spirituele essentie en in dat opzicht zijn we voor eeuwig en altijd deel van elkaar.'

'Hebben ze hem gepakt?'

'Nee, maar dat is niet belangrijk. Hij heeft zichzelf neergeschoten toen hij op mij schoot. We zijn door die daad eeuwig met elkaar verbonden.'

'Bedoel je dat je het hem kunt vergeven?' vroeg ik verbijsterd.

'Natuurlijk. Er valt niets te vergeven. De negatieve energie in hem is wat verdreven moet worden. Hij werd gevangen, hij was een gevangene daarvan, net als ik werd gevangen en een tijdlang een gevangene werd door de kogel die mijn ruggengraat verbrijzelde.'

'Hoe kun je zo positief zijn?' vroeg ik nieuwsgierig en verbaasd.

'Ik lag op mijn bed in het ziekenhuis en had vreselijk medelijden met mezelf, zette alle dingen op een rijtje die ik niet meer zou kunnen doen, betreurde mijn afhankelijkheid van anderen. Kortom, ik wilde dood,' legde hij uit. 'En toen verscheen Holly plotseling naast mijn bed, met haar goeroe, een oudere man uit India, die ogen had als kristallen. Ik maakte deel uit van hun liefdadigheidswerk om zieken en invaliden te bezoeken en weer hoop te geven. Vanaf het begin voelde ik iets in hem, een innerlijke kracht waarvan hij me deelgenoot kon maken, die hij op me over kon brengen. Hij leerde me mediteren en opende de deuren naar mijn nieuwe ik. Ik droeg mijn eerste gedicht aan hem op. Sindsdien is hij weer teruggekeerd naar India. Er hangt een foto van hem in de winkel.

'Daarna kwam Holly bij me en bood me een baan aan in haar winkel, die ik accepteerde. En ik ben hier al die tijd gebleven.

'Laat eens zien,' zei hij, terwijl hij de bladzijden omsloeg. 'O, ja, dit was toen ik pas begon met het schrijven van gedichten. Ik werkte hier nog niet zo lang, ik had wat gedichten gelezen in de krant van de Village, en dacht dat ik eens moest proberen mijn eigen gedachten op te schrijven. Wil je het horen?'

'Ja, heel graag.'

Hij staarde een lang, stil moment naar de pagina's en begon toen met heel zachte stem te lezen.

16

'Ik was aan het eind gekomen van het daglicht
en staarde naar de ingang van de duisternis.
Maar toen ik mijn gezicht aanraakte,
Besefte ik dat mijn ogen gesloten waren en mijn huid koud was.
Alles wat ik meende lief en nodig te hebben was
verdwenen,
En ik was naakt, huiverend in mijn ellende.
Ze namen me de maat voor een doodkist.
Plotseling hoorde ik een stem roepen in mijzelf.
Ik draaide mijn ogen om en keek achterom, heel diep
omlaag, en ik zag een enkele kaars.
Hij trok me dichterbij tot ik mijn hand kon uitsteken en mijn vingers
in de vlam houden.
Langzaam, zorgvuldig, verbrandde ik mijn dode lichaam
en toen het verdwenen was, was ik niet langer naakt.'

Hij keek langzaam op.

'Het is mooi,' zei ik, 'maar ik weet niet zeker of ik het wel goed begrijp.'

'Ik moest uit mijn oude, nu invalide geworden lichaam kruipen, het verbranden, omdat het me letterlijk gevangen hield. Toen ik eenmaal het innerlijke licht had gevonden, de ware spiritualiteit, kon ik verder gaan dan het fysieke lichaam en een hogere plaats bereiken. Dat zul jij op een dag ook kunnen. Alles waarvan je houdt en denkt dat je het nodig hebt lijkt verloren. Je bent op zoek omdat je je naakt voelt, zinloos en zonder hoop, maar je zult zien dat je alles wat je nodig hebt in jezelf hebt en dat je niet één enkele stap hoeft te doen, in welke richting ook.'

Ik zei niets. We staarden elkaar aan in de stilte en toen glimlachte hij.

'Je hebt weer die blik in je ogen. Je denkt weer dat ik een malloot ben.'

'Nee,' zei ik lachend. 'Eigenlijk hoop ik dat het waar is wat je zegt.'

'Dat is het, maar het zijn ontdekkingen die iemand zelf moet doen. Ik kan je alleen maar de weg wijzen, je in een bepaalde richting sturen.'

'Noemde Holly je daarom de beste gids in de melkweg?'

'Ja,' zei hij lachend. 'Oké, voldoende lessen voor één avond. Wil je een eindje wandelen?'

'Wandelen?'

Hij lachte om mijn verbazing.

'Nou ja, jij wandelt en ik word door jou geduwd.'

'O. Natuurlijk.'

Ik hoopte dat ik hem niet beledigd had met mijn verbazing.

'Het is warm buiten. Je hebt geen jas nodig.' Zonder enige aarzeling draaide hij zijn stoel rond en rolde zijn stoel de kamer uit, de keuken door en de winkel in. Ik moest bijna hollen om hem bij te houden. Buiten bleven we even staan zodat hij de deur kon afsluiten, en toen vroeg hij me hem te duwen. Bij de hoek staken we de straat over en liepen een andere straat in, langs de winkels, een paar restaurants en een klein theater. Op de trottoirs liepen veel goedgeklede mensen, en ik genoot van hun jachtige levensstijl.

Toen we bij de campus van de New York University kwamen, liet Billy me even stilhouden om naar een paar sprekers te luisteren. Sommigen hielden politieke toespraken, anderen spraken op gezwollen toon over het eind van de wereld. Op een hoek speelde een man gitaar en zong volksliedjes voor een kleine groep die zich om hem heen had verzameld. Vóór hem lag zijn hoed, waarin mensen klein geld en dollars gooiden.

Verderop zong een groep jongemannen a capella geestelijke liederen. Ze waren erg goed en ook zij hadden een mandje staan voor bijdragen.

'Wat vond je ervan?' vroeg Billy, terwijl we over het trottoir liepen, langs daklozen die om een aalmoes vroegen, een man die met een boom stond te praten, en een zwarte jongen die niet ouder dan twaalf kon zijn en op twee bongodrums speelde.

'Nu begrijp ik waarom Holly New York een kermis van het leven noemt.'

Billy lachte en vroeg me hem naar een bankje te rijden waar geen mensen waren en het rustig was. Ik ging zitten en we keken naar het verkeer, de groepen toeristen en bewoners die zich naar hun bestemming begaven.

'Het was op deze hoek,' zei hij plotseling.

'Wat?'

'Waar het gebeurde. Ik holde in die richting.' Hij knikte naar links. 'Het was ongeveer twee uur in de ochtend. Ik was student hier.'

'O. Vind je het niet naar om hier te komen?'

'Nee. Het intrigeert me. Ik kan je één raad geven, Melody Logan,' zei hij, met een diepe, donkere stem, die een rilling over mijn rug deed lopen. 'Grijp het moment, confronteer wat je angst aanjaagt en zoek tot je een uitweg vindt. Laat je door niets in jezelf opsluiten. Waar je ook gaat, wat je in je grootste angst ook ziet, denk aan deze hoek, aan deze schaduwen, aan mij, zoals ik hier zit en door de tijd heen naar mezelf staar, naar de overvaller, naar het geluid van het pistool, en naar mezelf terwijl ik ineenzak op dat trottoir, en dan plotseling uit mezelf oprijs en hoger sta dan ooit tevoren.'

Hij pakte mijn hand vast en ik had het gevoel dat zijn moed en spirituele kracht in mij overstroomden. Ik glimlachte.

'Dank je, Billy.'

'Bedank jezelf, koester jezelf, en laat niemand je een gevoel van minderwaardigheid geven.'

Hij leunde achterover en leek plotseling uitgeput, alsof hij al zijn energie aan mij had verbruikt.

'Zullen we teruggaan?' stelde ik voor. Hij knikte.

Holly was nog steeds niet thuis toen we terugkwamen.

'Kan ik je ergens mee helpen?' vroeg ik.

'Niet nodig,' zei hij glimlachend. 'Dank je.'

Billy rolde zijn stoel door de gang, eerst naar de badkamer en toen naar zijn eigen kamer. Ik maakte me zelf ook gereed om naar bed te gaan. Toen hij langskwam om naar zijn kamer te gaan, hield hij even stil bij mijn deur.

'Goedenacht, Melody.'

'Goedenacht, Billy,' riep ik. Hij ging zijn kamer in, en ik bewonderde hem om zijn opgewektheid en de manier waarop hij de schaduwen van de eenzaamheid had verjaagd.

Ik was nog geen vijf minuten in mijn kamer, of die schaduwen begonnen me in te sluiten. Ik was in een vreemde stad, ver weg van iedereen van wie ik hield of die van mij hield. Ik voelde me als iemand die verdwaald is, die alle gevoel voor richting kwijt is en de weg naar huis niet meer kan vinden.

Uit welke bron putte Billy Maxwell zoveel kracht?

19

In het donker dacht ik aan Cary, hoorde zijn lach, herinnerde me zijn glimlach, zijn verleidelijke ogen, zelfs zijn meesmuilende grijns. Ik voelde me beter toen ik aan hem dacht. Ik sloot mijn ogen en concentreerde me op het beeld van de vloed die op het strand spoelde.

En het duurde niet lang of de schaduwen van de eenzaamheid verdwenen. De slaap overspoelde me, net als de vloed.

Ik dreef weg.

Toen ik de volgende ochtend wakker werd, schrok ik toen ik zag hoe lang ik had geslapen. Ik sprong mijn bed uit, waste me en kleedde me aan. Holly en Billy hadden de winkel al geopend en waren bezig klanten te helpen.

'Het spijt me dat ik zo lang geslapen heb,' zei ik toen de klanten weg waren.

'Dat geeft niets, schat,' zei Holly. 'Je moet bekaf zijn geweest. Billy vertelde me dat jullie zijn gaan wandelen,' ging ze verder.

'Ik denk dat de opwinding van New York me heeft uitgeput.'

'Ik maak wel een ontbijt voor haar klaar,' riep Billy, terwijl hij op weg ging naar de keuken.

'Ik vind het erg vervelend dat ik jullie zoveel last bezorg.'

'Je bezorgt ons helemaal geen last. Als je hebt ontbeten, gaan we je vliegtickets halen,' zei Holly. 'En dan zal ik je wat van New York laten zien. Wat wil je het liefst zien?'

'Ik weet het niet.' Allerlei mogelijkheden gingen door mijn hoofd, de dingen en plaatsen waarover ik had gelezen, en waarover Alice en ik in Sewell hadden gepraat toen we samen een toekomstige reis planden. Wat eens een jeugdfantasie was geweest, was nu realiteit.

'Ik denk, het Empire State Building en Broadway en het Vrijheidsbeeld en het Museum of Natural History en...'

'We hebben maar één dag,' zei Holly lachend.

'Ik zal haar het meeste daarvan laten zien,' riep Billy uit de keuken. 'Ik heb wat fruit, meergranenvlokken, sap en koffie voor je, Melody.'

'Jij wilt het me laten zien?' vroeg ik. Ik kon mijn verbazing moeilijk verbergen. Hij en Holly keken elkaar even aan en begonnen toen te lachen.

'Billy komt overal net zo gemakkelijk als ieder ander,' zei Holly. 'Hij heeft een busje met een lift en een speciale besturing.'

'Cadeau van mijn ouders,' zei hij. Ik vond het vreemd dat hij nooit eerder over hen had gesproken.

'Ik kan je niet uit de winkel weghalen. Ik...'

'Wat bedoel je? Ik ben wel aan een vrije dag toe, nietwaar, Holly?'

'Meer dan één,' antwoordde Holly. 'Eet maar gauw je ontbijt op, dan kunnen jullie weg. Toe dan,' drong ze aan. 'Wees toch niet zo'n piekeraarster.'

Ik lachte en ging naar de keuken om te ontbijten. Later reden Holly en ik naar het reisbureau, waar haar vriendin werkte, om mijn vliegtickets af te halen. Toen ik ze in mijn hand hield, met vertrek-en aankomsttijden erop, sloeg de angst me plotseling om het hart. Zou ik werkelijk morgen in dat vliegtuig stappen en dwars door het land vliegen om te gaan logeren bij mensen die ik niet kende, en een van de grootste steden van Amerika afzoeken naar een moeder die me misschien niet wilde zien?

Billy's busje stond voor de winkel toen we terugkwamen. Hij liet me zien hoe de lift werkte en ging toen achter het stuur zitten. Holly zwaaide toen we wegreden voor mijn sightseeingtour van New York. Billy leek al even enthousiast als ikzelf.

'Het is altijd leuk om bekende dingen te zien door de ogen van iemand die ze niet kent,' legde hij uit. 'Het geeft je meer waardering voor wat je hebt.'

Het Empire State Building uit de verte zien was al opwindend, maar van dichtbij en omhoogkijken was nog veel opwindender.

'Wil je naar boven?' vroeg Billy.

'Kan dat?'

'Natuurlijk. Ik zet de auto in de parkeergarage en dan nemen we de lift. Het is een prachtige dag ervoor. Ik denk dat we helemaal tot Canada kunnen zien.'

'Heus?'

'Nee,' zei hij lachend.

'Je vindt me waarschijnlijk een boerenmeid,' zei ik met een grimas.

'Absoluut niet, maar zelfs al was je dat, wat dan nog? Het zou verfrissend en eerlijk zijn,' antwoordde hij. Billy kon alles wat negatief was omzettten in iets positiefs, dacht ik. Hoe kon iemand zo perfect zijn?

21

Billy reed door de stad alsof het gewoon een klein stadje was, niet groter dan Sewell. De horden mensen, een ware zee van lijven en gezichten, die op en neer liepen over de trottoirs, de legioenen auto's, het lawaai en de drukte schenen niet te bestaan. Hij leek het niet te merken zoals hij met zijn stoel erdoorheen manoeuvreerde, terwijl mijn ogen naar achteren en naar voren, naar boven en naar beneden gingen, en ik alles in me opnam.

De tocht met de lift naar het observatiedek van het Empire State Building was de spannendste die ik ooit had beleefd en toen we uitstapten en naar de afrastering liepen, dacht ik dat ik me letterlijk op de top van de wereld bevond. Ik slaakte een gilletje van verrukking. Billy lachte en gaf me wat geld voor de telescoop waardoor ik de Hudson River en New Jersey kon zien.

Later reden we naar Broadway, langs alle theaters, de grote, elektrische reclameborden, en over Times Square, een plek die ik alleen op de televisie had gezien en waarover ik in boeken had gelezen. Mijn hart bonsde van opwinding, ik popelde van verlangen om alles aan Alice te schrijven. Billy besloot in het wereldberoemde Chinatown te gaan lunchen, waar hij zijn lievelingsgerecht kon krijgen, de vegetarische *lo mein*. Terwijl we daar waren, kocht hij een prachtige, met de hand beschilderde waaier voor me.

Na de lunch gingen we naar het Vrijheidsbeeld. De lucht was nog grotendeels blauw en er woei een warme bries uit de haven van New York. Toen we weer aan land kwamen, besefte ik dat Billy vermoeider was dan hij deed voorkomen, en ik zei dat het tijd was om terug te gaan naar de winkel. Ik beweerde dat ik zelf moe was. Dat was ik niet. New York laadde mijn energie op. Het panorama van mensen, alle dingen die je kon zien en doen waren hypnotiserend en hielpen me mijn zorgen en problemen te vergeten.

Terug in de winkel dronken we gedrieën thee, terwijl ik maar doorratelde over alles wat we hadden gedaan en gezien. Later ging Billy naar zijn kamer om te mediteren, en Holly en ik hielpen de klanten. Ik was gefascineerd hoeveel mensen geïntrigeerd waren door haar kristallen en sieraden, hoe graag ze wilden geloven in de kracht ervan. Allerlei mensen kwamen binnen voor informatie en om dingen te kopen: oud en jong, mannen en vrouwen. Sommigen waren vaste klanten en bevestigden wat Holly me over haar stenen had verteld.

Toen Billy uit zijn kamer kwam, leek hij weer op krachten gekomen. Ik bood aan hem te helpen met het eten, maar weer zei hij dat ik de gast was en dat hij koken leuk vond. Toen Holly de winkel gesloten had, zaten we samen in de zitkamer en ontspanden ons, terwijl Billy het eten klaarmaakte. Ik vertelde haar over het gedicht dat hij had voorgelezen en wat hij tegen me had gezegd.

'Hij is een fantastisch mens. Ik ben blij dat hij mijn partner is geworden.'

'Hij zei dat zijn ouders hem dat busje hebben gegeven, maar hij heeft verder niets over ze verteld. Waar zijn ze?'

Holly trok een lelijk gezicht.

'Ze wonen in het noorden van de staat en ze zijn heel blij dat hij daar niet woont. Ze accepteren zijn huidige levenswijze niet. Zijn vader noemt hem een hippie.'

'O, wat erg.'

'Billy vindt het niet prettig, maar hij heeft zich erbij neergelegd en berust erin.'

'Heeft hij nog broers en zussen?'

'Een oudere broer, die advocaat is. Hij zoekt Billy altijd op als hij in New York is, of liever gezegd, zo nu en dan als hij in New York is. Hij wilde dat Billy naar huis ging en bij zijn ouders ging wonen, maar Billy wil niet als een gehandicapte worden beschouwd, zoals je misschien al gemerkt hebt.'

'Hij is verbluffend,' zei ik. 'Zo inspirerend.'

Holly knikte. Toen keek ze serieus.

'Ik heb aan je horoscoop gewerkt, Melody,' zei ze. 'Nu ik meer weet over jou en de gebeurtenissen, kan ik bepaalde dingen achterhalen, en een duidelijker beeld krijgen.'

'En?'

'Ik denk niet dat je zult vinden wat je zoekt,' zei ze zacht. 'Misschien kun je beter omkeren, terug naar je eigen leven, de mensen van wie je weet dat je op ze kunt rekenen.'

Het kwam hard aan. Ik hield mijn adem in en glimlachte.

'Je weet dat ik dat niet kan,' zei ik, en ze knikte. 'Maar nu ik met Billy heb gesproken en een en ander van hem heb geleerd, ben ik niet meer zo bang als eerst.'

'Goed zo.'

'Ik ben je erg dankbaar voor alles wat je voor me gedaan hebt. Ik weet niet of ik zonder jou de moed zou hebben gehad dit te doen, Holly. Dank je.'

Ze glimlachte niet.

'Ik hoop dat ik juist heb gehandeld,' zei ze.

Ik kon me alleen maar afvragen wat ze in de sterren had gezien dat haar ook maar enigszins aan het twijfelen bracht.

Ik kan het maar beter niet vragen, dacht ik.

2. Verloren onschuld

Billy rolde zijn stoel naar buiten om toe te kijken terwijl Holly en ik de volgende ochtend in haar auto stapten. Toen ik mijn bagage had ingeladen, bleef ik even staan om afscheid te nemen. Hij hield mijn hand in de zijne en keek diep in mijn ogen.

'Vaak, meestal eigenlijk, voelen we ons als schepen die elkaar in de nacht passeren,' zei hij. 'We brengen zo weinig *quality time* met elkaar door, Melody, we leren elkaar nauwelijks kennen, maar bij jou heb ik dat gevoel niet. Je bent vriendelijk en vertrouwend genoeg geweest om je voor me open te stellen. Bedankt dat je me deelgenoot hebt gemaakt.'

'Deelgenoot? Waarvan?' vroeg ik glimlachend. 'Van mijn problemen?'

'Jouw problemen zijn een deel van wie je werkelijk bent, maar je hebt me niet alleen deelgenoot gemaakt van je problemen. Ik heb je opwinding en verrukking kunnen zien. Ik heb je energie kunnen voelen en dat heeft me nieuwe kracht gegeven.'

Ik keek hem verbaasd aan. Hoe kon ik op het ogenblik iemand kracht geven: ik stond te beven op het trottoir, doodsbang voor de reis die voor me lag.

Hij boog zich naar voren en haalde de gouden ketting met het unieke medaillon van zijn hals en gaf die aan mij.

'Ik wil dat jij die hebt,' zei hij. 'Het is een lapis lazuli. Die helpt de spanning en angst te verminderen, maar belangrijker nog, hij zal je communicatievermogen met je hogere ik verhogen. Hij heeft mij altijd goede diensten bewezen.'

'Dan mag ik hem niet aannemen,' zei ik.

'Ja, juist wel. Ik wil dat jij hem draagt. Alsjeblieft,' hield hij vol.

Ik zag dat hij niet tevreden zou zijn voor ik zijn cadeau had geaccepteerd, dus nam ik het aan en deed de ketting om. Hij glimlachte.

'Dank je, Billy.' Ik bukte me om hem een zoen op zijn wang te geven, die automatisch vuurrood werd. Toen liep ik haastig naar de auto.

'Let op de melkweg zolang ik er niet ben,' riep Holly. Hij lachte en zwaaide toen we wegreden. Ik keek achterom en zwaaide weer, tot we een hoek om reden en hij uit het gezicht was verdwenen.

'Gek eigenlijk. Ik ben hier nog geen twee dagen, maar ik heb het gevoel dat ik Billy al jaren en jaren ken,' zei ik.

Holly knikte.

'Dat effect heeft Billy op iedereen. Ik ben blij dat je de kans had een tijdje bij hem te zijn voor je naar Californië vertrekt.'

Californië! Alleen al de manier waarop zij het zei en ik eraan gedacht had deed het op een andere planeet lijken. Ik zat met mijn knieën tegen elkaar geperst en wrong mijn handen zenuwachtig in mijn schoot terwijl we de stad uitreden naar de luchthaven. Denk aan iets plezierigs, iets kalmerends, hield ik me voor.

Op weg naar de luchthaven beschreef Holly haar zuster wat nauwkeuriger, maar gaf toe dat ze elkaar al bijna een jaar niet gezien hadden.

'Ik ga daar niet heen, en zelfs als ze hier komt, heb ik het gevoel dat ik haar in verlegenheid breng. Ze is zeven jaar ouder dan ik, dus er ligt bijna een generatie tussen ons, maar diep in haar hart is ze echt erg aardig.'

'Het is heel lief van haar dit allemaal voor me te doen. Per slot van rekening ben ik een vreemde voor haar,' zei ik, terwijl ik me afvroeg hoe diep, diep in haar hart was.

'Dorothy vindt het prachtig om edelmoedig te zijn. Dat geeft haar nog meer het gevoel een koningin te zijn,' zei Holly lachend.

'Ik heb iets voor je dat je haar kunt geven.' Ze haalde een sieradendoosje uit haar tas, verpakt in papier met een ram, de Aries, Dorothy's teken. 'Het is een armband met amethisten. De stenen voor de Aries zijn amethist en diamant, maar ze heeft diamanten genoeg. Dat zul je wel zien.'

'Ik zal ervoor zorgen dat ze het meteen krijgt,' beloofde ik, en stopte het doosje in mijn tas.

'Dank je.' Toen de hangars in zicht kwamen, zei ze: 'Wel, we zijn er bijna.'

Mijn hart bonsde als een trommel in een optocht bij het zien van alle auto's, limousines en bussen, van mensen die haastig alle richtingen uit gingen en kruiers die bagage sjouwden. Er werd getoeterd, politiemannen schreeuwden naar bestuurders en wenkten naar voetgangers om ze sneller te laten lopen. Hoe moest ik ooit de weg vinden in deze doolhof van activiteit? Iedereen leek te weten waar hij naartoe ging en liep er snel heen. Ik had het gevoel of ik in een droom zweefde en alle richtingen op gestuwd kon worden.

'Maak je geen zorgen,' zei Holly, toen ze mijn gezicht zag. 'Zodra we stoppen zal de kruier je koffers overnemen en je je bagagebewijzen geven. En dan vertelt hij je naar welke gate je moet voor het instappen. De richting wordt overal duidelijk aangegeven,' stelde ze me gerust. 'En als je iets niet weet, is er altijd wel iemand van een luchtvaartmaatschappij in de buurt aan wie je het kunt vragen.'

Ik haalde diep adem. Ik was er, ik ging echt naar L.A. Ze stopte bij het trottoir en we stapten uit. De kruier pakte mijn koffers en niette de reçu's aan mijn tickets.

'Gate eenenveertig,' mompelde hij.

'Gate eenenveertig?'

Ik wilde het hem laten herhalen, maar hij was al bezig iemand anders te helpen. Ik draaide me om naar Holly.

'Ik kan hier niet langer geparkeerd staan. Ze geven je net genoeg tijd om iemand af te zetten. Binnen zie je een tv-monitor met je vlucht- en gatenummer, en de vertrektijd van je vliegtuig.'

'Bedankt voor alles, Holly.'

'Bel jij mij en ik bel jou,' zei ze. Ze hield mijn handen vast en stond even naar me te kijken. Toen schudde ze haar hoofd. 'Je moeder moet blind zijn om zo'n dochter achter te laten.' Ze omhelsde me en ik klampte me aan haar vast, alsof ze een boei was die me drijvend hield in deze oceaan van mensen en lawaai en activiteit.

Ze draaide zich om en stapte weer in haar auto met een laatste glimlach naar mij. Ik zag haar wegrijden, zwaaide en keek haar na tot ze verdwenen was. Nu was ik werkelijk helemaal alleen, zonder een vriend op de wereld. Twee oudere mensen drongen ruw langs me heen, zonder te beseffen dat ze me bijna omverliepen met hun koffers. Ik stond op de verkeerde plaats. Ik greep mijn tas stevig beet en liep naar binnen voordat iemand anders me zou vertrappen.

Binnen was het niet veel anders. Mensen liepen haastig voorbij, trokken koffers op wieltjes mee en riepen naar elkaar. Bij de balie stond een man te argumenteren met de balie-employé, terwijl de mensen achter hem geërgerd en gefrustreerd toekeken. Ze zouden allemaal Billy Maxwells kalmerende woorden en meditatie kunnen gebruiken, dacht ik hoofdschuddend.

'Wat is er zo grappig?' vroeg een jongeman in een donkergrijs kostuum. Hij had blond krulhaar en ondeugend kijkende, lichtbruine ogen en een kuiltje in zijn rechterwang dat tevoorschijn kwam als hij zijn lippen op elkaar perste. Hij droeg een zwarte aktetas en een paraplu.

'Wat? O. Ik keek alleen maar naar al die mensen en zag de stoom uit hun oren komen.'

'Stoom?' Hij draaide zich om en keek naar de rij. 'O.' Hij glimlachte innemend. 'U bent een ervaren reizigster, hè?'

'Wie? Ik? O, nee! Dit is mijn allereerste vliegreis!' riep ik uit.

'Heus waar? Nou, daar ziet u niet naar uit. Waar gaat u naartoe? Toch niet toevallig naar Los Angeles, hè?'

'Ja,' antwoordde ik. 'Ik moet naar gate eenenveertig.'

'Dat is eenvoudig genoeg. Daar ga ik ook heen.' Hij knikte naar links, deed een paar stappen en bleef staan toen ik niet volgde. 'Ik bijt niet,' zei hij plagend.

'Daar was ik niet bang voor,' zei ik nerveus, en liep achter hem aan.

'Ik ben Jerome Fonsworth,' zei hij. 'Helaas moet ik vaak op reis, dus ben ik wél een ervaren reiziger.' Hij trok een lelijk gezicht. 'Hotelkamers, taxi's en vliegvelden, dat is mijn leven. Wát een leven...' eindigde hij zelfgenoegzaam.

'Waarom reist u zoveel?' Net als iedereen, liep hij snel. Ik moest bijna draven om hem bij te houden.

'Ik zit in het bankierswezen en moet vaak van Boston naar New York of Chicago of Denver. Soms ga ik naar Atlanta en soms naar Los Angeles. Vandaag is het Los Angeles. Wel eens gehoord van die film *Als Het Dinsdag Is, Moet Dit België Zijn?*'

Ik schudde mijn hoofd.

'Nou, in ieder geval, dat ben ik. Druk, druk, druk. Soms voel ik me net een bij,' mompelde hij, zwaaiend met zijn aktetas. Plotseling bleef hij staan en draaide zich naar me om.

'Kijk me aan,' zei hij. 'Zie ik eruit als een man van achter in de twintig of een man van achter in de dertig, begin veertig? Niet liegen.'

'Ik lieg niet,' zei ik, 'vooral niet tegen vreemden.'

Hij lachte.

'Da's een goeie.' Hij zweeg even en hield nadenkend zijn hoofd schuin. 'Weet je, daar zit wat in. Je moet iemand kennen om tegen hem te willen liegen. Ik lieg ook niet vaak tegen vreemden.' Hij dacht na en knikte. 'Nou?'

'U ziet er niet uit als een man van in de veertig.'

'Maar wél als een man van in de dertig?' Hij wachtte met samengeknepen ogen.

'Begin of midden dertig,' bekende ik.

'Dat komt omdat mijn haar bovenaan mijn voorhoofd begint te kalen, en dat komt door de stress. Ik ben pas achtentwintig.' Hij wilde zich omdraaien, maar bleef weer staan. 'Hoe zei je dat je naam was?'

'Ik heb mijn naam niet gezegd, maar ik heet Melody. Melody Logan.'

'Melody? Vertel me niet dat je zingt en dat je op weg bent naar Los Angeles om een ster te worden,' zei hij minachtend, terwijl hij verderliep.

'Nee, ik ga er niet naartoe om een ster te worden,' antwoordde ik, maar ik geloofde niet dat hij me hoorde.

'Bovenaan de trap,' zei hij, wijzend naar een roltrap, 'moet je je tas laten controleren, dus als je er een pistool in hebt, kun je het er nu beter uithalen.'

'Een pistool!'

'Grapje,' zei hij.

Toen we bij de ingang kwamen, zag ik dat hij zijn aktetas op de lopende band legde en besefte dat ze door een röntgenscherm ernaar keken. Ik legde mijn tas ook erop en liep door de metalen deur. Ik hoorde een rinkelend geluid en de beveiligingsbeambte kwam naar me toe.

'Hebt u sleutels of kleingeld in uw zak?'

'Nee, mevrouw,' zei ik.

'Waarschijnlijk is het die ketting. Leg hem in het mandje,' beval ze.

Jerome Fonsworth stond te kijken en lachte naar me. Langzaam deed ik de ketting af die Billy me had gegeven en legde hem in de mand. Toen liep ik weer door de poort, deze keer zonder gerinkel.

'Oké,' zei ze en hield me de mand voor, zodat ik de ketting eruit kon halen. Ik pakte hem snel en deed hem weer om. Toen nam ik mijn tas van de lopende band en liep naar Jerome.

'Ik had je moeten zeggen dat dat kan gebeuren. Ik moet altijd dit horloge afdoen.' Hij keek hoe laat het was terwijl hij een glanzend gouden horloge weer om zijn pols bevestigde. 'Ga je ook met American, vlucht een-nul-twee?'

'Ja.'

'We hebben bijna een uur. Wil je een kop koffie of zo?' zei hij, met een knik naar het zelfbedieningsrestaurant.

'Misschien een kop thee.'

'Draaiende maag?' vroeg hij plagend.

'Eerlijk gezegd, ja,' zei ik.

Ik zag niet in waarom ik me zou schamen omdat ik zenuwachtig was. Ik durfde te wedden dat hij ook zenuwachtig was geweest toen hij de eerste keer met een vliegtuig reisde, dacht ik. Hij hoorde de verdedigende klank in mijn stem.

'Het geeft niet. De reden dat die van mij niet draait is dat hij in een blik is veranderd door al het fast food onderweg en het eten in het vliegtuig. Kom,' zei hij, en ging me voor naar het snelbuffet. We gingen zitten en hij overhandigde me mijn thee.

'Heb je werkelijk zo'n hekel aan je baan als je zegt?' vroeg ik.

'Of ik mijn baan haat? Nee, ik ben nu zover dat ik niets meer voel in dat opzicht. Ik doe mijn werk en dan ga ik naar huis,' zei hij. Hij keek me niet aan terwijl hij sprak. Zijn ogen dwaalden voortdurend rond. Zoals iedereen om me heen leek hij een bundel wilde energie. Ik dacht dat hij elk moment kon ontploffen en in een wolkje opstijgen naar het plafond.

'Waar is thuis?'

'Boston. Dat heb ik je al gezegd,' zei hij. 'Je hebt niet geluisterd, Melody Logan.' Hij zwaaide naar me met zijn lange wijsvinger. 'Zie je, ik herinner me je volledige naam. Let op alles en iedereen als je reist,' adviseerde hij me. Hij beet in zijn donut en bood hem toen mij aan.

'Nee, dank je.'

'Je wordt wel rustiger als je eenmaal in de lucht bent,' verzekerde hij me. 'Feitelijk is vliegen de beste manier om te reizen. Je zet je koptelefoon op, leunt achterover en valt in slaap. Meestal moet ik werken in het vliegtuig, omdat ik achter ben met mijn administratie. Ik haat de administratie.'

'Wat doe je precies?'

'Commerciële leningen,' zei hij. 'Niet zo aantrekkelijk als wat mensen in Hollywood doen. Waarom ga je erheen? Vakantie?' Hij bleef om zich heen kijken na me een vraag te hebben gesteld, alsof het hem niet kon schelen wat ik zou antwoorden of dat hij iemand anders zocht.

'Nee, ik ga naar mijn moeder.'

'O.' Hij draaide zich weer om. 'Zijn je ouders gescheiden en woon je bij je vader?'

'Niet precies,' zei ik.

'Je hoeft me je privézaken niet te vertellen. Ik ben alleen maar nieuwsgierig om de tijd te verdrijven. Je heet Melody, maar je zingt niet?' vroeg hij. Hij keek naar rechts, kauwde snel op zijn donut, schrokte hem zelfs naar binnen.

'Ik speel viool, of eigenlijk noemen ze het een fiedel bij ons.'

'Een fiedel?' Hij lachte.

'Het is iets anders. Het is een viool voor country & western. Ik ben grootgebracht in West Virginia, en daar is dat soort vioolspelen heel populair.'

'O, ik dacht al dat je een ongewoon accent had. Ik neem aan dat het mooie muziek is.' Hij verslond het laatste kruimeltje van zijn donut en likte zijn vingers af. 'Ik heb meer honger dan ik dacht. Ik denk dat ik nog een donut ga halen.'

'O, nu haal ik hem wel. Jij hebt mijn thee betaald,' zei ik.

Hij lachte.

'Een zelfstandige vrouw. Dat mag ik wel. Graag. Neem maar een gewone... nee, doe maar een chocolade donut.' Ik zocht in mijn tas, maakte mijn portefeuille open en haalde er twee dollar uit.

'Is dit genoeg?'

'Ja,' zei hij hoofdschuddend. 'Het is meer dan je thee heeft gekost, dus het is niet bepaald een eerlijke ruil,' waarschuwde hij.

'Echt iets voor een bankier om zoiets te zeggen,' antwoordde ik, en hij lachte nog harder.

'Dank je.'

31

Ik ging naar de toonbank en zocht een donut uit. Zijn ogen lachten nog steeds toen ik terugkwam.

'Ik ben niet gewend dat een vrouw iets voor me koopt. De meisjes die ik ken horen tot de bloedzuigermaatschappij,' zei hij, toen hij de donut aannam. 'Kom, deel deze met me, wil je?'

'Goed dan,' zei ik, en nam de helft die hij afbrak. We aten zwijgend.

'Ik was twee maanden geleden in Los Angeles voor een conventie,' zei hij, toen hij zijn helft op had.

'Vond je het daar prettig?'

'In Los Angeles? Ik logeerde in het Beverly Hilton. Dat is de manier om Los Angeles te zien... chauffeurs, de beste restaurants. Het is trouwens dé manier om elke plaats ter wereld te zien. Waar woont je moeder?'

Ik ratelde het adres af dat ik in mijn geheugen had geprent toen Kenneth Childs het me in Provincetown had gegeven.

'West Hollywood. Kan aardig zijn,' zei hij. 'Hoe komt het dat je er nooit eerder bent geweest?'

'Zo lang woont ze er nog niet,' antwoordde ik. Hij zag aan mijn gezicht dat er veel meer achter zat, maar hij leek niet nieuwsgierig te willen zijn. Hij knikte en keek toen weer om zich heen.

'Ik herinner me net dat ik nog een telefoontje moet plegen. Wil jij zo lang op mijn aktetas passen? Ik ben zo terug,' zei hij, en sprong op voordat ik kon antwoorden. Hij liep haastig de terminal door. Zoals hij energie verbrandde, zou hij er waarschijnlijk gauw uitzien als veertig of vijftig, dacht ik.

Ik leunde achterover en keek naar de mensenmenigte die zich voortbewoog, de kinderen die zich vastklampten aan de handen van hun ouders en de koppels die ook hand in hand of naast elkaar liepen. Waar gingen al die mensen naartoe? vroeg ik me af. Waren er ook onervaren reizigers bij zoals ik?

Plotseling verscheen Jerome weer, buiten adem.

'Er is weer een crisis op mijn werk,' zei hij. 'Hier in New York.'

'O, dat spijt me.'

'Ik moet terug naar de stad.' Hij pakte zijn aktetas op en bleef toen staan. 'Het probleem is dat ik vandaag deze papieren naar Los Angeles moest brengen. Luister, zou je me een grote gunst willen doen? Ik ben bereid ervoor te betalen.'

'Wat moet ik doen?' vroeg ik.

'Er staat een man op de luchthaven bij de gate te wachten als je aankomt. Hij houdt een bord omhoog met *Fonsworth* als je aankomt. Je hoeft hem alleen maar deze aktetas te geven. Ik zal hem bellen en zeggen dat hij je kan verwachten. Oké?'

'Ik hoef hem alleen maar de aktetas te geven?'

'Precies,' zei hij. 'Oké? Hier,' ging hij verder, terwijl hij een biljet van vijftig dollar uit zijn portefeuille haalde.

'O, je hoeft me geen geld te geven voor zoiets simpels.'

'Ik sta erop.'

'Ik doe het niet als je me per se geld wilt geven. Als we elkaar geen kleine gunsten kunnen bewijzen...'

Hij glimlachte.

'Weet je, ik had al zo'n idee dat dit mijn geluksdag was toen ik je daar zag staan glimlachen. Dank je. En als we elkaar ooit weer tegenkomen, zal ik je weer een kop thee aanbieden.'

Hij schoof de aktetas naar me toe.

'Een man staat te wachten met een bord... *Fonsworth*. Hij zal niet moeilijk te vinden zijn,' verklaarde hij, en toen liep hij weg en verdween in de mensenmassa.

Ik dronk mijn thee en stond op. De aktetas was zwaarder dan ik verwacht had, maar niet al te zwaar. Ik liep door de terminal tot ik bij gate eenenveertig was. Er stonden al een hoop mensen. Ik vroeg de grondstewardess wat ik nu moest doen.

'U krijgt uw boarding pass bij de balie,' zei ze, en ik ging in de rij staan. Tien minuten later was ik aan de beurt en overhandigde de stewardess mijn ticket. Ze gaf me mijn boarding pass en ik ging zitten om met de anderen te wachten tot we aan boord zouden gaan.

Mijn hart begon weer wild te bonzen. Toen ik het nummer van mijn zitplaats hoorde, ging ik in de rij staan en liep naar het vliegtuig. De stewardess bij de deur glimlachte vriendelijk naar me en stuurde me naar rechts.

'U zit aan het middenpad,' zei ze. Ik vond mijn plaats gemakkelijk. Bij het raam zat een oudere man in een lichtbruin pak, die zijn ogen gesloten had. Hij opende ze toen ik naast hem kwam zitten.

'Hallo,' zei hij.

'Hallo.' Ik legde de aktetas onder de stoel voor me en maakte volgens de instructie mijn riem vast. Toen glimlachte ik weer naar hem.

'Gaat u naar huis?'

'Nee, ik ga voor het eerst naar Los Angeles,' antwoordde ik. 'En u?'

'Ik ga naar huis. Ik heb mijn broer in Boston bezocht. Hij is te oud om nog te reizen, dus ga ik naar hem toe. Vroeger deden we het om de beurt. Het valt niet mee om oud te worden, maar u weet wat ze zeggen, het is beter dan het alternatief,' ging hij lachend verder. Zijn dikke brillenglazen wipten op zijn neus.

'Hoe oud is uw broer?'

'Vierennegentig, twee jaar ouder dan ik,' zei hij.

'Bent u tweeënnegentig jaar oud?' vroeg ik verbaasd.

'Jaar jong. Als je jezelf als oud beschouwt, bén je ook oud,' zei hij simpel. Hij had opvallend jong uitziende, lichtgrijze ogen, meer haar dan ik dacht dat een man van die leeftijd zou hebben en een gezicht dat ondanks diepe rimpels in zijn voorhoofd en slapen niet echt verweerd was. Hij was slank, maar hij zag er beslist niet tenger en zwak uit.

'Ik zal u moeten vragen wat uw geheim is,' zei ik glimlachend.

'U bedoelt het geheim om gezond te blijven?' Hij boog zich naar me toe. 'Doe wat je doen moet, maar laat het piekeren aan een ander over,' antwoordde hij. Toen lachte hij weer. 'Het zit allemaal hier.' Hij wees naar zijn slaap. 'Geest boven materie. Studeert u?'

'Nog niet,' zei ik, en vertelde hem een en ander over mijzelf. Hij had een hoorapparaat, wat volgens mij heel goed moest werken. Hij scheen alles te horen wat ik zei.

Ik had geen idee hoe lang ik had zitten praten, tot de piloot aankondigde dat ons toestel het volgende vliegtuig was dat mocht opstijgen. Ik leunde achterover en hield mijn adem in.

'Is dit de eerste keer dat u vliegt?'

'Ja,' zei ik.

'Denk eraan wat ik je gezegd heb,' zei mijn oudere vriend met een twinkeling in zijn ogen. 'Laat een ander maar piekeren.'

Hij deed zijn ogen dicht en zag er heel ontspannen uit. Ik bofte dat ik naast hem zat, want hij had een kalmerende uitwerking op me. Hoe kon ik zenuwachtig zijn als een man van in de negentig zo dapper was?

34

Toen we eenmaal in de lucht waren, vertelde hij me alles over zijn leven. Hij kon zich de Spaans-Amerikaanse oorlog nog herinneren, en natuurlijk de Eerste en de Tweede Wereldoorlog. Het was verbijsterend als je eraan dacht hoeveel veranderingen hij had gezien. Hij en zijn broer hadden met hun vader in de kledingindustrie gewerkt toen ze tien en twaalf waren. Hij had een hoop verschillende banen gehad in zijn leven, en ten slotte was hij verzekeringsagent geworden, was getrouwd en naar Californië verhuisd, waar hij wat geld had verdiend in onroerend goed. Zijn vrouw was ongeveer veertien jaar geleden gestorven. Hij vertelde me over zijn kinderen en kleinkinderen. Hij praatte zoveel dat het niet tot me doordrong hoeveel tijd er verstreken was. We kregen onze lunch en hij deed een dutje en ik las een tijdschrift. Ik viel zelf ook een tijdje in slaap, en toen ik wakker werd, hoorde ik de piloot zeggen dat we dicht bij Los Angeles waren.

'Denk eraan,' zei mijn bejaarde vriend, terwijl hij zijn hand op de mijne legde, 'stress en zorgen maken je oud. Tijd is alleen maar een geheugensteuntje om ons eraan te herinneren dat we niet voor eeuwig op aarde zijn.'

'Dank u,' zei ik. Daarna ging alles verbluffend snel. Het vliegtuig landde, ik zocht mijn spullen bijeen, nam afscheid van mijn nieuwe vriend en verliet het vliegtuig. Mijn hart bonsde zo hard en snel dat ik bang was dat ik flauw zou vallen voor ik Holly's zus zou zien. Ik hoefde niet lang te zoeken. Ze stond vlak bij de uitgang, een elegante schoonheid met een breedgerande, witte hoed, een kanten jas over haar crèmewitte jurk. Ze droeg bijpassende, zijden handschoenen en grote, diamanten oorbellen. Haar goudblonde haar was glad naar achteren gekamd en toonde een klassiek profiel en een ongerimpeld gezicht.

Holly had me gewaarschuwd dat haar zus Dorothy een aantal plastische chirurgen in Beverly Hills ondersteunde. Holly noemde het Dorothy's Rimpelpaniek. Het kleinste rimpeltje bracht haar tot wanhoop, en dan holde ze naar de telefoon om haar kosmetische chirurg te bellen. Haar neus was slanker gemaakt, haar oogleden en huid zo vaak gladgetrokken dat haar gezicht een masker leek, maar ze had Holly's jeugdige, lichtbruine ogen. Haar lippen waren voller. Later zou ik horen dat ook dat te danken was aan iets dat haar plastische chirurg had gedaan.

Naast haar stond haar geüniformeerde chauffeur, een knappe jongeman met turkooizen ogen en haar dat de kleur had van vers stro, aan de zijkanten kortgeknipt en bovenop golvend. Hij had een kloof in zijn kin en een scherp, sterk kaakbeen en hoge jukbeenderen. Op dit moment was zijn mond in de rechterhoek enigszins omhooggetrokken, en ik zag een lach in zijn ogen toen hij zag hoe ik met grote ogen en doodsbang door de terminal liep.

Dorothy was lang, minstens tien, twaalf centimeter langer dan Holly. Haar chauffeur was zeker één meter vijfentachtig of negentig, dacht ik. Hij was slank en lenig als een filmster, met die perfecte, gebruinde Hollywood-teint die ik zag op de gezichten van sterren in filmtijdschriften. De caramelkleur accentueerde zijn groenblauwe ogen.

Dorothy zwaaide. Naast hen stonden twee geüniformeerde politiemannen, die iedereen die uit het vliegtuig kwam aandachtig opnamen. Ik zwaaide terug en ging sneller lopen.

'Melody?'

'Ja,' zei ik.

'Ik wíst dat jij het was, hè, Spike,' zei ze toen ik dichterbij kwam.

'U had een goede beschrijving,' zei hij met een stralende glimlach.

'O, kindlief, je bent zo aantrekkelijk,' zei ze. 'Is ze niet een enig jong ding, Spike?'

'Ja, mevrouw,' zei hij, terwijl hij me aanstaarde met een heimelijk lachje om zijn mond.

'Welkom in Los Angeles,' zei Dorothy. 'Mijn zus heeft me alles over je verteld, maar natuurlijk wil ik je zelf leren kennen. Ik weet zeker dat de helft van alles wat ze me verteld heeft overdreven is of ontsproten aan die wilde fantasie van haar. Spike, neem haar aktetas. Aktetas?' vroeg ze zich toen af, en trok haar wenkbrauwen op. 'Waarom neem je zoiets... lelijks mee? Kon mijn zus je geen fatsoenlijk koffertje geven? Iets vrouwelijkers?'

'Hij is niet van mij. Het is om iemand een dienst te bewijzen,' zei ik, en keek langs hen heen, zoekend naar de man met het bord.

'Een dienst?' Dorothy keek naar Spike, die zijn schouders ophaalde.

'Ik heb iemand ontmoet op de luchthaven in New York. Een bankier. Hij was op weg hierheen toen hij een noodsituatie kreeg en terug moest naar de stad. Hij vroeg me dit koffertje mee te nemen naar Los Angeles en aan een man te geven die een bord omhoog zou houden met zijn naam, Fonsworth,' zei ik, nog steeds langs hen heen kijkend. 'Maar ik zie hem niet.'

'Wat een lef,' zei Dorothy. 'Vooral om een jong meisje dat hier voor het eerst komt met zoiets op te zadelen.' Ze keek weer naar Spike, wiens glimlach was verdwenen en vervangen door een frons die rimpels trok in zijn voorhoofd. Zijn blik ging naar de politieman achter me en pakte toen snel de aktetas, rukte die bijna uit mijn handen. Ik vond hem nogal onhebbelijk en stond op het punt te protesteren. Per slot was het mijn verantwoordelijkheid. Hij liep snel weg.

'Heb je een prettige vlucht gehad, lieverd? Er kan wel eens turbulentie zijn, en ze weten het altijd zo uit te zoeken dat ze het eten precies op het moment serveren dat het extra turbulent is. Ik vlieg nooit meer als ik niet eersteklas kan reizen. Niet dat je dan minder last hebt van die turbulentie, maar in ieder geval zit je wat comfortabeler. Zo, je moet me alles vertellen over jezelf en je avontuur en natuurlijk over mijn zus. Ik hoop dat je de helft niet gelooft van wat ze allemaal beweert te kunnen. We gaan lunchen,' ging ze verder voor ik een woord had kunnen uitbrengen, 'zodra Spike je bagage heeft gehaald.'

Ze haalde diep adem. Spike bleef een paar passen voor ons lopen.

'Ik wil echt die aktetas aan die man geven,' zei ik. 'Ik heb het beloofd en ik voel me verantwoordelijk.'

'Natuurlijk, lieverd. Spike?'

Hij draaide zich om toen we bij de lange gang kwamen.

'Die man die ze zoekt zal wel bij de bagagecarrousel zijn, denk je niet?' zei Dorothy.

Hij zweeg even, keek langs ons heen en wilde de aktetas openmaken, maar die was op slot.

'Dat moet u niet doen,' protesteerde ik.

'Ik kom zo terug,' zei hij tegen Dorothy, terwijl hij naar het mannentoilet ging.

'Waarom laat hij me niet zelf dat koffertje dragen?' vroeg ik.

'Ik heb geen flauw idee,' zei ze. 'Hij is acteur, en zoals alle acteurs is hij humeurig en onvoorspelbaar. Iedereen in L.A. probeert tegenwoordig in de entertainment-industrie door te dringen of onroerend goed te verkopen. Maar genoeg over Spike. Vertel eens iets over jezelf. Waar heb je mijn zus leren kennen?'

Ik vertelde haar over Provincetown en Kenneth, Holly's verschijning op het strand en hoe we bevriend waren geraakt.

'Rijdt ze nog steeds in die belachelijke circusauto?'

'Ja,' zei ik lachend, denkend aan de bonte, psychedelische kleuren.

'Ze liet al gaatjes in haar oren prikken toen ze acht was. Ze liet het door een vriendin doen, en ze moest naar de dokter voordat er een infectie optrad. Mijn vader was woedend.'

Voor Dorothy verder iets kon zeggen, kwam Spike terug, maar zonder de aktetas.

'Waar is de aktetas van meneer Fonsworth?' vroeg ik onmiddellijk.

'In de afvalbak. Laten we gaan,' zei hij tegen Dorothy.

'Wat? Waarom heeft hij dat gedaan?' riep ik uit.

'Stil,' zei hij ruw.

'Wacht eens even,' begon ik, vastbesloten hem tot uitleg te dwingen. Hij deed me verbaasd staan door me bij m'n elleboog te pakken en me mee te trekken. Voor ik kon protesteren, draaide hij zich om naar Dorothy.

'Drugs,' zei hij.

'O, hemeltje.'

'Wat?'

'In de voering van die aktetas zat iets dat ze cocaïne noemen. Wel eens van gehoord?' vroeg hij sarcastisch. 'Waarschijnlijk stond daarom de politie bij de gate te wachten. Ze zijn getipt; hij kwam erachter en gaf de koffer aan haar,' zei hij tegen Dorothy. Toen keek hij naar mij. 'Als ze je hadden aangehouden, zou je in de grootste moeilijkheden zijn geraakt. Wij allemaal misschien,' ging hij verder.

'Maar...' Ik keek naar Dorothy, wier ogen bijna even ver opengesperd waren als die van mij. 'Hij was zo'n aardige jongeman, een bankier. Dit moet een vergissing zijn,' riep ik uit.

Spike schudde zijn hoofd.

'Hij moet haar op een kilometer afstand hebben ontdekt,' zei hij tegen Dorothy.

Ik rukte mijn arm los en slikte het reusachtige, pijnlijke brok in mijn keel weg.

'Dat is niet waar. Hij verkeerde in een noodsituatie, en hij kon toch niet weten dat ik het zou doen?'

'Als jij had geweigerd, zou hij op zoek zijn gegaan naar iemand anders of het voor vandaag hebben opgegeven. Je hebt net een hoop cocaïne door het land vervoerd en je had het misschien zelfs naar het huis van mevrouw Livingston meegenomen,' ging hij op berispende toon verder.

Ik had het gevoel of ik door de grond ging. Met tranen in mijn ogen staarde ik naar Dorothy. Ze schudde haar hoofd naar Spike en keek hem met een koele, bestraffende blik aan.

'O, wees niet zo streng tegen haar, Spike. Ze wist het niet.' Ze gaf me een klopje op mijn schouder. 'Het is niets, lieverd. Dit soort dingen gebeuren in deze krankzinnige wereld, maar we zullen er ons nu geen zorgen over maken. Laten we haar koffers gaan halen en weggaan, Spike. Ik sterf van de honger. We gaan rechtstreeks naar The Vine op Beverly Drive. Wacht tot je hun gebakken kaassalade proeft, Melody, en hun gegrilde aubergine-sandwich.'

Mijn keel werd dichtgeknepen bij de gedachte aan de problemen die ik me op de hals had kunnen halen toen ik nog aan deze reis moest beginnen. Ik slaakte een zucht van verlichting en keek even naar Spike. Ik schaamde me dat ik zo tegen hem tekeer was gegaan, terwijl hij alleen maar deed wat hij meende te moeten doen om ons allemaal te beschermen. Hij bleef zwijgen toen we door de terminal naar de bagagecarrousels liepen, waar ik een man zag in een lichtblauw jasje en jeans, die een klein bordje omhooghield waarop het woord *Fonsworth* stond geschreven.

'Niet naar hem kijken,' beval Spike.

We liepen haastig langs hem heen. Maar onwillekeurig keek ik een paar keer achterom. Toen de menigte uitdunde, draaide hij zich om en liep snel de terminal uit.

'Het spijt me,' zei ik tegen Dorothy. 'Ik had geen idee wat die man me gaf.'

'Het is goed, kind. Alsjeblieft, ik heb een hekel aan onaangename dingen. Als er iets naars gebeurt, koop ik gewoon iets nieuws om aan te trekken en dan voel ik me weer goed.' Ze nam me van top tot teen op. 'Dat zullen we voor jou ook gauw doen, iets leuks voor je kopen om te dragen. Ik weet zeker dat je niet de juiste kleren bij je hebt. Je moet wat modieuzers hebben als je in Beverly Hills rondloopt.'

'O, maar dat mag ik niet van u vragen.'

'Natuurlijk kun je dat niet, maar daarom kan ik het nog wel doen!' zei ze lachend.

Ik ontdekte een van mijn koffers en Spike pakte hem van de band.

'Dat was ik bijna vergeten,' zei ik, en zocht in mijn tas. 'Holly heeft dit voor u meegegeven.'

Ik overhandigde haar het kleine pakje met het teken van Aries. Dorothy rolde met haar ogen.

'O, nee, wat voor magische amulet heeft ze me deze keer nu weer gegeven?'

Zonder het open te maken stopte ze het in haar eigen tas. Ik dacht eraan hoe teleurgesteld Holly zou zijn, maar voor ik iets kon zeggen, verscheen mijn tweede koffer, en ik wees hem aan voor Spike. We toonden onze reçu's aan de man bij de deur, en Spike droeg mijn koffers naar de limousine. Het was een lange, zwarte Mercedes met luxueuze, leren stoelen, een bar en een klein televisietoestel achterin. Spike hield het portier voor ons open en we stapten in. Het leer rook splinternieuw.

'Het spijt me echt wat daarbinnen gebeurd is,' zei ik weer. Hoe meer ik eraan dacht, hoe meer ik me schaamde dat ik deze mensen, die zo vriendelijk voor me waren, in gevaar had gebracht.

'Ik hoor je niet,' zong Dorothy. 'Ik hoor geen onaangename dingen. Ik heb mezelf geleerd me doof te houden als dat moet, dus je kunt net zo goed ophouden erover te praten. Laten we het liever over jou hebben. Vertel me eens over die plaats... dat mijnwerkersstadje en hoe je in Provincetown terecht bent gekomen,' zei ze. 'Ik hou van de Cape, maar we logeren alleen in Hyannis. Daar wonen de Kennedy's, zie je. Spike, neem alsjeblieft de snelste weg naar The Vine,' zei ze, toen hij achter het stuur ging zitten. 'Ik ga dood van de honger hier achterin.'

'Ja, mevrouw,' zei hij, en knipoogde naar me toen we de parkeerplaats uitreden, de snelweg op.

Er was zoveel gebeurd, dat ik zelfs niet naar de schitterende blauwe lucht had gekeken. We voegden ons in het verkeer en reden even later op een van de beroemde snelwegen van Californië. Ik was er werkelijk, en ergens, niet ver weg, was mijn moeder misschien ook. Als ik haar ooit nodig had, dacht ik, had ik haar nu nodig.

3. Vervlogen hoop

Rijden door Los Angeles was heel anders dan rijden door New York City. Alles leek zoveel verder uit elkaar te liggen en er waren lang niet zoveel hoge gebouwen, al leken er veel meer straten te zijn. Maar Spike kende de weg blijkbaar op zijn duimpje, want zodra hij op de snelweg in een file terechtkwam, nam hij een afslag en reed door de straten van de stad. Dorothy zei dat het niet het beste deel was van Los Angeles, maar zelfs de arme wijken leken me verblindend mooi. Trottoirs glinsterden en reusachtige reclameborden adverteerden met nieuwe films. Maar ik zag dat er minder mensen op de trottoirs liepen dan in New York. Hier leek iedereen in een auto te zitten. Minuten later wees Dorothy enthousiast op het bord waarop stond CITY OF BEVERLY HILLS.

'Thuis,' verklaarde ze met een diepe, dankbare zucht. Zoals zij erover sprak leek het of Beverly Hills een eiland was, waarop ze zich veilig voelde voor de rest van de wereld.

Spike reed naar de voorkant van The Vine, een restaurant met een groen hek dat bedekt was met wingerd en helroze en rode bougainville. Er was een patio in de open lucht, die druk bezet was met gasten. Kelners en hulpkelners in gesteven, witte overhemden en zwarte broeken met zwarte bretelhouders liepen als onzichtbare mensen elegant heen en weer langs de duidelijk gegoede cliëntèle, die druk in gesprek was.

De portier van het restaurant kwam snel naar ons toe om ons te helpen uitstappen toen Spike het portier voor ons openhield.

'Merci,' zei Dorothy, wuivend met haar handschoen.

Toen Spike weer in de auto stapte, vroeg ik me af waar hij zou gaan eten, maar ik had geen tijd om het te vragen. Dorothy nam me mee over het paadje naar het hek van de patio, waar een heel aantrekkelijke jonge vrouw wachtte bij het tafeltje van de receptie.

'Mevrouw Livingston,' zei ze met een glimlach die geschapen

was voor een tandpastareclame. 'Hoe maakt u het?'

'Ik sterf van de honger, Lana. Dit is de jonge vriendin van mijn zus, Melody. Ze is net met het vliegtuig uit New York gekomen en ik dacht dat ik haar eerst maar eens in The Vine moest introduceren. Zorg dus voor een goede tafel,' zei Dorothy.

Lana draaide zich om en bestudeerde de patio.

'Ik heb nummer twaalf vrij,' verklaarde ze alsof het een verbluffende prestatie was.

Waarom was het zo belangrijk waar we zaten? vroeg ik me af. Alle stoelen zagen er hetzelfde uit en de patio met zijn fontein en kleurige bloemen zag er even mooi uit, waar je ook zat.

'Bellissimo,' zei Dorothy goedkeurend. Lana liep over de tegels van de patio en we volgden haar tot we bleven staan bij een tafel die vrijwel perfect in het midden stond. Dorothy keek tevreden en toen we zaten overhandigde Lana ons de menu's in leren mappen van hetzelfde groen als het hek.

'We hebben een engelenhaarpasta met rode paprika en portebello champignons vandaag, mevrouw Livingston.'

'O, dat is goed. Merci.'

Zodra Lana weg was, boog Dorothy zich naar me toe.

'Deze tafel wordt gewoonlijk gereserveerd voor filmsterren,' zei ze. 'Hier kan iedereen je zien.'

'O.' Waarom wilde ze dat iedereen ons zou zien? vroeg ik me af. Het maakte dat ik me nóg minder op mijn gemak voelde met mijn haar, mijn kleren, mijn hele houding.

Ik keek naar het menu. De prijzen waren schokkend. Alles was à la carte en de salades waren bijna even duur als de entrees. Eenvoudige dingen werden zo ingewikkeld beschreven dat ik niet zeker wist of ik ze herkende. Wat was een *coeur de celerie*?

'Let alsjeblieft niet op de prijzen,' zei Dorothy, vooruitlopend op mijn reactie. 'Mijn man Philip trekt alles wat ik uitgeef op de een of andere manier af van de belasting.' Ze lachte. 'Hij zegt dat ik zoveel doe voor de Amerikaanse economie, dat het minste wat de regering kan doen is me subsidiëren.'

'Wat doet uw man?' vroeg ik. 'Ik kan me niet herinneren dat Holly het me verteld heeft.'

'Hij is accountant en financieel manager met een paar heel belangrijke cliënten,' antwoordde ze, haar wenkbrauwen optrekkend. Toen kreeg haar gezicht de opgewonden uitdrukking van een enthousiaste, jonge fan. 'O, ik geloof dat daar iemand zit in die hoek,' zei ze met een knikje naar rechts. Ik draaide me om.

'Iemand?'

'Een televisiester, ja toch?'

'Ik zou het niet weten,' zei ik.

'O, ik weet het zeker. Kom, laat eens zien,' ging ze verder, terwijl ze zich weer op het menu concentreerde. 'Laten we de engelenhaar spécial nemen na de geitenkaassalade, oké? Hou je van ice tea? Ze maken hem met een tikje mint.'

'Ja, mevrouw.'

'Noem me alsjeblieft geen mevrouw, Melody,' Ze keek nerveus om zich heen om te zien of iemand het had gehoord. 'Dan voel ik me stokoud. Noem me Dorothy.'

'Ja, me... Dorothy,' zei ik. Ze glimlachte en knikte goedkeurend, terwijl ze de rand van haar hoed vasthield. De kelner kwam. Hij sprak met een zwaar Spaans accent. Ik had moeite om hem te verstaan, maar Dorothy had er geen probleem mee. Ze bestelde en voegde er *por favor* aan toe, het Spaanse woord voor 'alsjeblieft'. Ik had al gemerkt dat ze graag Franse, Italiaanse en Spaanse uitdrukkingen door haar conversatie mengde, en daarbij een snelle polsbeweging maakte.

'Ik denk niet dat je in het vliegtuig iets behoorlijks hebt gegeten, hè, arm kind?'

'Ik was te zenuwachtig,' bekende ik.

'Dat is oké. Ik ben altijd te zenuwachtig om te eten als ik op reis ben. Philip is nooit te zenuwachtig om zijn eetlust te verliezen. En laten we het nu over je probleem hebben,' zei ze. Ze onderbrak zichzelf even toen de hulpkelner onze ice tea kwam brengen. 'Als ik het goed begrepen heb, wil je erachter komen of die vrouw je moeder is, een vrouw die hiernaartoe kwam om filmster te worden. Ze hebben je verteld dat ze om het leven was gekomen in een brandende auto, en ze hebben zelfs haar lichaam teruggestuurd naar Province-town.'

'Ja.'

'Het klinkt erg gecompliceerd. Ik heb het met Philip besproken en hij vindt ook dat we een privé-detective in de arm moeten nemen. Waarom zou een jong meisje op onderzoek uitgaan?'

'O, nee,' kermde ik. 'Dit is iets wat ik zelf moet doen. Dank je, maar ik meen het,' hield ik vol.

'Werkelijk?' Ze staarde me even aan en rolde toen met haar ogen. 'Nou ja, ik veronderstel dat je zelf wel vast kunt beginnen. Ik zal Spike met je meesturen. Hij is erg goed als het op vreemde dingen aankomt, zoals je zelf hebt gezien, maar je moet naar hem luisteren,' vermaande ze me. 'Ik wil niet dat er iets met je gebeurt zolang je mijn gast bent.' Toen dacht ze na over wat ze gezegd had en voegde eraan toe: 'Ik wil niet dat er iets met je gebeurt onder welke omstandigheden ook.'

'Dank je, Dorothy. Ik waardeer je bezorgdheid en alles wat je voor me doet.'

'Laten we daar niet aan denken. Dan word ik weer doof,' dreigde ze. Ik begon te lachen. 'En nu,' ging ze verder zonder op adem te komen, 'moet je wat meer vertellen over mijn lieve, kleine zus. Woont die gehandicapte man nog steeds bij haar achterin dat piepkleine winkeltje van haar?'

'Ik denk niet aan Billy als gehandicapt,' begon ik en beschreef mijn reis naar New York en wat Billy en ik in zo korte tijd samen hadden gedaan. Ze luisterde met een flauwe glimlach. Ik had het gevoel dat ze meer mij bestudeerde dan luisterde naar de dingen die ik zei.

'Het is zo verrukkelijk om jong en beïnvloedbaar te zijn,' verklaarde ze met een zucht. 'Het is bijna jammer om je bekend te maken met de harde realiteit van de werkelijke wereld. Holly heeft altijd geweigerd die onder ogen te zien. Maar je hebt gezien hoe mijn zus leeft, als een soort hippie, een zigeunerin. En ze is zo intelligent en mooi, als ze dat wil. Ik zou in een ommezien een geschikte echtgenoot voor haar kunnen vinden, als ze me maar mijn gang liet gaan, maar que sera, sera.'

Ik stond op het punt te protesteren en uit te leggen dat ik dacht dat Holly gelukkig was en een goed leven had, maar onze salades werden geserveerd. Ze zagen er verrukkelijk uit. Maar de porties deden me glimlachen en mijn hoofd schudden. Met een stuk of zes happen was je bord leeg. Ik voelde me schuldig dat Dorothy ervoor moest betalen.

'Ik vind het maar een hoop geld voor zo'n klein beetje eten, Dorothy.'

'Onzin. Het is meer dan genoeg. Je moet aan je lijn denken, vooral hier. Kijk maar eens naar die vrouwen. Kijk dan,' beval ze, en ik besefte dat ze werkelijk wilde dat ik dat deed.

Ik keek zo onopvallend mogelijk om me heen in het restaurant. Er waren veel aantrekkelijke vrouwen, allemaal met fraaie kapsels en dure kleren. Het was duidelijk een restaurant voor rijke en mooie vrouwen.

'Iedere vrouw denkt aan haar lijn. Concurrentie, concurrentie, concurrentie, lieverd. Elke vrouw concurreert met alle andere vrouwen hier.'

'Waarom?' vroeg ik.

Ze lachte.

'Waarom? Om de blik van een man, wat anders. Veel van deze vrouwen willen bij de film of bij een machtige man horen. Maar maak je geen zorgen, ik vertel het je later allemaal wel. Uit het weinige dat je me hebt verteld over je achtergrond, heb ik kunnen afleiden dat je nog veel moet leren. En ik vind het prettig een jonge vrouw te helpen... geraffineerd te worden,' verklaarde ze. 'Eet niet te snel. Je moet niet de indruk wekken van een naïef jong meisje uit het Midwesten. Bovendien is dit de beste tafel. We moeten genieten van ons moment in de schijnwerpers. Zie je, de mensen beginnen zich nu al af te vragen wie we zijn,' zei ze, knikkend naar mensen aan andere tafeltjes. Ze had gelijk, ze keken onze richting uit. Dorothy zette haar hoed recht en glimlachte naar iemand.

'Je mag vriendelijk zijn,' zei ze, nog steeds naar mensen knikkend en glimlachend, 'maar spreek nooit als eerste tegen iemand. Laat ze naar jou toe komen. Je moet altijd op ze wachten en nooit te veel vertellen,' waarschuwde ze. 'Hoe geheimzinniger je doet, hoe hoger je wordt aangeslagen. Zo drukt Philip het uit.' Ze knikte naar iemand die rechts van ons zat. 'Wees maar niet bang, je leert het wel. Na een tijdje.'

'Maar daarvoor kom ik niet hier, Dorothy,' zei ik zacht. 'Ik kom hier alleen om mijn moeder te zoeken.'

'Natuurlijk, maar zoals iedereen die hier komt, zul je gauw genoeg verliefd worden.'

'Verliefd? Op wat? Op wie?' vroeg ik.

'Op jezelf natuurlijk, kind. Op wie anders?' zei ze lachend. 'Ik weet zeker,' ging ze verder, toen ik haar verbluft aanstaarde, 'dat dat precies is wat je moeder is overkomen.'

Na wat een van de langste lunches van mijn leven bleek te zijn — onze maaltijd werd gevolgd door kopjes cappuccino en vruchtentaartjes die net zoveel kostten als de hele maaltijd — gingen we eindelijk weg. Spike stond bij de limousine te wachten. Hij hield de portieren open en ik voelde me heel bijzonder toen ik zag dat voorbijgangers bleven staan om naar ons te kijken. De hostess en ander personeel kropen voor Dorothy. Ze was als een spons, ze zoog hun onechte glimlachjes in zich op en leek daarvan dikker te worden dan van de armzalige porties die we hadden gekregen. Ik ving een glimp op van de rekening, en Holly had er niet ver naast gezeten toen ze voorspeld had wat het zou kosten. Dorothy had meer dan vijfenzeventig dollar betaald voor de lunch!

We reden langs andere duur uitziende restaurants over de Santa Monica Boulevard naar wat Dorothy aankondigde als de wereldberoemde Rodeo Drive.

'Ik ga er morgen met je naartoe, kindlief, om wat geschikte kleren voor je te vinden.'

Spike sloeg rechtsaf en reed langs prachtige, grote huizen, met Griekse pilaren en hoge heggen. Onder het rijden ratelde Dorothy de namen op van filmsterren, zangers en dansers die ik in films had gezien. Ze kende ook de namen van filmregisseurs en producers die in verschillende huizen woonden, omdat sommigen van hen cliënten waren van haar man Philip.

Ten slotte minderden we vaart toen we bij een huis in Engelse Tudorstijl van twee verdiepingen kwamen, dat groter was dan enig huis dat ik ooit had gezien. Het had een steil aflopend dak, met puntgevels opzij en lange, smalle ramen met kleine ruitjes. Links was een enorme schoorsteen, bekroond met drie decoratieve schoorsteenpotten. De muren waren van baksteen met contrasterende, houten bekleding. Het was het soort huis dat ik alleen maar had gezien op de omslag van romannetjes.

'Home sweet home,' verklaarde Dorothy toen Spike de roze, betegelde oprijlaan inreed, die aan beide kanten voorzien was van glazen Tiffany-lampen. Het gazon zag eruit als een smaragdgroen tapijt. Elk grassprietje was perfect gemaaid. Links stond een reusachtige treurwilg, de wenende takken hingen bijna tot op de grond, en rechts was een dikke eik die trots en majestueus uitstak boven de bloemen, de rotstuin en de gele, witte en roze bougainville, die tegen het hoge hek eronder groeide.

'Wat is uw huis groot!' riep ik uit. 'Ik dacht niet dat een huis zo groot kon zijn in de stad. Het is een herenhuis!'

'Ik denk het, ja. We hebben twintig kamers,' zei ze, 'als je de personeelsverblijven meetelt, Philips kantoor, Philips fitnessruimte...'

'Fitnessruimte. Twintig kamers!'

Dorothy lachte.

'Philip klaagt altijd dat het niet groot genoeg is, vooral niet als de bijeenkomsten van de vrouwenclub hier worden gehouden.'

Naast het huis was een garage voor drie auto's, maar omdat de ingang aan de zijkant was, deed hij het huis nog groter lijken. Boven de garage zag ik ook ramen.

Spike parkeerde voor de boogvormige ingang en liep snel om de auto heen om Dorothy's portier te openen. Zodra ze uitstapte, holde hij weer naar de andere kant om dat van mij te openen. Hij reikte naar binnen om mijn elleboog te pakken en me te helpen. Ik voelde me nogal mal om iemand de meest eenvoudige dingen voor me te laten doen, maar ik was bang een fout tegen de etiquette te maken.

'Breng haar koffers naar de roze kamer, Spike,' beval Dorothy. 'We hebben veel logeerkamers, maar ik denk dat deze je het best zal bevallen. Hij past bij jonge mensen,' zei ze. Spike keek naar me met een flauw glimlachje en maakte toen de kofferbak open.

'Ik zal je eerst ons huis laten zien voor je naar je kamer gaat voor een hoognodige rust,' zei Dorothy. Ik volgde haar naar de voordeur, die op magische wijze open leek te gaan toen we dichterbij kwamen.

Een gedrongen, kale man met borstelige, grijze wenkbrauwen en een stompe neus begroette ons. Hij droeg een donkerblauw pak met das en had een bleke teint met roodbruin getinte vlekken op zijn wangen en op de onderkant van zijn voorhoofd. Zijn schedel en slapen waren bezaaid met wat eruitzag als sproeten. Zijn dikke lippen hadden ongeveer dezelfde oranje kleur.

'Hallo, Alec. Dit is Melody. Ze komt een tijdje bij ons logeren.'

Hij knikte.

'Heel goed, mevrouw,' zei hij op scherpe, afgemeten toon en met een nauwelijks merkbaar knikje. Zijn lichtgrijze ogen gleden over me heen en gaven me het gevoel dat ik aan een inspectie onderworpen werd voor ik het huis mocht betreden. Na een ogenblik deed hij een stap opzij en gingen we naar binnen.

De vloer van de hal was bedekt met donkere, warmbruine tegels die pasten bij de muren met panelen van donkere, cipressenhout. Boven ons hing een glinsterende luchter met traanvormige glazen kralen. De trap, die omhoogliep met een mahoniehouten leuning die voorzien was van gecompliceerde, opengewerkte motieven, was glimmend gepoetst.

Spike liep met mijn koffers de trap op, op de hielen gevolgd door Alec, maar ik liep achter Dorothy aan, verder het huis in.

Rechts was een heel grote zitkamer met een staande klok van pijnhout, die drie uur sloeg. Alle meubels waren van reusachtige afmetingen, om de grote ruimte te vullen. Blauwsatijnen gordijnen hingen voor de ramen en op de marmeren vloer lagen hier en daar grote, ovalen, Chinese kleden van hetzelfde blauw. Er was zoveel te zien dat ik alleen maar verbluft mijn hoofd kon schudden: grote olieverfschilderijen waarop scènes stonden afgebeeld in steden als Parijs en Londen, en grote tuinen, allemaal in sierlijk bewerkte, vergulde lijsten, glazen beeldjes die eruitzagen of ze honderden dollars kostten, porseleinen figuurtjes, zo verfijnd en perfect, dat ze duidelijk met de hand beschilderd waren, zilveren en gouden kandelaars, antieke zwaarden... hoe kon iemand zo rijk zijn?

'Gezellig, hè?' vroeg Dorothy trots.

Gezellig? Het was een vertrek waarin je rondleidingen kon houden, niet je ontspannen, dacht ik, maar ik knikte slechts.

Ze liet me de zitruimte zien, met zijn luxueuze, leren banken en stoelen, Philips kantoor, de eetkamer met een tafel waaraan twintig mensen konden zitten, en de keuken die meer op een keuken voor een restaurant leek. Ze was vooral trots op haar ovens, hoewel ze onmiddellijk zei dat ze zelfs nooit water kookte voor de thee.

'Dat is Selena's werk,' verklaarde ze, en stelde me voor aan de kokkin, een kleine, mollige, Peruaanse vrouw met ogen die de kleur hadden van turfmolm. 'Selena woont achterin het huis,' vertelde Dorothy. 'Spike heeft een appartement boven de garage, maar mijn kamermeisje, Christina, woont in West L.A. Ze komt om zeven uur 's morgens en gaat na het eten weg, meestal om een uur of acht. Philip betaalt ze allemaal aan de hand van zijn boeken.'

'Zijn boeken?'

'Dingen die accountants doen om de hebzuchtige regering af te houden. Kom, dan gaan we naar je kamer. Je zult wel een douche willen nemen en je opfrissen na je reis.'

'Ja, graag. En dan wil ik het adres opzoeken.'

'Het adres?'

'Waar mijn moeder misschien is.'

'Nu meteen?' Ze trok een lelijk gezicht. 'Je zult toch zeker wel tot morgen willen wachten.'

'Ik doe het liever zo gauw mogelijk. Daarom ben ik hier,' zei ik nadrukkelijk. Ze trok haar wenkbrauwen op.

'Ik vergeet altijd weer hoeveel energie jonge mensen hebben,' zei ze. 'Goed dan, als je dat met alle geweld wilt. We zullen Spike zeggen dat hij over een uur klaarstaat.'

'Dank je, Dorothy, en bedankt dat je me je huis hebt laten zien. Het is fantastisch.'

Ze straalde.

'Het meeste heb ik zelf ingericht. Met de hulp van vakmensen natuurlijk. Holly is hier maar één keer geweest. Toch niet te geloven? Ik denk dat ze bang is om terug te komen, bang om het feit onder ogen te zien dat ze het hier weleens leuk zou kunnen vinden,' voegde ze er met een knipoog aan toe.

Dat betwijfel ik, dacht ik. Holly was onder de indruk van spirituele, niet van materiële dingen, wilde ik haar vertellen, maar ik hield mijn lippen stijf op elkaar.

We liepen de trap op. Alec had mijn koffers al uitgepakt, opgehangen wat opgehangen moest worden en mijn andere spulletjes in de ladenkast geborgen. Ik voelde me verlegen bij de gedachte dat hij dit allemaal had gedaan en vooral dat hij mijn ondergoed in handen had gehad.

Maar ik was zo onder de indruk van de slaapkamer, dat ik zelfs de tijd niet had om me verlegen te voelen. Dit was geen kamer, maar een vertrek dat geschikt was voor een prinses. Verbijsterd staarde ik naar de chique pracht, de weelde! De muren waren behangen met zijden damast van een prachtig aardbeienroze, nog luxueuzer dan het lichte mauve van een tapijt dat minstens vijf centimeter dik moest zijn. Er stond een kingsize bed van wit pijnhout dat op de een of andere manier bewerkt was, zodat er roze lijntjes doorheen liepen. Het bed had een hemel en een zacht, donzig dekbed. Zelfs de inloopkast was groter dan enige kamer waarin ik ooit geslapen had. Er waren planken voor schoenen, en een spiegel, en achterin stond een kleine toilettafel. Maar er was ook een kaptafel met bijpassende ladenkasten in de kamer zelf.

Alle kranen en andere apparatuur in de badkamer waren van glimmend gepoetst koper. Op de vloer lagen witte tegels. Er was een whirlpoolbad, een glazen douchehok dat groot genoeg was om een heel gezin te bevatten en dubbele wasbakken. De vele spiegels om me heen weerkaatsten mijn verblufte blik. Dit was de logeerkamer! Hoe zou de slaapkamer van Dorothy en Philip er dan wel niet uitzien?

'Niet te geloven, zo mooi als je huis is, Dorothy,' zei ik weer.

'Ik ben blij dat je voldoende comfort zult hebben.'

'Comfort! Dit is een paleis. Hoe zou iemand zich hier niet comfortabel kunnen voelen!'

Ze lachte.

'Weet je zeker dat je al zo gauw naar West Hollywood wilt? Verwen jezelf eerst toch een beetje. Neem een whirlpoolbad, rust wat uit, kijk tv op je eigen toestel. We nemen een paar hors d'oeuvres voor Philip thuiskomt, en dan gaan we gezellig eten.'

'Het klinkt geweldig, Dorothy, maar ik zou me schuldig voelen. Ik ben hier niet om me te amuseren, ik ben hier om mijn moeder te vinden,' bracht ik haar in herinnering.

Ze zuchtte en haalde haar schouders op.

'Iedereen heeft altijd zo'n haast tegenwoordig. Goed, ik zal tegen Spike zeggen dat hij zich gereedhoudt.'

'Dank je. Voor alles,' zei ik.

Ze glimlachte naar me en liet me alleen om een douche te nemen en me te verkleden. Ik was moe, bijna uitgeput, maar de opwinding dat ik hier was en op het punt stond mamma te vinden won het van mijn moeheid. Ik liep de douchecel binnen en liet het warme water over me heenstromen tot mijn huid tintelde. Toen stapte ik eruit, trok een spijkerbroek en mijn beste blouse aan, borstelde mijn haar, haalde een paar keer diep adem, sloot mijn ogen en verbeeldde me dat Billy Maxwell en Holly naast me zaten en me adviseerden hoe ik mijn zenuwen moest bedwingen en mijn energie verzamelen, een energie die ik nu meer nodig had dan ooit.

Toen stond ik op en ging op weg om mijn moeder te zoeken.

Denkend aan de tijd die voorbij was gegaan sinds mamma me in Provincetown alleen had gelaten met de familie van mijn stiefvader, werd ik plotseling geplaagd door een nieuwe, zij het nogal dwaze angst. Hadden de tijd en gebeurtenissen me zo veranderd dat ze me misschien niet zou herkennen, vooral niet als ze aan een of andere vorm van geheugenverlies leed? Het was nog niet zo lang geleden, maar ik voelde me zo anders. Als ik tegenover haar stond, hoe moest ik dan beginnen? Het leek me belachelijk om naar iemand toe te lopen en te zeggen: 'Hallo, weet je nog wie ik ben? Ik ben je dochter. Jij bent mijn moeder.' Als er andere mensen bij stonden, zouden die beslist denken dat ik gek was.

Toen ik de met tapijt beklede, ronde trap afdaalde en door de hal naar de voordeur liep, voelde ik me krimpen. Het was natuurlijk een illusie, die gestimuleerd werd door de enorme afmetingen van alles om me heen, maar wat belangrijker was, door de enorme taak die ik op me had genomen. Ik haalde diep adem en liep naar buiten.

Spike stond tegen de limousine geleund in *Variety* te lezen. Hij keek glimlachend op. Toen sloeg hij het blad dicht, opende het achterportier en deed een stap achteruit terwijl hij tegelijk met een sierlijke beweging een heel geaffecteerde en opzettelijk theatrale buiging maakte.

'Madam,' zei hij.

'Dank u,' zei ik nauwelijks hoorbaar. Ik wilde instappen, maar bleef toen staan. 'O, hier is het adres,' en ik overhandigde hem het velletje papier dat de sleutel van mijn toekomst kon bevatten. 'Is het ver weg?'

'Niets is ver weg in deze stad, behalve een groot deel,' antwoordde hij.

Ik stapte in, hij sloeg het portier dicht en liep snel naar zijn plaats achter het stuur.

'Wilt u dit soms inzien?' vroeg hij, terwijl hij me het exemplaar van *Variety* aanbood.

'Nee, dank u.'

51

Hij haalde zijn schouders op.

'Ik dacht dat het u misschien zou interesseren om te weten hoe een Hollywoods blad eruitziet. Het staat vol met nieuwtjes over acteurs en actrices. Ik denk dat u het nog nooit gelezen hebt,' mompelde hij.

'Nee, daar had ik geen enkele reden voor,' legde ik uit.

Hij lachte en startte de motor.

'Ik wil niet proberen actrice te worden of zoiets,' ging ik verder, toen hij zelfgenoegzaam bleef glimlachen.

'Elke vrouw is een actrice en zou het daarom prachtig vinden in een film te spelen,' merkte hij op.

'Ik niet. En niet elke vrouw is een actrice,' antwoordde ik bits.

Hij lachte weer. Zijn neerbuigende glimlach maakte me woedend.

'Ik wil naar de universiteit en andere dingen doen,' ging ik verder, me afvragend waarom ik het zo belangrijk vond het hem uit te leggen.

'Uw moeder is toch hierheen gekomen om actrice te worden?' vroeg hij, toen we over de lange oprijlaan reden. Mijn schouders verstijfden.

'Als u acteur wilt worden, waarom bent u dan chauffeur?' vroeg ik op mijn beurt.

Hij draaide zich om, alsof hij wilde weten of ik het serieus meende.

'Het neemt een hoop tijd in beslag, het is een intense studie, je moet bij mensen aankloppen, honderden audities doen, tot je die ene grote kans krijgt,' zei hij. 'Intussen, als je niet met een zilveren lepel in je mond bent geboren of een paar rijke vrienden hebt die bereid zijn in je te investeren, neem je elke baan aan waarmee je je boodschappen en de huur kunt betalen. Dit is geen slechte baan. Mevrouw Livingston geeft me een hoop vrijheid. Als ik een belangrijke auditie heb, geeft ze me vrij, ook al betekent het dat ze een taxi moet nemen.'

'Hoe lang bent u al hier om acteur te worden?' vroeg ik hem.

'Drie jaar dat ik er serieus mee bezig ben,' antwoordde hij.

'Hebt u wel eens in een film gespeeld?"

'Een paar bijrolletjes. Ik heb mijn kaart van de Screen Actors Guild. Dat is meer dan veel mensen kunnen zeggen. Zes maanden geleden trad ik op in een toneelstuk. Dat heeft bijna een maand gelopen.'

'Dan moet u wel goed zijn,' merkte ik op. Hij keek achterom met een van zijn innemende glimlachjes.

'Dat ben ik ook. Ik moet alleen de anderen, de belangrijke mensen, er nog van overtuigen. Na een tijdje is het toch een kwestie van geluk. Je moet op de juiste tijd op de juiste plaats zijn.'

'Gelooft u in astrologie?' vroeg ik.

'Ik geloof in alles waarin ze willen dat ik geloof, zolang het maar een rol oplevert.'

'Is het dan zo belangrijk voor u?'

'Wat dacht jij dan!' Hij draaide zich om en staarde me aan alsof ik van een andere planeet kwam. Toen glimlachte hij. 'Als u een tijdje hier bent, begrijpt u het wel. Het zit in de lucht.'

'Zolang hoop ik hier niet te blijven,' mompelde ik en staarde uit het raam. Spike bleef naar me kijken in de achteruitkijkspiegel. Ik ving heel even zijn blik op, toen draaide ik me om en staarde naar buiten zonder iets te zien. Ik was zenuwachtig bij de gedachte aan wat me over een paar minuten te wachten zou staan. Mijn maag maakte salto's. Eindelijk merkte Spike hoe onrustig ik was en kreeg wat medelijden met me.

'Het is al een tijd geleden sinds je je moeder gezien hebt, hè?' vroeg hij zacht.

'Ja.'

'En je weet niet eens zeker of het je moeder wel is?'

'Nee,' zei ik, al wijst alles erop dat ze mijn moeder is.'

Hij schudde zijn hoofd.

'Wat een toestand. Dit adres is een goedkoop appartementencomplex. De meeste eigenaars verhuren onder aan mensen die proberen vaste voet te krijgen in de business.'

'De business?'

'Zo noemen we Hollywood, de *biz*. We hebben ons eigen taaltje.' Hij lachte.

'Het is net een ander land,' mompelde ik, maar luid genoeg dat hij het kon horen. Hij lachte nog harder.

'Zou je echt niet beroemd willen zijn in de showbusiness? Je hebt vast wel een of ander talent.'

Ik bleef uit het raam staren.

'Ik speel viool en sommige mensen zeggen dat ik erg goed ben.'
'Zie je nou wel. Sommige muzikale sterren zijn beroemde acteurs geworden,' zei hij.

'Ik ben allesbehalve een muzikale ster,' zei ik hoofdschuddend. Hoe gemakkelijk kon iemand in de val lopen en gaan geloven in zijn of haar eigen fantasieën, dacht ik. Was dat met mamma gebeurd?

'Je moet positief over jezelf denken. Kijk naar mij. Ik moet naar tien, twintig audities per week en meestal krijg ik niet eens een telefoontje. Maar laat ik me daardoor ontmoedigen? Nee. Ik blijf terugkomen. Vroeg of laat... vroeg of laat,' zong hij.

Ik staarde hem aan en vroeg me af of hij, en niet ik, degene was die beklagenswaardig was.

'Het is aan het eind van deze straat,' zei hij ten slotte, na rechtsaf te zijn geslagen. Mijn hart leek stil te staan en ging toen boem, boem, boem, alsof iemand op een gesloten deur stond te bonzen. Ik hield mijn adem in toen hij langzamer ging rijden.

'Daar is het,' zei hij. 'De Egyptian Gardens. Ik hou van de namen die ze die gebouwen geven.'

Ik tuurde uit het raam. Hoge heggen omgaven het roze gepleisterde complex dat rond een zwembad stond. De gebouwen waren niet hoger dan vijf verdiepingen en elke eenheid had zijn eigen kleine balkon. Op sommige ervan stonden bloembakken met planten die over de balkons hingen. Op allemaal stonden een kleine tafel en stoelen. Hoewel de roze kleur helder was, zagen de gebouwen er versleten, vermoeid, gehavend en afgebrokkeld uit. Het grasveld was onregelmatig en slecht onderhouden, sommige heesters zagen er ziekelijk uit met veel takken zonder bloesem.

Er hing een lijst van de bewoners rechts van de hoofdingang, waarboven in krullerige, tinnen letters de naam van het complex stond. Spike had gelijk. Ik zag niets Egyptisch of zelfs maar vaag Arabisch eraan en vroeg me net als hij af waarom het de Egyptian Gardens heette. Het hek van de hoofdingang stond open en twee jongemannen in shorts en polohemden, de voeten zonder sokken in sneakers, kwamen lachend naar buiten. Ze waren allebei slank en knap, beiden met donker golvend haar. Ze leken zoveel op elkaar dat het een tweeling had kunnen zijn.

'Mooie jongens,' mompelde Spike. Hij stapte uit en deed mijn portier open. Even dacht ik dat mijn benen me niet wilden gehoorzamen, maar ik dwong mezelf om op te staan en uit te stappen. 'Ik zal hier op u wachten,' zei Spike.

'Dank u,' zei ik, tenminste ik dacht dat ik het zei. Ik wist niet zeker of ik de geluiden werkelijk gemaakt had. Hij hield zijn hoofd schuin.

'Gaat het?'

Ik knikte en liep naar de ingang. Ik bestudeerde de lijst en las de namen tot ik Gina Simon vond. Mijn vingers beefden toen ik op de knop naast de naam drukte.

'Dat heeft geen enkele zin,' hoorde ik een vrouwenstem zeggen. Ik keek op toen een jonge vrouw met geblondeerd haar naast me kwam staan. Ze droeg een roze tanktop en een witte short, en haar haar was in een paardenstaart gebonden. Ze maakte pas op de plaats terwijl ze sprak. Haar knappe gezichtje zag rood en zweetdruppeltjes parelden op haar voorhoofd. 'De bel is kapot. Ze zouden hem verleden week maken, én de week daarvoor, en de week dáárvoor, maar hier duurt alles lang.' Ze haalde diep adem en bleef haar voeten ritmisch bewegen. 'Wie zoek je?'

'Gina Simon?'

'O, Gina. O, ja, die woont recht tegenover me, 4C. Kom mee,' zei ze, en jogde door het hek. Toen bleef ze even staan, hield het hek voor me open, terwijl ze haar voeten op en neer bleef bewegen. 'Het is niet op slot. Goed beveiligd, hè?'

Ik volgde haar naar binnen en ze bleef joggen over het voetpad. Ik liep snel, jogde zelf bijna om haar bij te houden. Ze bleef staan toen we bij het zwembad waren. Drie jonge vrouwen in bikini's lagen te zonnen op ligstoelen. Ik keek snel om me heen om te zien of mamma ook bij het zwembad was. Tot mijn opluchting was ze er niet. Ik wilde haar niet ontmoeten waar al die mensen bij waren.

Een lange, heel magere jongeman met kort lichtbruin haar zat met bungelende benen op de duikplank.

'Hé, Sandy, hoe was je workout?' vroeg hij aan de jonge vrouw die me binnen had gebracht.

'Ik werd bijna aangereden door een idioot op een motor in de buurt van Melrose,' zei ze.

Een van de vrouwen op de ligstoelen kwam overeind, steunend op haar elleboog. Ze had lang, roodbruin haar. Op haar neus na, die erg puntig was, had ze een aantrekkelijk gezicht.

'Ben je die vijf pond kwijt?' vroeg ze, rollend met haar ogen en glimlachend als een kat.

'Ik begin er te komen,' zei Sandy. Ze draaide zich met een ruk om en keek naar mij. 'Kom mee, voor ze je levend verslinden,' zei ze, en de drie jonge vrouwen lachten. Haastig liep ik achter haar aan. Ze ging me voor om het zwembad heen, over een voetpad naar de trap van het tweede gebouw. Eenmaal binnen, stopte ze met joggen.

'Ik probeer af te vallen voor een auditie. Het is een fotosessie, en je weet hoe de camera je ponden zwaarder doet lijken. De lift is daar,' zei ze, wijzend naar de gang links van haar. 'Ik ben Sandra Glucker, maar mijn artiestennaam is Sandy Glee.'

'Mijn naam is Melody,' zei ik.

'Perfect,' zei ze, en schudde haar hoofd. 'Mooie naam. Actrice, danseres, zangeres?'

'Nee,' zei ik.

'Nee?' Ze bleef staan en draaide zich weer naar me om. 'Schrijfster?'

'Nee,' zei ik glimlachend. 'Ik zit niet in de business.'

'O. O,' herhaalde ze, alsof het nu pas tot haar doordrong dat er ook nog een ander soort mensen bestond in Californië. Ze keek weer naar me. 'Je bent er mooi genoeg voor.'

'Dank je.'

'Gina Simon. Hoe ken je Gina? O, let maar niet op mij. Je hoeft het me niet te vertellen. Ik ben verslaafd aan roddels, maar dat is minder erg dan een paar andere verslavingen hier.'

We liepen de lift in, en ze drukte op de knop voor de derde verdieping.

'We hebben elkaar in een andere plaats leren kennen,' zei ik, en hoopte dat ze daar genoeg aan zou hebben.'

'Een andere plaats? Bestaan er nog andere plaatsen?' Ze lachte om haar eigen opmerking. Ik glimlachte, en de deur van de lift ging open. 'Kom je uit Ohio?'

'Ohio?'

'Daar komt Gina vandaan, een klein plaatsje bij Columbus, geloof ik. Hebben jullie elkaar op school leren kennen of zo?'

'Op school? Nee.' Hoe oud dacht ze dat ik was? Nog belangrijker, hoe oud dacht ze dat Gina Simon was?

'Wat is het? Ultrageheim? Daar is 4C.' Ze wees naar een deur verderop in de gang. In plaats van naar haar eigen appartement te gaan, keek ze me nieuwsgierig na toen ik naar appartement 4C liep.

Ik keek achterom en lachte nerveus. Toen haalde ik diep adem en klopte op de deur.

'De deurbel werkt,' zei ze. 'Dat hoort-ie in ieder geval te doen.'

'O, dank je.' Ik drukte erop en wachtte. Zij ook. Niemand deed open. Ik drukte weer op de bel. De seconden leken minuten.

'Ze is waarschijnlijk niet thuis. Misschien is ze naar een auditie. Heb je niet van tevoren gebeld?'

'Nee,' zei ik verslagen.

'Jammer. In L.A. moet je altijd eerst bellen. Waarschijnlijk zie ik haar later. Zal ik haar zeggen dat je geweest bent?'

'Nee,' zei ik. En besefte dat ik het te snel gezegd had. Ik glimlachte. 'Ik had haar willen verrassen.'

'O. O! Ik hou van verrassingen. En ik denk Gina ook.' Ze knipte met haar vingers. 'Je bent toch niet haar zus, hè? Ze vertelde me dat ze een jongere zus heeft. Dat ben jij, hè?' ging ze verder, voor ik mijn mond open kon doen. 'Geweldig. Ze zal zo blij zijn. Ze mist haar familie erg.'

'Heus?'

'Natuurlijk. Diep in haar hart, al is ze nog zo mooi en lijkt ze nog zo mondain, is Gina een eenvoudig meisje. Daarom houdt iedereen van haar. Wil je bij mij wachten?'

'Eh, nee. Ik kom later wel terug. Bedankt,' zei ik.

'Weet je het zeker? Want...'

'Nee, dank je,' zei ik met bonzend hart. Haastig liep ik naar de lift en drukte op de knop voor de begane grond. Toen de deuren dichtgingen, zag ik nog net Sandy Glees verbaasde gezicht.

Zodra de liftdeuren opengingen holde ik naar buiten. Nu jogde ik zelf ook over het pad, langs het zwembad, waar iedereen naar me keek, en naar de ingang.

'Wat is er gebeurd?' vroeg Spike, die uitstapte om mijn portier open te doen.

Ik schudde mijn hoofd.

'Ze was er niet, en...'

'En wat?'

'Ik geloof niet dat het mijn moeder is!' riep ik uit.

4. Een andere wereld

'Wil je meteen terug naar huis?' vroeg Spike.

'Het kan me niet schelen,' jammerde ik en dook weg in een hoekje achterin. Ik ben helemaal voor niets gekomen, dacht ik. Voor een droom, de droom van een kind. Ik had moeten doen wat Dorothy had voorgesteld: het voetenwerk eerst door een privé-detective laten doen. Maar zelfs dat idee was belachelijk. Waar moest ik het geld vandaan halen om hem te betalen? Grootma Olivia zou het me niet dáárvoor hebben gegeven. Het kon haar niets schelen of mijn moeder nog leefde of niet, tenzij het betekende dat ze geen last meer had van mij, dat ik weg was uit Provincetown en uit de buurt van haar dierbare familie.

'Het spijt me dat je teleurgesteld bent,' ging Spike verder, 'maar in L.A. moet je leren leven met teleurstellingen.'

'Ik wil niet in L.A. zijn!' riep ik uit.

'O, jawel. Je hebt het beste nog niet gezien,' antwoordde hij. 'Kijk eens naar die huizen daarboven. Dat noemen ze de Hollywood Hills. Het uitzicht daar is schitterend. Zie je hoe sommige huizen aan de rand van de heuvel zijn gebouwd? Ik denk dat ze wel wat opwinding zullen beleven als de aarde begint te beven, hè?'

Ondanks alles gluurde ik door mijn handen om naar de huizen te kijken.

'En je bent hier zo dicht bij de zee. Als je je wilt ontspannen of een beetje van de zon genieten, hoef je maar een paar kilometer te rijden. Ik zal het je laten zien.' Hij nam een bocht en ging sneller rijden in westelijke richting. 'Stel dat je werkt, en je hebt een slechte dag gehad, dan maak je een kleine omweg voor je naar huis gaat. In de binnenlanden duik je een of andere smerige bar in en huil je je verdriet uit bij een borrel. Maar hier... hé, kijk daar eens. Zie je dat gebouw? Dat werd gebruikt in *Gone with the Wind*. Dat is Tara!'

Ik keek uit het raam.

'Dit is een filmstudio,' ging hij verder. Ik ging rechtop zitten en staarde naar de lange, witte gebouwen en de trucks. Een paar minuten later zei Spike dat ik recht vooruit moest kijken, en daar was hij... De Pacific. Ik voelde me emotioneel worden bij het zien van de golven en het oneindige, zilverblauwe water. Ik dacht aan Cary en May en het strand waar ik liep met Kenneths hond Ulysses naast me. Ik herinnerde me de wind in mijn haar, de geur van de zilte lucht, het gekrijs van de meeuwen boven me, het heerlijke gevoel van te leven en deel te zijn van de natuur.

Spike had gelijk. We begonnen in een stad en een paar ogenblikken later parkeerden we op een hoogte en keken uit over een lang strand.

'Kom mee, dan lopen we naar het hek en kijken omlaag over de Pacific Coast Highway.' Hij stapte uit en deed mijn portier open. Ik haalde diep adem, voelde dat ik me ontspande, en stapte uit. 'Volg me,' drong hij aan.

We liepen over het grasveld, waar banken stonden en een paar oudere mensen rond hun draagbare, opvouwbare tafels zaten te kaarten.

'Dit is Santa Monica,' legde Spike uit. 'Het is een verrukkelijk dorp aan het strand, vol Europese toeristen en plaatselijke bewoners. Daar is de Santa Monica Pier.' Hij wees omlaag naar het strand. 'Zie je het reuzenrad? Er staat ook een draaimolen. Je hebt er enorm plezier! De mensen komen net van het strand,' ging hij verder en knikte naar de kustlijn onder ons. Auto's snelden voorbij over de Pacific Coast Highway en in de verte scheen de zon tussen twee wolken, net boven de horizon. 'Dat is Malibu,' zei Spike, die zijn uitleg voortzette. 'Mooi, hè? Soms, als ik weer een auditie verknald heb, ga ik hierheen en staar alleen maar naar de zee. Het geeft me een nieuwe kijk op het leven, ik krijg er een kick van. Begrijp je wat ik bedoel?'

'Ja,' zei ik. 'Ik heb in Cape Cod gewoond. Ik ken de macht van de zee.'

'O, ja, natuurlijk. Dat was ik vergeten. Om de een of andere reden associeer ik je met een klein plaatsje in West Virginia. Dat accent, daar kun je niet onderuit,' plaagde hij. 'Maar het is leuk. Ik denk dat sommige regisseurs het prachtig zouden vinden.'

Ik knikte en beet op mijn lip. Ik deed mijn best mijn emoties niet te tonen.

'Mijn ouders waren een stuk ouder toen ze mij kregen,' vertelde Spike. 'Mijn moeder was bijna veertig en mijn vader was in de vijftig.'

'Toen jij werd geboren?' vroeg ik, dankbaar dat hij van onderwerp veranderde.

'Ja, ik denk dat ze op een ochtend wakker werden en elkaar aankeken en zeiden: "Weet je wat? We zijn vergeten kinderen te maken."' Hij lachte. 'Pa is verleden jaar gestorven. Hij is negenenzeventig geworden.'

'Waar kom je vandaan?'

'Phoenix. Mijn moeder woont er nog samen met haar zus in een van die bejaardengemeenschappen. Ze golft, is eraan verslaafd. Als ik haar bel, praat ze alleen maar over haar handicap en de geweldige putt die ze heeft gemaakt. Ik heb haar gezegd dat ik, als ze doodgaat, de mensen in golfkarretjes achter haar kist aan zal laten rijden.' Hij lachte weer en schudde toen zijn hoofd. 'Ze zag de grap er niet van in.'

We stonden beiden naar de zee te staren. Zeilboten leken vastgeplakt tegen de donker wordende, blauwe horizon, en verder weg voer een schip, dat er uitzag als een cruiseschip, naar het zuidwesten.

'Als je een keer naar het strand wilt, zal ik je er met alle plezier naartoe brengen,' bood Spike aan.

'Dank je, maar ik weet niet of ik hier nog veel langer zal blijven.'

'Ik wed dat je bij de Livingstons kunt blijven zolang je wilt. Profiteer ervan.'

'Ik wil geen misbruik maken van hun gastvrijheid,' zei ik. 'Bovendien wachten er mensen op me in Provincetown.'

'Mensen? Bedoel je een vriendje?' vroeg hij met een ondeugende glinstering in zijn ogen.

'Ja,' gaf ik toe.

'Wat doet hij?'

'Hij zorgt nu voor de boot van zijn vader voor de kreeftenvisserij en in de herfst oogst hij veenbessen.'

'Klinkt... goed,' merkte Spike op, maar hij had zijn hoofd zo gedraaid dat ik zijn ogen niet kon zien. Meende hij het? Verlangde hij werkelijk naar iets substantiëlers dan acteren of proberen acteur te worden, of praatte hij me alleen maar naar de mond?

'Het ís goed,' zei ik verdedigend.

Hij keek naar me met een flauw glimlachje.

'Je bent te jong om je nu al te settelen, Melody. Kijk om je heen. Er is een grote, wijde wereld te verkennen. Er is zoveel te doen en te zien.'

We keken elkaar in de ogen. Als hij het niet echt meende, was hij inderdaad een goed acteur, dacht ik.

'Waarom was je ervan overtuigd dat die vrouw niet je moeder was?'

'Ze komt uit het Midwesten en ze is blijkbaar een stuk jonger dan mijn moeder,' zei ik.

'Maar ze lijkt op je moeder in die catalogus?'

'Heel veel. Een andere kleur haar, maar dat zegt niets.'

'Hm, mensen liegen over hun leeftijd hier. Dat hoort bij de stad. Hollywood is een wereld voor jonge mensen, vooral voor vrouwen, en helemaal voor een vrouw die fotomodel wil zijn of in films spelen.'

'Echt waar?'

'Absoluut.'

'Maar deze vrouw beweerde dat ze een jongere zus had, en mijn moeder heeft geen broer of zus.'

'Nou, en? De mensen fabriceren hun eigen verleden hier. Alsof ze uit een film van eigen makelij stappen. Voor je het opgeeft, zou ik het nog eens proberen. Waarom bel je haar niet?'

'Ik heb geen telefoonnummer,' zei ik.

'Ze staat wel in de gids, zeker als ze actrice of model wil zijn. Ze wil gemakkelijk bereikbaar zijn.'

Ik knikte.

'We moeten terug,' zei ik. 'Dorothy vond het toch al niet zo geweldig dat ik er onmiddellijk vandoor ging.'

'Oké,' zei hij. Hij keek naar me met een van zijn hartveroverende glimlachjes, pakte mijn hand en bracht me terug naar de limousine. Toen hij het portier voor me opende, keken de mensen die zaten te kaarten op om te zien wie ik was en automobilisten minderden vaart en tuurden in onze richting. Iedereen hier was er zo op uit om een beroemdheid te zien, dacht ik. Voor het eerst sinds ik hier

61

was, wenste ik dat ik er een was. Kreeg ik de ziekte nu al te pakken?

Toen ik terugkwam in het huis van de Livingstons kwam Dorothy haastig de gang door om te begroeten.

'Wat is er gebeurd? Ik heb op hete kolen gezeten. Ik had Spike moeten laten bellen vanuit de limousine. Nou?' vroeg ze.

'Ik weet nog niets met zekerheid,' zei ik en vertelde wat er gebeurd was en waarom ik nu twijfelde.

'Arm kind. Ben je helemaal hiernaartoe gekomen en ben je zo teleurgesteld. Waarom kon dat afschuwelijke mens niet thuis zijn?' zei ze, en klemde haar lippen op elkaar.

'Spike zegt dat ik moet proberen haar te bellen.'

'Zegt hij dat? Nou ja, ik denk dat je dat wel kunt doen. Maar over een halfuur gaan we eten. Philip is al thuis en bezig zich te verkleden.'

'Verkleden?'

'We kleden ons altijd voor het diner. Maak je niet ongerust, trek gewoon het mooiste aan dat je bij je hebt,' zei ze. 'Morgen ga ik met je naar Adroni's op Rodeo om iets behoorlijks voor je te kopen.'

'O, ik geloof niet dat ik...'

'Denk eraan,' zong ze, 'ik word doof.'

Ik lachte.

'Dank je, Dorothy.'

'Mijn paranormale zus, neem me niet kwalijk dat ik het zo zeg, heeft vanmiddag gebeld om te vragen of je goed was aangekomen. Ik vroeg haar waarom ze, als ze helderziend is, de antwoorden op haar vragen niet weet voordat zij ze stelt.' Dorothy lachte om haar eigen grap. Ik glimlachte, ik kon me Holly's reactie voorstellen. 'Ik vergat helemaal dat cadeautje dat je me op de luchthaven hebt gegeven, dus moest ik net doen of ik het had gezien. Dat heb ik een paar minuten geleden gedaan. Waar verwacht ze dat ik zoiets draag?' ging ze hoofdschuddend verder. 'In ieder geval heb ik gezegd dat je haar morgen belt. Ze moest weg om iets van voodoo, voodoo te doen.'

'Dank je,' zei ik, terwijl ik naar de trap liep. 'Ik kom zó beneden.'

'Maak je niet ongerust over die vrouw, kindlief. Als ze niet je moeder is, kun je toch hier blijven logeren en van L.A. genieten zolang je maar wilt.'

'Dank je,' riep ik terug, en liep haastig de trap op naar mijn luxueuze kamer.

Pas toen ik neerplofte op bed, besefte ik hoe moe ik was. Jong of niet, het tijdverschil deed zich eindelijk gelden. Per slot was het voor mij drie uur later dan voor de anderen. Ik ga een paar minuten rusten, dacht ik. Ik ging achterover liggen en deed mijn ogen dicht. Ik schrok wakker toen er hard op de deur geklopt werd. Haastig ging ik rechtop zitten.

'Wat? Ja?'

De deur ging open en Alec staarde me aan.

'De heer en mevrouw Livingston wachten op u in de eetkamer,' zei hij.

'O, o, ik ben in slaap gevallen! Ik kom meteen,' riep ik uit en sprong van het bed.

Hij maakte een grimas en deed de deur dicht.

Ik bette mijn gezicht met koud water, rukte mijn blouse en spijkerbroek uit en trok mijn jurk aan. Snel haalde ik een borstel door mijn haar en holde toen de kamer uit, de trap af.

De Livingstons zaten aan de verste kant van de lange tafel. Meneer Livingston zat aan het hoofdeinde. Hij droeg een donker sportjasje en een marineblauwe das. Zijn dunner wordende haar was aan de rechterkant gescheiden en keurig rond zijn oren geknipt. Hij keek op, liet zijn lichtbruine ogen snel over me heen glijden, boog toen weer zijn hoofd en keek over zijn smalle, benige neus, waaronder hij een perfect geknipte snor had. Hij had dunne lippen en een weke, bijna ronde kin.

'Hallo, lieverd. Mag ik jullie even voorstellen. Dit is Philip. Philip, dit is Holly's vriendin, Melody.'

'Hallo,' zei hij snel en keek naar me met een glimlach die zo snel over zijn lippen gleed dat het leek of iemand het licht aan en uit deed.

'Ga daar maar zitten, lieverd,' zei Dorothy, met een knikje naar de stoel tegenover haar. Ze droeg een zwarte avondjurk met pofmouwen en een vierkante kraag met ruches, een paar traanvormige, diamanten oorhangers met bijpassende ketting en armband, en minstens twee ringen meer dan toen ik haar voor het eerst had gezien.

Ik ging zitten en Philip keek onmiddellijk op naar Alec, die snel begon met serveren.

'Ik heb Philip alles verteld over je escapade vanmiddag,' ging

Dorothy verder, 'en hij kwam met een geweldig voorstel. Vertel het haar, Philip,' zei ze.

'Jij doet het voortreffelijk,' antwoordde hij, met een blik op mij en toen op zijn bord, terwijl hij met zijn vingers op de tafel trommelde. Alec serveerde kommen met wat eruitzag als heldere kippenbouillon met wat rijst en wortels.

'Philip zegt dat die vrouw een sofinummer moet hebben. Iedereen heeft een sofinummer. Hij zal de zakelijk manager van de uitgever van de catalogus bellen en het nummer controleren om te zien of het op haar eigen naam staat of op naam van je moeder. Is dat geen uitstekend voorstel?'

Ik knikte en keek naar Philip. Hij begon zijn soep te eten.

'Gewoon gezond verstand,' mompelde hij tussen twee slurpende happen door. Toen stopte hij en hield zijn lepel volmaakt stil voor zich, zonder één trilling van zijn hand. 'Natuurlijk zijn er mensen die met een vervalste identificatie een nieuw sofinummer weten te krijgen. We zullen zien.'

'Dus je ziet dat je niet nog meer tijd hoeft te verspillen met de jacht op die vrouw. Ontspan je en geniet van je bezoek,' zei Dorothy.

Philip trok zijn rechtermondhoek zo ver omlaag, dat het leek of zijn lippen van lichtroze klei waren gemaakt.

'Het is niet iets dat ik van de ene dag op de andere kan doen,' mompelde hij.

'Dat geeft niet. Ik wil die vrouw toch graag ontmoeten,' zei ik.

'Philip denkt dat het gevaarlijk kan zijn.'

'Ik heb niet gezegd gevaarlijk. Ik zei onaangenaam.'

'Nou ja, dat komt op hetzelfde neer,' hield Dorothy vol.

Hij legde zijn lepel neer en leunde achterover. Alec ging onmiddellijk naar hem toe om zijn soepkom weg te halen. Ik had de helft van mijn soep nog niet gegeten en nam twee snelle happen toen ik Alec naast me voelde staan. Dorothy stak haar lepel, niet meer dan twee keer in de kom, maar dat leek voldoende te zijn.

Een kleine maaltijdsalade volgde, met twee flinterdunne sneetjes brood die tussen je vingers verkruimelden.

Het hoofdgerecht bestond uit kalfsmedaillons in citroensaus, met snijbonen en aardappelpuree met een smaak die ik niet thuis kon brengen. Alles was verrukkelijk, maar ik merkte dat Dorothy naar me keek en herinnerde me haar waarschuwing dat ik niet te veel moest eten. Ik had best nog wat meer willen eten, maar ik stopte.

Philip zei niet veel, maar was geïnteresseerd in mijn beschrijving van de kreeftenvisserij en het toerisme in Cape Cod. Hij zei dat hij een paar cliënten had die wilden investeren in een hotelketen in de Cape, maar dat hij er niet zo gek veel in zag.

Het diner werd gevolgd door koffie in een zilveren servies en pudding als dessert. Het was een verrukkelijke maaltijd en dat zei ik toen ik hen bedankte.

'Misschien kunnen we Selena vragen morgenavond kreeft klaar te maken, Philip, ter ere van Melody,' zei Dorothy toen de maaltijd was afgelopen.

'Kreeft wordt veel te duur verkocht tegenwoordig,' mopperde hij.

Hoe kon iemand met zoveel geld zich druk maken over de prijs van kreeft? vroeg ik me af.

'O, onzin,' zei Dorothy.

'Ik hoef echt geen kreeft, Dorothy.'

'Natuurlijk niet,' zei Philip knikkend. 'Ze krijgt die spotgoed-koop in de Cape en hier is hij beslist minder goed. Bedenk wat anders,' zei hij. 'Ik heb nog wat werk af te maken in mijn kantoor,' ging hij verder, terwijl hij opstond. Ik merkte dat hij minder lang was dan Dorothy. 'Leuk je te hebben leren kennen,' zei hij voor hij wegliep.

'Philip is de meest efficiënte man die ik ooit heb gekend,' zei Dorothy. 'Eens per maand kijkt hij de huishoudrekeningen na en geeft een paar briljante suggesties om geld te sparen. Hij zegt dat hij het voor zijn cliënten doet, dus waarom zou hij het niet voor zichzelf doen? Dat zal wel waar zijn. Wil je iets te lezen hebben? Je kunt in onze bibliotheek rondkijken. Ik probeer in alles bij de tijd te blijven. Ik ben lid van drie boekenclubs.'

'Mag ik eerst even proberen Gina Simon te bereiken?' vroeg ik.

'O, neem de telefoon in de salon maar. Daar heb je wat privacy,' antwoordde ze.

'Dank je,' zei ik, en probeerde me te herinneren waar de salon was in dit grote huis. Ze moest het aan mijn gezicht hebben gezien.

'Derde deur links in de gang. Er ligt een telefoongids op het klei-ne tafeltje.'

'Dank je.'

'Oké. Ik kom straks bij je en dan kunnen we naar de zitruimte gaan en televisie kijken als je wilt. *Desperate Lives* is vanavond. Kijk je daar wel eens naar? Philip vindt het een doodgewone soap, maar het is veel meer dan dat, het is... gewoon meer.'

'Nee, ik heb er nooit van gehoord?'

'Nooit van gehoord? O, hemeltje. Nou, misschien bevalt het je,' zei ze, en ik ging naar de salon. Ik vond de telefoongids en ontdekte drie Gina Simons, maar het adres wees de juiste aan. Met trillende vingers pakte ik de hoorn op. Het was een antiek koperen toestel met ivoor en met een draaischijf. De eerste keer draaide ik verkeerd en kreeg een nummer dat was afgesloten.

De tweede keer draaide ik het juiste nummer, maar toen de telefoon drie keer was overgegaan kreeg ik een antwoordapparaat.

'Met Gina Simon. Tot mijn spijt kan ik op het ogenblik de telefoon niet aannemen. Geef alstublieft naam, tijdstip waarop u belt en een kort bericht na de piep,' zei de stem. Ik luisterde aandachtig. De stem klonk als die van mijn moeder, maar had een geaffecteerdheid en een overdreven dictie die ik niet herkende. Ik wachtte even en belde toen nog eens, alleen om de stem weer te horen. Hij klinkt als haar stem, dacht ik. Het moet mamma zijn.

Dorothy kwam binnen met een klein angorakatje in haar armen.

'Dit is Fluffy,' zei ze. 'Is ze niet mooi?'

'Ja, dat is ze zeker.'

'Philip wil niet dat ik haar hier in huis houd. Ze blijft bij Selena. Hij zegt dat als ze door het huis mag rennen, ze overal haren achterlaat. Hij is vreselijk piepepeuterig wat het huis betreft. Als er een stofje van zijn plaats is, weet Philip het.'

Ze zuchtte en ging in de fauteuil tegenover me zitten, met het spinnende katje op schoot.

'En, heb je geprobeerd die vrouw te bellen?'

'Ik kreeg het antwoordapparaat,' zei ik. 'Maar ze klinkt als mijn moeder.'

'Heb je een bericht achtergelaten?'

'Nee, ik wist niet goed wat ik moest zeggen.'

'Misschien was ze thuis en luisterde ze,' zei Dorothy met een knikje. 'Dat doen mensen hier vaak. Ze wachten om te horen of het iemand is die belangrijk is en nemen dan op. Als het iemand is die niet belangrijk genoeg is, laten ze het antwoordapparaat aanstaan. Het heeft met macht te maken, zegt Philip.'

'Met macht?'

'Ja, je praat gewoon tegen niemand. Dat maakt je minder belangrijk.'

'Ik kan me niet voorstellen dat mijn moeder zo denkt.'

'Hm, als die vrouw iets wil betekenen in de industrie, dan gedraagt ze zich zo, geloof me maar. Ik heb genoeg van die vrouwen ontmoet.'

Ik dacht erover na. Wat had Billy Maxwell ook weer gezegd vlak voordat ik uit New York vertrok... bereid je erop voor dat je een heel andere vrouw zult ontmoeten, ook al was ze mijn moeder. Misschien was dat maar al te waar.

'Ik wou dat de wereld waarin we leven zich niet zo van elke kleinigheid bewust was,' zei Dorothy dromerig, terwijl ze het tevreden katje op haar schoot aaide. 'Philip wil dat ik perfect ben, perfect blijf. Als er één haartje van zijn plaats is, vraagt hij waarom ik deze week niet naar de kapper ben geweest,' zei ze weemoediger dan ik verwacht zou hebben.

'Zo lijkt hij niet,' zei ik. Ze ontwaakte uit haar dromerige toestand en trok haar wenkbrauwen op.

'Hij is een man, wat wil je? Ze zijn allemaal hetzelfde, ze bekijken je met een vergrootglas, zoeken naar rimpels, ouderdomsvlakken, meten je boezem, je middel, je heupen, zoeken naar een grammetje lelijk vet.

'Ik heb een privé-sportleraar,' ging ze verder, 'die drie maal per week hier komt. Het is stomvervelend, maar ik doe het voor Philip. En voor mezelf, veronderstel ik,' zei ze met een zucht. 'Nou ja, een vrouw moet doen wat ze kan, nietwaar?'

'Ik weet het niet. Ik heb er eigenlijk nooit over nagedacht,' zei ik.

'Natuurlijk niet. Je bent nog jong en mooi. Je hebt nog een heel leven voor je, maar geloof me, op een dag word je wakker en kijk je in de spiegel, en dan zie je een rimpeltje hier, een zwellinkje daar, en je beseft dat je aan het werk zal moeten om mooi te blijven.

'Natuurlijk,' ging ze verder, 'als je slim genoeg bent, neem je niet met de eerste de beste genoegen en trouw je met iemand die wat in de melk te brokkelen heeft, zoals ik heb gedaan. Dan kan hij je het allerbeste verschaffen op het gebied van de kosmetische chirurgie.'

'Chirurgie?'

'Ga me nou niet zitten vleien en me vertellen dat je niet gezien hebt hoe stevig mijn billen zijn voor een vrouw van mijn leeftijd zonder te denken dat ik er iets aan heb laten doen,' zei ze glimlachend.

'Het is me niet echt opgevallen, maar... Een operatie aan haar billen?'

'Het is niet veel meer dan het straktrekken van de buik. Ik weet niet meer hoe vaak ik dat heb laten doen. O, en mijn ogen natuurlijk. Sommige mensen boffen; die hebben genen die ze helpen er langer jong uit te zien. Philips moeder bijvoorbeeld had nauwelijks een paar rimpeltjes toen ze al achter in de zeventig was. En kijk eens naar Philip. Nou ja, voor mannen is het toch anders. Die mogen rimpels hebben. Dan zien ze er gedistingeerd uit, maar wij meisjes...

'Tja,' zei ze met wat meer bezieling in haar gezicht, 'dacht je dat onze seksuele relatie zo sterk zou zijn als ik er niet voor zorgde dat ik aantrekkelijk blijf? Er staat een artikel voor in het laatste nummer van *Venus*. Volgens wetenschappelijke onderzoekingen betekent een succesvolle relatie dat een man en vrouw gemiddeld vijf keer per week vrijen, zelfs op onze leeftijd. Ik zei het tegen Philip en hij zei dat zijn eigen onderzoek uitkwam op vier en zes keer. We tekenen het aan op de kalender. Die heb je waarschijnlijk wel aan de muur naast ons bed zien hangen. Philip houdt van orde in zijn leven.

'O, ik weet wat mannen doen als ze een lelijke vrouw hebben,' ging ze verder, mijn openhangende mond negerend. 'Vooral in deze stad. Een vrouw moet aan haar relatie werken. Dat is haar taak. En ik kan je wél vertellen dat ik er veel succes in heb.

'Je hebt gezien hoe die jonge, mannelijke kelners me aangaapten in The Vine,' zei ze knipperend met haar oogleden en glimlachend. 'Ze hebben geen idee hoe oud ik ben, en dat zullen ze ook nooit te weten komen. Je bewaakt je leeftijd zoals je je leven bewaakt. Vertel een man nooit je ware leeftijd. Trek er altijd minstens vijf tot zeven jaar af,' adviseerde ze.

'O, nee,' zei ze plotseling, en stond op. '*Desperate Lives* is begonnen. Gauw,' beval ze, en liep de salon uit.

Ik bleef even zitten en probeerde de dingen te verwerken die ze me verteld had zoals je overdadig gekruid voedsel verwerkt. De woorden bleven zichzelf herhalen.

'Kom, lieverd!' riep ze.

Ik stond op en liep de gang in. In de zitruimte zette ze de televisie aan. Toen ging ze in een diepe fauteuil zitten, trok haar benen onder zich en staarde naar het tv-scherm als een tiener die haar idool ziet verschijnen. Ik zat op de bank naast haar en luisterde naar haar zacht gesteun en gezucht als de ene knappe jongeman na de andere op het grote scherm voorbij paradeerde.

Maar mijn vermoeidheid steeg als het kwik in een thermometer. Ik voelde mijn oogleden steeds zwaarder worden en zakte een paar keer weg, om weer wakker te worden als ik haar hoorde roepen naar het scherm of klagen over iets dat een speler zei of deed, alsof ze dacht dat ze haar konden horen.

'Is het niet om dol te worden,' ging ze tekeer, terwijl ze zich naar me omdraaide. Ik knikte, al had ik geen idee waarom ze zich zo opwond. 'En ik vind het vreselijk als ze je zo in onzekerheid laten. Maar,' ging ze met een plotselinge glimlach verder, 'zoals Philip zegt, zo krijgen ze je zover dat je avond na avond blijft kijken en op die manier verkopen ze die producten. Je ziet er moe uit, kindlief. Misschien is het beter als je naar bed gaat. Ik weet dat het al laat is voor je.'

'Ja, ik denk dat ik nu de terugslag krijg,' zei ik, terwijl ik opstond. 'Heel erg bedankt voor alles.'

'Onzin. Morgen na het ontbijt gaan we naar Rodeo Drive en kopen iets geschikts voor je om te dragen. 'Nee,' zei ze, haar hand opheffend om elk protest te smoren, 'zeg niets dat me doof maakt. Philip en ik hebben geen kinderen. Ik was niet zo enthousiast over het idee om zwanger te worden en Philip kan niet goed tegen kleine kinderen. Maar we vinden het allebei prettig nu en dan iets te doen voor jonge mensen. Als ze het verdienen natuurlijk, zoals jij.' Ze glimlachte. 'Slaap lekker.'

'Dank je,' zei ik weer, sowieso te vermoeid om haar tegen te spreken. Bijna slaapwandelend liep ik de trap op.

Ondanks het feit dat ik uitgeput was, nam ik, voordat ik het licht uitdeed en onder de wol kroop, de telefoon op en draaide Gina Simons nummer. De telefoon bleef overgaan tot ik het antwoordapparaat weer kreeg. Ik luisterde weer naar haar stem en raakte er steeds meer van overtuigd dat het mamma's stem was. Of wenste ik dat alleen maar?

En waarom nam ze niet op? Was ze weg? Misschien zou het dagen, weken, duren voor ik tegenover haar zou staan.

Ik legde mijn hoofd op het kussen en sloot mijn ogen, dankbaar dat ik te moe was om te denken, maar toch bevreesd voor wat de volgende dag zou brengen.

5. Een bittere pil

Weer werd ik gewekt omdat er zacht op de deur werd geklopt, maar deze keer kwam een vriendelijk uitziende vrouw met strepen grijs door haar donkerbruine haar binnen. Het ontbijtblad dat ze droeg was beladen met een zilveren koffiepot, kop en schotel, een bord, bestek, eieren in een schaaltje, een croissant, gelei en boter en een hoog glas vers sinaasappelsap. Ernaast stond een klein vaasje met een enkele rode roos.

'Goedemorgen,' zei de vrouw. Ze had een prettige glimlach en warme, blauwe ogen. Ze was ongeveer één meter vijfenvijftig met een kleine boezem en heupen die naar Dorothy's smaak absoluut te breed waren. Haar onderarmen waren sterk, maar ze had kleine handen. 'Ik ben Christina, het kamermeisje van mevrouw Livingston. Ze heeft me gevraagd je vanmorgen je ontbijt te brengen.'

'O, dat was niet nodig,' zei ik. Ik ging rechtop zitten en deed mijn best mijn ogen open te houden. 'Hoe laat is het?' Ik keek naar de klok in de buik van een lichtblauwe, keramieken zeemeeuw. 'Ik heb nog nooit zo lang geslapen.'

'Dat is niet erg. Mevrouw Livingston stond erop,' zei Christina. Ze zette het blad op een bedtafeltje dat ze uit de kast had gehaald.

'Je hebt twee zachtgekookte eieren,' zei ze, en tilde het deksel eraf om ze me te laten zien. 'Wil je nog iets anders? Warme cereals, een ander sapje? Ik heb versgeperste grapefruit of pruimen.'

'O, nee, dit is geweldig, maar ik had heus wel beneden kunnen komen,' zei ik. Ik voelde me niet erg op mijn gemak met al haar goede zorgen.

'In de regel komt alleen meneer Livingston beneden om te ontbijten,' antwoordde Christina glimlachend. 'Dan leest hij de ochtendkranten, hij vindt het niet erg om alleen te ontbijten. Mevrouw

Livingston ontbijt altijd in bed. Heb je alles wat je nodig hebt?' vroeg ze, terwijl ze naar de badkamer liep. 'Nog meer handdoeken, of iets anders?'

'Nee, niets,' zei ik, terwijl ik mijn sap dronk. 'Dank u.'

Ze knikte naar me en keek toe terwijl ik een paar happen van mijn croissant nam.

'Ik heb gehoord dat je uit het oosten komt en dat dit je eerste bezoek aan Californië is,' zei ze.

'Ja.'

'Ik ben nog nooit in New York geweest, maar ik hoop er een dezer dagen heen te gaan. Ik heb een dochter die niet veel jonger kan zijn dan jij,' ging ze verder. 'Ze heet Stacy. Ze gaat dit jaar naar de universiteit. Ze werkt in een warenhuis en volgt een paar colleges. Ze wil afstuderen als lerares.'

'O, wat goed van haar,' zei ik. 'Ze houdt er zeker van om met kinderen te werken.'

'Ja, ze is een grote hulp voor me met mijn andere kinderen. Ik wou dat we haar fulltime erheen konden laten gaan, maar... dat kunnen we ons op het ogenblik niet permitteren.'

'Hoeveel kinderen hebt u?'

'Ik voed er vier op,' antwoordde ze.

'Vier?'

Hoe kon ze vier kinderen grootbrengen als ze bij iemand werkte als kamermeisje, en zo'n vriendelijke persoonlijkheid hebben? vroeg ik me af.

'De jongste is zes, een jongen.' Ze bleef in de deuropening staan. 'Laat alles maar naast het bed staan. Ik kom later boven,' zei ze. 'Laat me weten als je iets nodig hebt.' Met die woorden ging ze de deur uit.

Ik voelde me schuldig dat ik zo vertroeteld werd, terwijl ik nog niet eens contact had gehad met mamma, dus at ik snel het heerlijke ontbijt, nam een douche en kleedde me aan. Ik besteedde meer tijd dan gewoonlijk aan mijn haar. Dorothy had me zo verlegen gemaakt over mijn uiterlijk, dat ik bang was dat ze me onmiddellijk mee zou nemen naar een schoonheidssalon als ik er niet mooi genoeg uitzag om de Californische ochtend te begroeten.

Meneer Livingston wilde juist het huis verlaten toen ik de trap afkwam. Hij droeg een pak met een smal streepje en een roodbruinmet-witte das. Bij de voordeur bleef hij staan en keek naar me op toen ik beneden kwam.

'Goedemorgen,' zei hij.

'Goedemorgen.'

'Ik hoop dat je goed geslapen hebt,' zei hij, zonder een glimlach.

'Ja, dank u.'

'Goed, prettige dag verder,' voegde hij eraan toe. Hij leek niet op zijn gemak nu hij alleen met me was. Hij frutselde aan zijn aktetas en liep toen haastig de deur uit.

Ik overwoog of ik Gina Simons nummer nog eens zou bellen, maar bedacht dat ik alleen maar het antwoordapparaat zou krijgen. Het was beter er zelf naartoe te gaan. Ik vroeg me af of Sandy Glee haar had verteld dat er bezoek voor haar was geweest en mij had beschreven.

'Neem me niet kwalijk, miss,' zei Alec, die schijnbaar uit het niets verscheen. 'Er is telefoon voor u.'

'Telefoon voor mij?'

'U heet toch Melody?' vroeg hij op scherpe toon, alsof hij dacht dat ik hem bekritiseerde.

'Ja.'

'Dan is er telefoon voor u. U kunt hem in de salon nemen,' zei hij met een knikje in die richting.

'Dank u.'

Haastig liep ik erheen en nam de telefoon op.

'Hallo.'

'Hoi,' zei Holly. 'Sorry dat ik je gisteren gemist heb, maar ik had een afspraak voor een horoscoop, en toen ik klaar was, dacht ik dat het al te laat zou zijn.'

'Dat geeft niet.'

'Hoe gaat het? Heb je de vrouw uit de catalogus al ontmoet? Kenneth belde me vanmorgen vroeg om te vragen of ik al iets van je had gehoord.'

Ik vertelde haar over mijn bezoek aan het appartementencomplex en wat Sandy Glee me had verteld over Gina Simon.

'Ik krijg geen goede vibraties, Melody. Denk eraan wat ik heb gezegd. Pak je koffers en kom terug als de dingen niet zo zijn als je had gehoopt,' zei ze.

'Ik zal het doen,' beloofde ik.

'Mooi. Hoe behandelt mijn zus je?'

'Als een vorstin,' zei ik. Ik vertelde haar over mijn kamer en ontbijt op bed.

Holly lachte.

'Ik hoor het al. Ze is me er eentje, hè? En Philip, heeft hij meer dan twee woorden gezegd?'

'Zeven of acht,' zei ik lachend. Het deed me goed Holly's stem te horen, haar oprechtheid en hartelijkheid. 'Lief van je om te bellen, Holly. Lief van je om je zorgen over me te maken.'

'Zou jij anders zijn als de rollen waren omgekeerd?' vroeg ze. 'Je moet de groeten hebben van Billy.'

'Zeg hallo van me, en dat ik jullie zal bellen zodra ik iets weet.'

'Oké. Pas goed op jezelf en laat je niet door Dorothy overhalen tot een facelift terwijl je daar bent,' waarschuwde ze me voor ze ophing.

Voor ik de hoorn had neergelegd, verscheen Dorothy.

'Mooi zo, je bent op,' zei ze, toen ze de kamer binnenkwam. 'De winkels gaan net open.'

'Het spijt me dat ik me verslapen heb. Meestal ben ik veel vroeger op.'

'Verslapen? Onzin. Een vrouw heeft haar slaap nodig. Dat ouderwetse idee van een schoonheidsslaapje is waar. Als je je huid geen rust geeft, word je sneller oud. Ik sta nooit veel vroeger op dan nu, tenzij ik een heel belangrijke reden ervoor heb. In ieder geval heb ik om de auto gebeld. Ik moet alleen Selena even Philips wensen voor het diner doorgeven, en dan gaan we winkelen.'

'Dorothy, ik wil echt alleen maar terug naar die Egyptian Gardens en Gina Simon opzoeken en...'

'Je moet eerst iets fatsoenlijks hebben om aan te trekken. Dan kun je gaan.'

'Nee, heus, ik...'

'Doof,' zei ze. Ze schudde haar hoofd met haar handen voor haar oren. 'Ik zie je buiten. Spike rijdt de auto voor.'

Ze liep weg naar de keuken. Er zat niets anders op dan haar edelmoedige aanbod te accepteren, dacht ik, en dan weer een bezoek te brengen aan de Egyptian Gardens.

Ik was diep onder de indruk van de winkels op Rodeo Drive. Pappa George en Mamma Arlene, die naast ons hadden gewoond in

Sewell, West Virginia, zeiden altijd dat hun grootouders naar Amerika kwamen in de verwachting dat de straten met goud waren geplaveid. Dit kwam er het dichtst bij, dacht ik. De winkels met designkleding en hun chique etalagepoppen, de prachtige kunst- en antiekgaleries, de mooie restaurants en fraaie juwelierszaken gaven alles het aanzien van winkelen voor de rijken en bevoorrechten. Overal waar ik keek zag ik Rolls Royces, Mercedessen en andere dure auto's, en limousines als die van ons met geüniformeerde chauffeurs, die portieren openhielden voor mensen die met elkaar leken te wedijveren wie het mooist gekleed was.

'Hier, Spike,' beval Dorothy, en ging verder tegen mij: 'Ik ken deze boetiek goed. Ze hebben de kleren die jongemeisjes tegenwoordig graag dragen. Je zult wel zien,' beloofde ze.

Toen we naar binnen gingen, dacht ik dat ze op het punt stonden failliet te gaan. Er stonden zo weinig dingen uitgestald, en elk stuk werd behandeld of het een speciaal kunstwerk was. Achterin de winkel was een bar, waar een barkeeper cappuccino's, lattes en espresso's bereidde voor de klanten. De verkoopster herkende Dorothy onmiddellijk en kwam haastig naar haar toe. Haar hoge hakken klikten op de Spaanse tegels.

'Mevrouw Livingston, hoe maakt u het,' vroeg ze, terwijl ze een slap handje uitstak. Een gouden armband met diamanten bungelde om haar smalle pols. Ze zag eruit of ze een halve dag had besteed aan haar make-up en haar. Geen haartje was van zijn plaats en ze had de meest gelijkmatige pancake-teint die ik ooit had gezien, waardoor ze gebruind leek tot de onderkant van haar hals, waarna haar huid roomwit was. Dorothy kneep heel even in haar vingers.

'Dank je, Farma. Dit is de vriendin van mijn zuster aan de oostkust. Ze moest halsoverkop hiernaartoe en had geen tijd om wat behoorlijks in te pakken. Dus wilde ik iets leuks voor overdag en iets voor 's avonds.'

'O, mooi,' antwoordde Farma en keek me stralend aan met dollartekens in haar ogen. 'We hebben net een Italiaans broekpak binnengekregen in een perfecte kleur voor...'

'Farma,' zei Dorothy, 'ik wist dat je iets geschikts voor haar zou hebben.'

Farma nam me aandachtig op om mijn maat te taxeren. 'Wat een verrukkelijk figuurtje heb je.'

'Ja, hè?' zei Dorothy.

Ik had nog nooit zoiets zachts gevoeld als de stof waarvan het broekpak was gemaakt. Het was crèmewit met vage, roze krullen erdoor, en het paste perfect. Toen ik mezelf in de spiegel bekeek, voelde ik mijn ego stijgen. Toen zag ik het prijskaartje dat aan de linkermouw hing, en viel bijna flauw. Veertienhonderd dollar!

'Ze ziet er fantastisch uit,' zei Dorothy. 'Een uitstekende keus voor overdag.' Ze keek zelfs niet naar de prijs. 'En nu iets voor 's avonds. Ik ben van plan haar morgenavond mee naar Chasens te nemen, en je weet nooit wie er binnen kan komen.'

'O, ik heb een schat van een zwart jurkje, net uit Parijs.' Farma liep haastig weg om het te gaan halen en ik draaide me met een ruk om naar Dorothy.

'Dorothy, kijk eens naar de prijs!' riep ik uit. Ze keek onverschillig naar het kaartje.

'Nou, en? Iets fatsoenlijks is duur tegenwoordig.'

'Maar dit...'

'Alsjeblieft,' zei ze, terwijl ze haar ogen opensperde, 'breng me niet in verlegenheid. Ik ken alle verkoopsters in deze winkels en zij kennen mij. 'O, dat ziet er heel mooi uit,' ging ze verder toen Farma een avondjurk bracht met smalle schouderbandjes. Met tegenzin trok ik hem aan; de jurk paste perfect en deed mijn figuur voordelig uitkomen, maar hij kostte achttienhonderd dollar! Ik kon niet meer slikken toen Dorothy Farma opdracht gaf de avondjurk in te pakken.

'Ze trekt dat broekpak nu meteen aan,' verklaarde ze.

'Uitstekend,' zei Farma.

'Dorothy...' Ik bleef verbluft staan.

Ze kwam naar me toe zodat ze zacht kon praten. 'Als ik mijn geld niet uitgeef, belegt Philip het maar in een van die stomme annuïteiten, en dan ligt het geld jarenlang vast. Zoals de zaken nu staan, slaag ik er nooit in mijn hele maandelijkse zakgeld uit te geven.'

'Krijg je zakgeld?' vroeg ik, verbluft over het idee dat een volwassen vrouw zakgeld kreeg.

'Natuurlijk. En als ik het niet opmaak, kan ik hem nooit zover krijgen dat hij het verhoogt. Nee toch? Hij is veel te slim. Dan zegt hij alleen maar dat ik niet uitgeef wat ik nu krijg, dus waarom zou hij het verhogen? Al mijn vriendinnen krijgen zakgeld, en ik sta aan de top. Ik ben niet van plan die plaats te verliezen.

'Bovendien,' ging ze verder, 'koop ik veel liever iets voor een knap jong meisje dan mijn geld aan liefdadigheid te geven. Het maakt...' ze glimlachte, '...dat ik me zelf jonger voel. Ik had vroeger net zo'n figuur als jij... van nature. En ga nu dat pak aantrekken. We gaan naar een heel bijzonder restaurant voor de lunch en daar zullen veel vriendinnen van me zijn.'

Ze glimlachte triomfantelijk.

'Als Spike je weer naar dat gebouwencomplex brengt, zullen de mensen meer aandacht aan je besteden en meer onder de indruk zijn van je. Ze zullen je serieus nemen. Je zult het zien. Hier is iedereen in de eerste plaats geïmponeerd door kleren en auto's, en dan pas letten ze op degene die de kleren draagt en in de auto rijdt. Je leert het wel.'

'Ik krijg het gevoel dat ze me een paspoort hadden moeten geven toen ik de Oostkust verliet,' merkte ik op, en ze lachte zo hard dat ze Farma moest vertellen wat ik had gezegd, waarna ze allebei lachten.

Terwijl ik me verkleedde, kocht Dorothy zelf drie blouses en twee rokken. De rekening van het eind van ons bezoek was genoeg om een gezin van vier personen in Sewell maandenlang onderdak en eten te verschaffen, dacht ik, maar ik durfde niets meer te zeggen. Voor Dorothy ons door Spike naar het restaurant liet brengen, stond ze erop een paar schoenen voor me te kopen bij het broekpak en een paar voor bij de avondjurk. Toen lunchten we in een klein café bij de Rodeo Drive, waar een sandwich evenveel kostte als een hele maaltijd overal elders in Amerika. Dorothy scheen iedereen daar te kennen en stelde mij voor als een intieme vriendin van haar zus. Ik luisterde terwijl ze babbelden over kleren en juwelen, en alle dingen die ze die ochtend hadden gekocht. Iedereen wist tussen neus en lippen door te vertellen hoeveel ze hadden betaald. Hoe hoger de prijs, hoe meer reden om het aan te schaffen, leek het wel.

Het duizelde me na die wervelstorm van uitgaven. Dorothy Spike gaf opdracht ons naar huis te rijden en Alec moest komen om mijn pakjes naar mijn kamer te brengen, en toen kreeg ik eindelijk toestemming om weer naar de Egyptian Gardens te gaan.

'Je ziet er geweldig uit,' zei Spike. 'Je bent ervoor geschapen om dure kleren te dragen.'

'Niemand is geschapen voor kleren die zoveel kosten als dit. Het is extravagant,' zei ik. Hij lachte.

'Dat hoort het ook te zijn. Je bent in Hollywood. Later zal ik je meenemen naar het Grauman's Chinese Theater, en kun je de voet- en handafdrukken bewonderen van de sterren.'

'Ik zou liever de voetafdrukken van mijn moeder vinden,' mompelde ik en leunde achterover, in de hoop dat ik deze keer meer succes zou hebben.

Nu ik wist dat de bel bij de ingang niet werkte, liep ik gewoon door de hoofdingang naar binnen en volgde het pad langs het zwembad. Een stuk of zes jonge mannen en vrouwen lagen te zonnen op de ligstoelen. Sommigen hielden reflectoren onder hun kin. In tegenstelling tot de eerste keer, lette niemand op me. Sandy Glee was nergens te bekennen. Toen ik bij het gebouw kwam waarin zich het appartement van Gina Simon bevond, hoorde ik een luide, bekende lach. Een vrouw, van wie ik zeker wist dat het mamma was, kwam naar buiten, vergezeld door een kleine, gezette man met dunnend grijs haar en een stompe neus. Hij had dikke lippen en droeg een bril met dikke glazen, die zijn ogen deden lijken op die van een dode vis.

Ik wist dat het mamma was, want toen ze me zag sloeg ze met een zachte, onderdrukte kreet haar hand tegen haar hals en bleef staan. Haar begeleider keek nieuwsgierig van haar naar mij. Mamma beheerste zich, haalde diep adem en keek glimlachend naar de man.

'Is er iets?' vroeg hij. Met bonzend hart bleef ik staan wachten. 'Ben je iets vergeten?' ging hij verder, toen ze geen antwoord gaf.

'Nee,' zei ze snel. 'Het is in orde.'

'We moeten opschieten. Gerry Spindler is het soort producer dat zelf graag te laat komt op een afspraak, maar degene die hij interviewt moet dat niet doen. Niet dat ik ook maar één seconde twijfel wat jou betreft, schat. Hij moet van steen zijn om jou te kunnen passeren,' zei de gezette man. Hij lachte, waarbij zijn wangkwabben trilden en zijn lippen krulden. Mamma hield haar blik strak op mij gericht toen ze mijn richting uit liepen.

'Mamma!' riep ik uit, toen ze niet meer dan een meter van me af was.

'Pardon?' zei ze.

De gezette man hield zijn hoofd achterover.

'Mamma, wat is er aan de hand? Alice vond je foto in een catalogus en stuurde hem naar mij in Provincetown en Kenneth ontdekte wie je was en waar je was,' zei ik snel. 'Grootma Olivia gaf me het geld om hiernaartoe te gaan. Mamma, herken je me niet?'

'Wat?' vroeg ze lachend.

'Wie is dat?' vroeg de man.

'Ik heb geen idee,' zei mamma. Haar ogen werden zo koud als twee steentjes in een bergbeek in West Virginia.

'Ik ben het, mamma. Melody. Herken je me niet? Echt niet?'

'Ten eerste, kindlief,' zei ze met een harde, scherpe stem die ik niet van haar kende, 'zou ik nooit je mamma kunnen zijn. Dan zou ik zes zijn geweest toen ik je kreeg.'

De man bulderde van het lachen.

'Ten tweede heb ik je nog nooit in mijn leven gezien. Ik wou dat ze dat verdomde beveiligingssysteem eens maakten,' zei ze tegen de man. 'Al het tuig van de straat kan hier komen binnenwandelen, en je weet wat voor gespuis er tegenwoordig hier rondloopt'

'Ja,' zei hij knikkend, terwijl hij me strak aankeek.

'Mamma...' De tranen brandden in mijn ogen. Ik probeerde te slikken, zodat ik verder kon spreken, maar de brok in mijn keel voelde aan als een stuk steenkool.

'Misschien is het een grap die iemand heeft bedacht,' opperde de man. 'In ieder geval hoef je je geen zorgen te maken over het beveiligingssysteem. Als je deze baan krijgt, kun je naar een betere omgeving verhuizen, schat. En Marlin ook.'

'Luister naar me alsjeblieft,' wist ik er ten slotte uit te brengen. Mamma keek even naar me en wierp toen met een snelle beweging haar haar naar achteren. Ik schrok toen ik zag hoe leeg ze haar ogen kon maken, alsof ze wist hoe ze al haar emoties uit moest schakelen. Haar hand klemde zich om de arm van haar dikke begeleider en ze liep over het pad of ik niet bestond.

Ik bleef hen nastaren tot ik haar om een hoek zag verdwijnen. Ze lachte om iets dat de man zei en keek me nog even met een minachtende blik aan voor ze verdween. Ik ging op de stenen bank aan het pad zitten, verbijsterd, koud, zelfs rillend in de warme, Californische zon. Ondanks haar kille reactie had ik iets in mamma's ogen gezien dat me zei dat ze me had herkend, dat ze niet aan geheugenverlies leed. Maar ik had er ook iets in gezien dat zei: 'Ga weg, waag het niet om in mijn leven terug te komen, vooral nu niet.'

Hoe kon ze net doen of ze een vrouw van in de twintig was? Ze zag er wel zo uit, maar ze wist dat ze dat niet was. En zoals ze me daar had laten staan, verbijsterd en geschokt nadat ik van zo ver was gekomen... Ik verborg mijn gezicht in mijn handen en begon te snikken. Ik was helemaal hiernaartoe gekomen om door mijn eigen moeder te worden genegeerd en afgewezen. En ik had zo gehoopt dat ze blij zou zijn me te zien, dat het zelfs haar geheugenverlies zou genezen. Ik haalde diep adem en leunde achterover. Hoofdschuddend bleef ik voor me uit staren; ik voelde me duizelig en misselijk. De tranen stroomden over mijn wangen en dropen langs mijn kin, maar ik nam niet de moeite om ze weg te vegen.

Een knappe jongeman met donker haar en een mooie, blonde vrouw liepen haastig voorbij. Ze keken even naar me en glimlachten alsof ze dagelijks iemand op een bank zagen huilen. Ze liepen het gebouw in en hun lach klonk nog na. Boven me ging een raam open en een Latijns ritme drong naar buiten. Dit was geen plaats om bedroefd te zijn, dacht ik, en stond op. Ik wankelde even, alles draaide om me heen. Ik hield me vast aan de rugleuning van de bank en wachtte tot de duizeling voorbij was. Maar die bleef aanhouden, als krampen die niet over wilden gaan.

'Hé, wat doe je?' hoorde ik. Ik draaide me om en zag Spike staan. 'Gaat het goed met je?'

'Nee,' jammerde ik.

'Wat is er gebeurd? Ik heb zolang op je gewacht, dat ik maar naar binnen ben gegaan om te zien of ik je kon vinden. Hé,' zei hij weer en sprong op me af, om te voorkomen dat ik op de grond ineen zou zakken.

Een paar minuten later kwam ik bij in zijn armen. Hij zat op de bank met mij op zijn schoot en tikte me zacht op mijn wang.

'Melody... Melody...'

'Wat is er gebeurd?' Mijn ogen gingen open en de wereld kwam weer in focus.

'Je bent flauwgevallen,' legde hij uit.

'O, het spijt me,' zei ik verlegen. Gelukkig was niemand uit nieuwsgierigheid naar me toe gekomen. We waren alleen. Spike hielp me om rechtop te gaan zitten.

'Voel je je wat beter? Haal eens diep adem. Toe dan. Goed zo. Wat is er gebeurd?' vroeg hij, toen ik weer wat kleur kreeg in mijn gezicht.

'Ik heb haar ontmoet,' antwoordde ik. 'Hier, op deze plaats. Ze kwam uit het gebouw met een of andere man en ik stond nog geen halve meter bij haar vandaan.'

'En?'

'Het was mijn moeder, maar ze deed net of ze me niet kende. Ze zei dat ze niet oud genoeg was om een dochter van mijn leeftijd te hebben en ze lachte me uit.' Ik begon weer te huilen. 'Ze zei tegen die man dat ik gespuis was dat van de straat binnen was gekomen. Ze wilde dat ze het beveiligingssysteem hadden gemaakt, om mij buiten te houden.'

'Kalm maar,' zei Spike en sloeg zijn arm om mijn schouders. 'Ze speelde waarschijnlijk toneel voor die man.'

'Maar waarom? Waarom was dat belangrijker dan ik? Ik heb het hele land doorkruist om haar te vinden en ze heeft me zo lang niet gezien. Waarom?'

Hij haalde zijn schouders op.

'Waarschijnlijk had ze een auditie of zoiets, of die man was een producer die ze wilde misleiden. Ik weet het niet. Dit is Hollywood.'

'Dat zeg je voortdurend, alsof dat alles rechtvaardigt wat hier gebeurt,' snauwde ik terug. 'Het kan me niet schelen of het Hollywood is. De mensen horen toch fatsoenlijk tegen elkaar te zijn, vooral moeders tegen hun dochters.'

Hij lachte alsof ik iets heel mals had gezegd.

'Weet je,' merkte hij op toen hij mijn minachtende blik zag. 'Je zou een goeie actrice zijn. Je bent integer. Je kunt diep in je emoties graven en met de juiste reacties komen.'

'Ik wil geen actrice zijn! Ik wil niet in Hollywood zijn! Ik doe niet net alsof ik me ellendig voel. Ik vóel me ellendig! Ik wil dat mijn moeder me erkent en uitlegt waarom ze die afschuwelijke dingen heeft gedaan,' riep ik uit.

'Misschien doet ze dat een dezer dagen wel,' zei hij kalm. 'Maar het is nu kennelijk niet het juiste moment. Kom mee, laten we hier weggaan. Ik haat dit soort gebouwen, vol mensen die proberen vaste voet te krijgen in de business. De wanhoop is te snijden. Het is deprimerend,' zei hij, terwijl hij opstond. 'Kom.' Hij stak zijn hand naar me uit. Ik nam hem aan en stond op. 'Alles oké? Denk je dat je kunt lopen?'

'Ja,' zei ik.

'Mooi zo.' Hij hield zijn arm om me heen geslagen en we liepen het pad af. Een chauffeur die met zijn arm om een jonge vrouw in een duur Italiaans broekpak over het pad wandelde, trok de aandacht toen we weer langs het zwembad kwamen. Het bracht me bijna aan het lachen, maar ik was te bedroefd voor enige vorm van vrolijkheid. Ik kon alleen maar denken aan mamma's koude, onverschillige ogen en haar stem die als een mes door me heen sneed.

Ik stapte in de limousine en Spike reed weg. Hij bleef excuses maken voor mamma.

'Als ze je moeder is, zal ze heel anders zijn als je haar alleen spreekt,' verzekerde hij me. 'Je overrompelde haar, dat is alles.'

'Ze ís mijn moeder,' zei ik. 'Ik wist het zodra ik haar zag, en zij herkende mij. Ze deed alleen... zo anders.'

'Dat is...'

'Zeg het niet,' waarschuwde ik. Hij lachte.

'Hé, je moet een stapje achteruit doen, diep ademhalen en opnieuw beginnen. Je komt wel achter de oorzaak.'

Ik gaf geen antwoord. Met nietsziende ogen staarde ik naar buiten. Ik zag de mooie bloemen en weelderige gazons, de glitterwinkels en opwindende reclameborden niet meer. Het was een stad waar ik liever niet was, dacht ik. Ik deed mijn ogen dicht en wilde dat ik op het strand liep. Ik concentreerde me zo goed mogelijk, tot ik de golven op de kust hoorde kabbelen en de witte schuimkoppen kon zien glinsteren in de zon van New England. Ik glimlachte.

'Alles oké?' vroeg Spike, die in de achteruitkijkspiegel naar me keek.

'Ja.'

'Goed. Hé, heb ik je al verteld dat ik morgen kans maak op een geweldige rol?'

'Nee.'

'Het is een terugkerende rol. Weet je wat dat betekent?'

'Nee.'

'Nou, als ik deze rol krijg, speel ik in deze episode en dan schrijven de auteurs me ook in de volgende episodes, dus werk ik op vaste basis en krijg ik wat bekendheid. En dan zijn er onbegrensde mogelijkheden. Het is nu nog geen grote rol, ongeveer dertig regels, maar hij heeft een belangrijke impact op het stuk. Wil je het script lezen, me misschien zelfs helpen met repeteren?'

'Helpen met repeteren? Hoe kan ik dat?'

'Ik zeg míjn tekst en jij de tekst van mijn tegenspeelster. Ik wil graag dat je me de tekst hoort zeggen. Jij bent nieuw in het vak en kunt waarschijnlijk mijn fouten horen.'

'Ik weet niets van acteren, Spike.'

'Daarom ben je juist deskundig,' zei hij lachend. 'Kom nou. Je wilt toch niet alleen maar bij Dorothy rondhangen?'

'Niet echt,' zei ik. Het was waarschijnlijk onaardig dat te zeggen over iemand die zo edelmoedig en gastvrij voor me was geweest, maar ik was niet in de stemming om te luisteren naar verhalen over dure kleren of schoonheidsadviezen. Ik wou dat ik even langs kon gaan bij Holly en Billy. Woonden ze maar niet zo ver weg. En ik wilde ook de trap op kunnen gaan naar Cary's werkplaats en me door hem in zijn armen laten nemen.

Maar ik was hier temidden van vreemden, en de grootste vreemde was mijn eigen moeder.

'Wil je? Alsjeblieft?' zei hij.

'Oké,' antwoordde ik.

'Fijn,' zei Spike. 'Ik stel het echt op prijs.'

Toen we bij het huis van de Livingstons kwamen, reed Spike de limousine naar de garage in plaats van naar de voorkant. Hij maakte mijn portier open en bracht me naar een zijdeur, waar een trap was naar zijn appartement.

'Let niet op de rommel,' zei hij, terwijl hij wat kleren op een stapel achter de bank gooide. 'Met het rijden voor mevrouw Livingston en de voorbereidingen op audities, heb ik niet veel tijd om het huishouden te doen. Is het hier bedompt?' Hij zette een raam open.

'Het is best,' zei ik. Op de bank lag een stapel scripts. Hij legde ze haastig weg, om plaats voor me te maken. 'Wil je wat drinken? Bier, sap, water?'

'Water graag.'

'Goed.' Hij liep naar de keuken en ik keek om me heen in het saaie appartement. Er hing niets aan de muren, en behalve de stapeltjes scripts hier en daar en de verspreide kleren en het serviesgoed, was het vertrek volkomen neutraal. Het deed me denken aan de goedkope motels waar mamma, Archie Marlin en ik tijdens onze reis naar Provincetown logeerden. Dat leek nu eeuwen en eeuwen geleden. Het was onmogelijk te geloven dat de vrouw die ik net had gezien dezelfde vrouw was, maar ze wás het. Ik wist het zeker en ik begon me nu plotseling kwaad te maken.

'Wauw, wat een gezicht trek je!' zei Spike, toen hij terugkwam met een glas ijswater. Hij gaf het me en ik dronk gretig.

'Ze had het recht niet me zo te behandelen. Het kan me niet schelen wie er bij haar was,' zei ik.

Hij knikte.

'Je zult het haar wel vertellen, daar ben ik van overtuigd. Ik zal je eens wat zeggen.' Hij deed een stap achteruit en nam me van top tot teen op. 'Als je je kwaad maakt en je krijgt rode wangen en je ogen zien eruit of er kaarsjes achter branden, ben je opwindend.'

Hij legde zijn handen als een filmregisseur tegen elkaar, duim tegen duim, en staarde naar me door de opening. Hij bewoog in het rond als een cameraman zou doen, zoekend naar het beste perspectief. Ik schudde mijn hoofd en lachte.

'Jij bent altijd in een film,' zei ik.

'Dat is het leven, een film. Ik probeer goede kritieken te krijgen, dat is alles,' zei hij, en lachte om zijn eigen grap. Hij schonk een glas bier in voor zichzelf en overhandigde me een script met een paar gemerkte pagina's.

'Desperate Lives?' zei ik, toen ik de titelpagina zag. 'Dat is Dorothy's lievelingsserie.'

'Ik weet het. Ik heb haar nog niet verteld dat ik auditie doe voor een rol erin. Ze zou me veel te zenuwachtig maken. Oké, dit is waar het om gaat. Ik ben Trent Windfield, die heeft ontdekt dat hij verliefder is op de zus van zijn vriendin dan op zijn vriendin. Haar naam is Arizona.'

'Arizona? Dat is een staat,' zei ik, toen ik de naam gevonden had.

'Zo hebben haar ouders haar genoemd omdat ze daar een ranch van een miljoen dollar hebben. In deze scène besluit Trent Arizona te vertellen wat hij werkelijk voor haar voelt. Het probleem is dat hij afgestudeerd is aan de universiteit en zij nog maar een leerling is aan de middelbare school. Haar vader, een man met een opvliegend karakter, wil hem laten neerschieten.'

'Wat voelt Arizona voor Trent?' vroeg ik.

'Ze is altijd verliefd geweest op Trent, maar ze had nooit kunnen dromen dat het iets zou worden. Ze is overweldigd, maar opgewonden, enthousiast. Het is een droom die werkelijkheid wordt. Klaar?' vroeg hij, terwijl hij voor me stond.

'Oké.'

'Bovenaan de pagina,' zei hij. Ik zag dat hij zijn hoofd boog en toen langzaam weer ophief. Zijn gezicht veranderde en er verscheen een geëmotioneerde blik in zijn ogen.

'Niemand weet dat ik thuis ben,' zei hij. 'Ik ben rechtstreeks naar jouw huis gereden.' Hij viel op zijn knieën aan mijn voeten. Hij overrompelde me en ik staarde hem met open mond aan. 'Lees je tekst,' zei hij.

'O.' Ik keek naar de pagina's. 'Waarom? Waarom ben je eerst hier gekomen, Trent?'

Hij pakte mijn hand.

'Omdat de dingen die ik tegen je zei vlak voordat ik wegging... al die dingen die uiting gaven aan mijn gevoelens voor jou, me achtervolgden. Ik kon niet studeren. Ik kon met niemand praten. Ik heb alleen maar aan jou gedacht. Telkens als ik naar een ander meisje kijk, heeft ze jouw gezicht, Arizona.' Hij steunde op mijn knieën en boog zich dichter naar me toe.

Ik staarde weer naar de tekst.

'Als je me plaagt, is het wreed van je,' zei ik.

'Het zou zijn of ik mezelf plaagde, of ik wreed was voor mezelf,' zei hij. 'Ik weet dat het een verboden vrucht is, maar ik zou het risico willen nemen uit het paradijs te worden verjaagd voor één kus van jou.'

Ik wilde weer naar de tekst kijken, toen hij zijn vingers onder mijn kin legde en langzaam mijn gezicht ophief, zodat hij nog dichterbij kon komen en me zacht op mijn lippen kon kussen. Ik sperde mijn ogen open.

'Arizona,' zei hij. 'Je naam staat in mijn hersens gebrand.'

Hij kuste me weer en deze keer legde hij zijn handen op mijn schouders, zodat hij me steviger kon vasthouden en nog dichter naar zich toe kon trekken. Hij kuste me nog intenser, zijn tong bewoog door zijn lippen en drong tussen de mijne. Verrast leunde ik achterover.

'Ik wist dat je net zoveel van mij hield. Ik wist het gewoon,' zei hij, en zoende mijn hele gezicht, mijn hals. Zijn handen legden zich om mijn middel.

'Spike,' zei ik.

'Trent,' antwoordde hij, en kuste me weer. Hij drukte me achterover op de bank. Zijn rechterhand gleed over mijn ribben naar mijn borst.

'Wacht!' riep ik.

'We hebben geen tijd om te wachten,' zei hij. Hij deed nog steeds of we zijn scène speelden. Maar míjn woorden waren van mijzelf. Ik las ze niet op van een pagina. Het script was uit mijn handen gevallen. Spike duwde me neer op de bank, zijn lippen gingen naar mijn kin, mijn hals en toen maakte hij mijn jasje open, en liet zijn handen onder mijn zijden blouse glijden. Toen zijn vingers mijn beha raakten, kronkelde ik om los te komen.

'Niet bang zijn,' fluisterde hij in mijn oor. 'Dit is de manier waarop volwassen mensen vrijen.'

'Spike, stop!' riep ik. Hij tilde mijn beha op en zijn vingers streelden mijn borst, masseerden mijn tepel, terwijl hij mijn hals, mijn gezicht bleef zoenen.

Ik trok mijn knieën op en stootte met al mijn kracht tegen zijn maag. Hij verloor zijn evenwicht en viel van de bank. Ik gaf hem niet de kans om overeind te komen. Ik sprong overeind en liep weg van de bank, terwijl ik mijn kleren snel rechttrok.

'Ben je gek geworden?' vroeg ik.

Met een domme grijns ging hij zitten.

'Ik probeerde alleen mijn scène goed te spelen. Waarom wind je je zo op?'

'Dat staat niet in het script,' zei ik beschuldigend.

'Dat noemen we improvisatie. Het helpt je om je in te leven in je rol. Je wordt de figuur die je speelt. Dat is alles. Kom,' zei hij, op de bank kloppend. 'Laten we het nog eens proberen, en als je in je rol raakt...'

'Ik raak nergens in,' zei ik achteruitlopend. 'Als dit acteren is, doe ik liever de was voor iemand.'

Hij lachte.

'Melody, werkelijk...'

'Bedankt voor de kennismaking met de filmwereld,' zei ik terwijl ik naar de deur liep. 'Je zult het er ongetwijfeld goed afbrengen. Veel succes.' Ik holde zijn appartement uit, de trap af, de zon in.

Misschien was iedereen hier gek. Misschien bewoog iedereen zich, zoals Spike zei, in zijn of haar eigen film. Mamma leek dat zeker te doen.

In plaats van weer naar binnen te gaan, liep ik over de betegelde oprijlaan de straat op. De lucht was heiig en er stond een prettige, koele bries, al was de zon nog warm. Het verkeer reed in een bedaard tempo voorbij en de mensen keken me nieuwsgierig aan. Tuinlieden snoeiden de heggen en veegden bladeren en afval bijeen in de tuinen van prachtige huizen. Ik liep met over elkaar geslagen armen. Mijn hart bonsde nog na mijn episode met Spike.

En toen bleef ik staan en keek naar een klein meisje met lange, goudblonde vlechten dat uit een auto werd getild door een vrouw die haar moeder moest zijn. Ze klampte zich aan haar vast en keek over de schouders van haar moeder heen naar mij. Blij en veilig lachte ze naar me en zwaaide toen alsof we elkaar kenden. Ik zwaaide terug en voelde me even of ik naar mezelf zwaaide, jaren en jaren geleden, toen ik ongeveer net zo oud was en mijn stiefvader nog leefde. Ik dacht dat hij mijn echte vader was. Hij hield net zoveel van me als een echte vader maar kon.

De vrouw droeg haar kleine meisje het grote, mooie huis in, waar ze veilig en gelukkig zou zijn en waar zelfs de gedachte aan iets onprettigs bij de deur werd achtergelaten. Ik bleef glimlachend staan en dacht aan haar. Ik weet niet hoe lang ik daar gestaan had, maar plotseling drong het tot me door dat er een auto naast me was gestopt en iemand naar me keek.

Het was meneer Livingston.

Hij zwaaide.

'Alles goed?' vroeg hij.

'Ja. Dank u. Ik maakte maar een korte wandeling.'

'In Beverly Hills wordt dat vreemd gevonden,' merkte hij op. 'Ga niet te ver weg.' Hij draaide het raam omhoog en reed verder. Ik zag hoe hij de oprijlaan inreed en liep toen zelf terug. Misschien wás het vreemd hier in mijn eentje te lopen en na te denken.

Ik zou doen wat Spike had gesuggereerd. Ik zou weer een confrontatie met mamma aangaan. Hopelijk was ze dan alleen en als ik dan hetzelfde resultaat kreeg, zou ik zo snel mogelijk op het vliegtuig stappen en hiervandaan gaan, en mamma en mijn verleden achter me laten.

6. Een pact met de duivel

Alec begroette me bij de deur toen ik terugkwam van mijn korte wandeling en zei heel stijf en formeel dat de heer en mevrouw Livingston me onmiddellijk wilden spreken in de salon.

'Melody, waar wás je?' vroeg Dorothy zodra ik binnenkwam. Ze zat op de bank, en Philip zat in een vorstelijke houding tegenover haar in de gestoffeerde leunstoel. Ze keken of ze een heel ernstig gesprek hadden gehad.

'Philip vertelde me net dat hij je doelloos rond zag lopen in Beverly Hills. Waarom ben je niet meteen binnengekomen en heb je me verslag uitgebracht over je tweede bezoek aan de Egyptian nog wat?'

'Ik wilde even alleen zijn,' zei ik. Ik zou beslist niets vertellen over Spike en het kleine drama in zijn appartement. 'Ik liep niet doelloos rond, ik wist waar ik heenging. Maakt niemand hier ooit zomaar een wandeling? Waarom hebben ze dan trottoirs?'

'Arm kind. Kom hier zitten en vertel ons alles over je bezoek,' drong ze aan en klopte op de plaats naast haar.

Philip hield zijn vingers op kerkelijke wijze tegen elkaar gedrukt. Zijn donkere kraalogen keken me afkeurend aan. Langzaam liep ik naar Dorothy toe en ging zitten. Toen haalde ik diep adem en begon.

'Ik heb haar ontmoet,' zei ik met wat zelfs mij als een doemstem in de oren klonk, 'en ze deed net of ze me niet kende.'

Philip knikte en keek streng naar Dorothy.

'Dat is precies wat ik verwachtte,' zei hij, 'zelfs aan de hand van het weinige dat me over deze bizarre situatie bekend was. Dorothy...'

'Stil nou, Philip. We lossen die kwestie zelf wel op,' zei ze, maar hij keek niet opgelucht.

'Dit is niet een van je sociale spelletjes, Dorothy. Ik heb je gezegd hoe ik erover dacht toen ik pas hierover hoorde. We voelen met je mee, Melody,' zei hij tegen mij, 'maar we zijn beslist niet bij machte het probleem op te lossen, zoals Dorothy impliceert. Het lijkt mij meer iets voor de politie. Iemand is bezig iemand te bedriegen,' ging hij verder. 'Misschien een verzekeringsmaatschappij. Ik kan me domweg niet veroorloven op enigerlei wijze bij deze zaak betrokken te zijn. Ik heb een grote verantwoordelijkheid jegens mijn cliënten, die allemaal invloedrijke mensen zijn, en ik kan geen enkele negatieve publiciteit gebruiken. Je lijkt me intelligent genoeg om dat in te zien.'

'Ja, meneer. Het spijt me. Ik ga morgen weg.'

'Je hoeft niet meteen weg te gaan,' zei Dorothy, maar niet op dezelfde ferme toon waarop ze altijd tegen me sprak.

'Ik wil niet het gevoel hebben dat we je de deur uitzetten. Je bent een vriendin van mijn schoonzuster en Dorothy heeft haar zuster bepaalde beloften gedaan,' ging hij verder, terwijl hij haar afkeurend aankeek. 'Je kunt hier een tijdje blijven, zolang je niets van dit onplezierige gedoe bij ons op de stoep legt. Maar zoals het op mij overkomt, is het beste advies dat ik je kan geven terug te gaan naar wat je je thuis noemt en naar de mensen die om je geven.'

'Ja, meneer,' zei ik zacht, met een bijna brekende stem.

'Je kunt aan de daarvoor in aanmerking komende autoriteiten melden wat je weet en hen de nodige stappen laten nemen,' vervolgde hij. 'Ik zal je daarbij helpen, als je dat wilt.'

'Daarvoor ben ik niet hier gekomen. Dat kan me allemaal niets schelen. Ik wilde weten wat er echt met mijn moeder gebeurd was. Ik wilde zien of ze me nodig had.'

Er stonden tranen in mijn ogen, maar ik wist ze te bedwingen.

'Ik begrijp het. Goed, Dorothy weet dat als je wat geld nodig hebt voor de terugreis...'

'Ik heb alles wat ik nodig heb. Dank u.'

'Oké. Het spijt me van je moeilijkheden. Je bent een heel aardige jongedame en ik weet zeker dat je tot jezelf zult komen en iets nuttigs zult doen met je leven.'

'O, ze zal veel meer doen dan dat,' zei Dorothy. 'Ze is een heel uitzonderlijk meisje.'

'Ja, nou ja, ik ga naar boven om me te kleden voor het diner.' Hij keek nog strenger naar Dorothy. 'Plaats je niet in een positie waarin je advies geeft dat je niet hoort te geven, Dorothy.'

'Ik geloof dat ik wel weet wat ik iemand wel en niet kan zeggen, Philip.'

'Dat mag ik van harte hopen,' zei hij vermanend. Hij keek nog even naar mij en stond toen op en verliet de kamer.

'Het spijt me,' zei ik. 'Ik wil u geen moeilijkheden bezorgen. Misschien kan ik beter nu meteen weggaan. Ik kan in een motel logeren tot ik mijn ticket heb geregeld.'

'Geen sprake van. Luister maar niet naar hem. Hij is alleen maar... alleen maar Philip Livingston,' zei ze, alsof dat alles verklaarde of rechtvaardigde. 'En nu wil ik alle bijzonderheden horen. Toe dan. Vertel me alles, van begin tot eind,' vroeg ze. Ze boog zich met opengesperde ogen naar me toe. Even kreeg ik het gevoel dat ze mij en mijn probleem beschouwde als een episode uit haar lievelingssoap. Niettemin gaf ik haar het hele verhaal en liet alleen het deel met Spike eruit. Toen ik uitgesproken was, zuchtte ze diep.

'Misschien heeft Philip gelijk, liever. Misschien kun je beter verder gaan met je eigen leven. Niet dat ik je weg wil jagen, maar...'

'Mijn moeder is een deel van mijn leven,' zei ik.

Dorothy glimlachte en schudde haar hoofd, alsof ik iets belachelijks had gezegd.

'Familie kan zo'n last zijn. Kijk maar wat ik met Holly te stellen heb.'

'Holly is een heel gelukkig mens en ze heeft een hoop vrienden en kent heel veel geweldige mensen,' protesteerde ik. 'Ik kan niemand bedenken die aardiger voor me is geweest.'

'O, ze heeft een hart van goud, vooral als het erom gaat andere mensen te helpen, maar zal ze zichzelf ooit helpen? Niet Holly. Ze is altijd zo geweest, altijd met haar hoofd in de wolken. Ik heb geprobeerd haar wat nuchterder te laten denken en wat meer uit haar leven te halen, maar er is een grens aan wat je kunt doen. En dan moet je doen wat Philip zegt, verder gaan met je eigen leven. Philip geeft altijd de beste raad. Soms heb ik het gevoel dat hij meer een vader voor me is dan een echtgenoot.' Ze glimlachte. 'Gaat het goed met je, kindlief? Is er nog iets anders wat je me wilt vertellen?'

'Ik ben moe,' zei ik. Dorothy ging zo op in zichzelf, dat ze toch nooit zou horen wat ze niet wilde horen, dacht ik. 'Ik ga naar boven en even rusten.'

'Natuurlijk. Neem een bubbelbad, dan ziet de wereld er weer een stuk beter uit. Geloof me maar. Als ik gedeprimeerd ben, ga ik naar het schoonheidsinstituut en neem een modderbad en een massage. Wat heb je aan geld als je het niet gebruikt om jezelf gelukkig te maken en je sombere buien te verdrijven?' ging ze verder met een ijl lachje. Haar woorden deden me denken aan onze winkeltocht en al het geld dat ze voor me had uitgegeven. Ik wist nu zeker dat het Philip van streek zou brengen als hij erachter kwam, ondanks alles wat ze tegen me gezegd had.

'Ik zou graag willen dat je die avondjurk terugbracht naar de winkel, Dorothy. Ik heb hem nu toch niet meer nodig en...'

'Natuurlijk heb je die nodig. Je wilt aan de oostkust toch zeker ook wel eens leuk uitgaan? Denk je eens in hoe jaloers al die andere jonge vrouwen zullen zijn als ze je in een designjurk zien.'

Ik staarde haar aan, te moe om tegen te spreken.

Ze belde en een paar seconden later stond Christina op de drempel.

'Christina, wil je alsjeblieft een whirlpoolbad vol laten lopen voor Melody?'

'Dat kan ik zelf wel,' zei ik.

'Alsjeblieft, Christina, doe het nou maar.'

'Ja, mevrouw Livingston,' zei Christina en ging weg om zich onmiddellijk aan haar taak te wijden.

'Heus, kindlief, je moet de bedienden hun werk laten doen, anders...' Ze lachte. 'Anders hebben we geen bedienden nodig en zouden zij geen werk hebben, en Christina kan zich niet veroorloven om geen werk te hebben. Ze heeft een hoop kinderen die ze te eten moet geven. Geniet van je bad. Alec komt je roepen voor het eten.'

Ze stond op en bleef even naar me staan kijken.

'Ik wou dat je wat langer kon blijven. Ik heb je nog zoveel te leren,' zei ze. Enigszins medelijdend schudde ze haar hoofd en ging weg.

Jij hebt me zoveel te leren? dacht ik. Ik staarde om me heen naar dit paleis, waarin twee mensen een ongekende rijkdom deelden, maar vreemden leken voor elkaar. Ik wil niet leren hoe ik de beste tafel kan krijgen in een restaurant of hoe ik een rimpel van mijn gezicht moet laten halen. Nee, ik wilde iets veel diepgaanders leren. Ik wilde leren waar ik werkelijk thuishoorde. Al bleef ik hier nog tien jaar, dan geloofde ik niet dat Dorothy Livingston dat ooit zou begrijpen.

Mijn benen voelden of ze in steen waren veranderd toen ik opstond en naar de trap liep. Het was weer een zonnige dag buiten, maar in mijn hart was de lucht bedekt met grote, donkere wolken van wanhoop. Toen ik bij mijn kamer kwam, hoorde ik Christina zingen bij het bad.

'Ik heb wat geurig schuim in het water gedaan,' zei ze toen ze me hoorde binnenkomen.

'Dank je.'

Ze keek me nauwlettend aan.

'Slechte dag gehad?' vroeg ze.

Ik wilde ontkennend mijn hoofd schudden, maar mijn lippen en kin trilden. Ik moest op mijn lip bijten om een snik binnen te houden.

'Arm kind,' zei ze, en kwam naar me toe. Ik kon het niet helpen. Ik begon te huilen. Snel sloeg ze haar armen om me heen en drukte zich dicht tegen haar aan. Ze streek over mijn haar. 'Kom, kom, zo erg kan het niet zijn.'

'Dat is het wél,' jammerde ik. 'Mijn eigen moeder heeft vandaag geweigerd me te herkennen. Ze was weggelopen en had mij achtergelaten bij familie aan de oostkust en toen denk ik dat ze net heeft gedaan of ze gestorven was, zodat ze voorgoed van me af was,' flapte ik eruit.

Christina keek even geschokt en toen knikte ze langzaam, met opeengeklemde lippen.

'Elke vrouw die haar eigen kind verloochent moet in moeilijkheden verkeren,' verklaarde ze. 'Het is niet natuurlijk en het moet pijnlijk zijn voor haar.'

'Denk je dat?' vroeg ik, mijn ogen afvegend.

'O, ja. Als je zelf moeder wordt, zul je dat begrijpen,' zei ze met een glimlach.'

'Je kind is een deel van je, het blijft altijd jouw baby. Het is pijnlijk om ze groot te zien worden, want je weet dat ze je zullen ontgroeien, maar dat is een andere en gezonde manier van loslaten.

'Ik weet zeker dat je moeder contact met je zal opnemen,' zei ze en kneep zachtjes in mijn hand.

'Ze weet niet waar ik woon.'

'Dan verwacht ze dat je terugkomt,' verzekerde Christina me.
'Ik weet het niet,' zei ik. Ik dacht daarover na. Ik wilde haar opti-
misme delen, wilde geloven dat alle verschrikkelijke dingen onbetekenend waren, dat na onweer altijd een regenboog komt, maar ik
was al zo vaak teleurgesteld.

'Je moet meer vertrouwen hebben, lieverd,' zei ze. 'Ontspan je,
eet goed vanavond, slaap lekker vannacht, en morgen, morgen zal
alles er een stuk beter uitzien.'

Haar glimlach was als zonneschijn na de regen. Onwillekeurig
glimlachte ik terug.

'Dank je,' zei ik. 'Je kinderen boffen dat ze zo'n goede moeder
hebben.'

'O, dat vertel ik ze voortdurend,' schertste ze. Ze bracht me weer
aan het lachen en heel even voelde ik me net als vroeger, vrolijk en
lachend.

Ik genoot van mijn bad, ontspande me en mediteerde. Ik dacht
aan Billy Maxwell, die zijn eigen rampspoed wist te overwinnen, en
voelde me sterker worden. Ik kreeg zelfs honger en verheugde me
op het diner.

Toen ik me had aangekleed, werd er op de deur geklopt en
Christina stak haar hoofd naar binnen.

'Alles in orde?'

'Ja, dank je, Christina.'

'Er is telefoon voor je,' zei ze. 'Laat de badkamer maar. Ik ruim
hem wel op voor ik wegga.' Ze deed de deur dicht, zodat ik wat privacy zou hebben. Ik dacht dat het Holly weer zou zijn. Misschien
had Dorothy haar gebeld en verteld wat Philip had gezegd. Holly
zou willen dat ik terugvloog naar New York en een tijdje bij haar
bleef. Ik moest toegeven dat het verreweg het beste idee leek.

'Hallo.'

'Melody,' zei Cary. Wat een heerlijke verrassing om zijn stem te
horen.

'Cary!'

'Ik heb Holly gebeld, en ze gaf me het telefoonnummer van haar
zus. Gaat het goed met je? Hoe was de reis?'

Ik vatte in enkele minuten alles samen wat er gebeurd was, te
beginnen met de ramp die zich bijna op de luchthaven had afge-
speeld. Hij luisterde zwijgend tot ik uitgesproken was. Ik besefte

94

dat het in het oosten al laat op de avond was.

'Het klinkt of je een afschuwelijke tijd hebt gehad sinds je uit New York bent vertrokken,' zei hij.

'Maar hoe gaat het met jou?' vroeg ik.

'Het gaat hier niet zo best, Melody. Eerlijk gezegd, bel ik je uit het ziekenhuis.'

'Het ziekenhuis! Wat is er met je gebeurd?'

'Niet met mij. Pa ligt weer op de hartbewaking. Hij heeft weer een hartaanval gehad. Ik geloof dat hij het deze keer aan zichzelf te wijten heeft, hij klaagde voortdurend dat hij zo beperkt was in zijn bewegingen en wilde met alle geweld meer doen dan hij mocht.'

'O, Cary, wat spijt me dat. Hoe gaat het met tante Sara?'

'Je kent ma. Ze blijft aan het werk, om er niet aan te hoeven denken.'

'En May?'

'Niet zo goed. Ze mist je erg,' zei hij. 'En dat is half zoveel als ik je mis. Maar ik begrijp waarom je weg bent,' voegde hij er snel aan toe.

'Ik mis jou ook heel erg, Cary.'

'Wat ga je nu doen?'

'Ik weet het nog niet. Ik zal je bellen zodra ik een besluit heb genomen,' beloofde ik. 'Als je kunt, zeg dan tegen oom Jacob dat ik hoop dat hij zich weer wat beter voelt.'

'Ik zal het doen.'

'En zorg goed voor jezelf, Cary. Je kunt niet alles doen voor iedereen,' zei ik, hem kennende.

Hij lachte.

'Moet je horen wie dat zegt. Raad eens wie ik vanmorgen in het ziekenhuis zag? Grootma Olivia. Ze kon er niets aan doen, ze móest me vragen of ik iets van jou gehoord had. Ik vertelde haar dat ik je vanavond zou bellen en ik moest beloven haar het laatste nieuws te laten weten.'

'Ze hoopt alleen maar dat haar investering succes heeft en ik voorgoed wegblijf,' zei ik sarcastisch.

'Maar je zult haar verrassen,' zei hij met een nerveus lachje.

'Op het ogenblik geloof ik dat de enige die ik verras ik zelf ben,' kreunde ik.

'Ik zag Kenneth vanmiddag in het dorp. Ik heb hem niet gesproken. Ik zag hem alleen toen hij wegreed. Hij zag er... nog verfomfaaider uit, als dat mogelijk is. Ik denk dat hij niet erg goed voor zichzelf zorgt.'

'O, wat naar nu. Ik was al bang dat er zoiets zou gebeuren.'

'Het gaat ons allemaal slecht zonder jou,' zei Cary.

'O, Cary...'

'Ik weet niet of ik het vaak genoeg gezegd heb om het je te laten geloven, Melody, maar ik hou van je. Echt waar.'

'Ik geloof je, Cary, en ik mis je.'

'Pas goed op jezelf en word niet verliefd op een filmster.'

'Daar hoef je niet bang voor te zijn,' zei ik lachend.

Zijn afscheid was als een lint in de wind, het bleef even hangen en zweefde weg na het einde van het telefoongesprek. Ik hield de hoorn nog een paar minuten vast toen hij al had opgehangen, alsof ik me op die manier Cary's stem langer zou kunnen herinneren.

Toen ik naar beneden ging om te eten, vond ik de atmosfeer zo mogelijk nog drukkender dan gewoonlijk. Philip zei nauwelijks een woord, hij at en staarde voor zich uit alsof hij alleen in de kamer was. Dorothy probeerde over ditjes en datjes te praten, vertelde me over een nieuwe make-up die ze had ontdekt en een crème die je een babyzacht huidje gaf.

Het eten was verrukkelijk, een Mexicaanse schotel, fajita genaamd. Dorothy vertelde me dat Mexicaans voedsel erg populair was in Los Angeles.

'Omdat er zoveel Mexicanen zijn hier, en de meesten kunnen goed koken,' legde ze uit.

Na het eten wilde ze dat ik tv ging kijken met haar. Het scheen dat Philip 's avonds zelden iets samen met haar deed. Meestal zat hij in zijn kantoor te werken, en als hij niet werkte, las hij. Dorothy had gezegd dat hij een hekel had aan televisie, tenzij hij naar de financiële berichten keek, die zij afgrijselijk vervelend vond. Ik vroeg me af wat deze twee mensen voor het altaar bijeen had gebracht om elkaar eeuwige liefde en toewijding te zweren tot de dood hen zou scheiden. De enige romantiek in Dorothy's leven scheen de romantiek van de soaps te zijn, waaraan ze verslaafd was.

Ik dacht aan de dingen die Christina had gezegd en ik dacht aan Cary en May en Kenneth, en alle mensen in Provincetown die me nodig hadden. Het leek schandelijk om hier nog meer tijd te verspillen. Ik zou het niet meer doen, nam ik me plechtig voor.

'Ik ga nog één keer terug naar de Egyptian Gardens,' verklaarde ik na het diner. Dat bracht een geïnteresseerde uitdrukking op Philips gezicht. 'En ik ga niet weg voor ik een paar eerlijke antwoorden heb.'

'Vanavond?' vroeg Dorothy.

'Ja, nu meteen,' antwoordde ik.

'Melody, vind je dat wel verstandig, vooral op dit uur van de avond?' vroeg Dorothy. Ze keek steunzoekend naar Philip.

'Ik zou je aanraden dat niet te doen,' zei hij. 'Het is niet erg slim, vooral niet in het licht bezien van wat je al hebt meegemaakt.'

'Soms moeten we doen wat ons hart ons ingeeft en niet wat ons verstand ons zegt,' merkte ik op.

'Dat leidt onvermijdelijk tot een ramp,' zei Philip, terwijl hij van tafel opstond.

'Ik bel een taxi.'

'Philip,' zei Dorothy.

'Ik ben bang dat ik mijn voet stijf moet houden,' zei hij tegen mij.

'Ik begrijp het. U bent allebei heel vriendelijk geweest en ik ben u dankbaar voor uw gastvrijheid.'

'Het is niet de eerste keer dat mijn schoonzuster me in een moeilijke situatie heeft gebracht,' merkte Philip op.

'Waarom wacht je niet tot morgen, Melody? Misschien dat...' zei Dorothy.

'Ongeacht of het overdag of 's avonds is, ik wil niet dat onze auto erbij betrokken is,' herhaalde Philip met stemverheffing. Dorothy leunde achterover of ze een klap in haar gezicht had gehad.

'Ik neem wel een taxi,' zei ik, terwijl ik opstond.

'Je neemt geen taxi in Los Angeles. Je belt een taxi om je te komen halen,' zei Philip. 'Ik zal Alec zeggen er een voor je te bestellen.'

Met grote passen liep hij de eetkamer uit.

'Wees alsjeblieft voorzichtig, kindlief,' zei Dorothy.

'Ik beloof het.' Met bonzend hart rende ik de trap op om mijn tas te gaan halen. Feitelijk was ik blij dat Spike me niet zou rijden. Ik wist niet zeker of ik hem wel onder ogen zou kunnen komen na wat er in zijn appartement gebeurd was.

De taxi stopte voor de deur toen ik naar buiten liep. Haastig stapte ik in en gaf de chauffeur het adres. Het zou mijn laatste poging zijn om mamma te benaderen. Als het me niet lukte, ging ik morgenochtend terug naar de oostkust.

De Egyptian Gardens zagen er 's avonds anders uit. Een paar lampen langs het voetpad waren kapot en sommige lampen aan het gebouw ook. De schaduwen waren langer, dieper, donkerder. Het hek piepte toen ik het opende en naar binnen ging. Vóór me, bij het zwembad, zaten twee jongemannen te praten en te drinken uit hoge glazen. Ze keken naar me toen ik langs hen liep. Juist toen ik bij de verste hoek kwam en naar mamma's gebouw liep, zag ik een man uit de deuropening komen en blijven staan om een sigaret op te steken. Het vlammetje van de lucifer verlichtte even zijn gezicht en haar, en ik onderdrukte een kreet en trok me terug in de schaduw. Het was Archie Marlin. Ik zou hem overal herkennen.

Hij had nog steeds kort, oranjerood haar en een melkkleurige huid, met sproeten op zijn kin en voorhoofd. Iedereen in Sewell zei altijd dat hij er tien jaar jonger uitzag dan hij was, al kende niemand zijn juiste leeftijd. Niemand wist veel over Archie Marlin. Hij gaf niemand ooit een rechtstreeks antwoord op vragen over hemzelf. Hij maakte altijd een grapje of haalde zijn schouders op en zei iets mals. Maar hij had mamma voldoende beloften gedaan om haar vertrouwen te winnen, zodat ze met hem meeging.

Ik hield mijn adem in toen hij langs me liep, met een flauw glimlachje om zijn oranje lippen. Hij slenterde over het voetpad en verdween om de hoek. Ik liet mijn adem ontsnappen. Ik wilde hem nu nog niet — zo ooit — onder ogen komen. Maar hem zien was het overtuigende bewijs dat de vrouw boven in dat gebouw definitief mijn moeder was.

Mijn benen voelden zo dun en zwak als de strobenen van een vogelverschrikker toen ik naar binnen ging en naar de lift liep. Toen de deuren opengingen stapte ik er snel in en drukte op de knop van mamma's verdieping. Mijn hart klopte in mijn keel. Wat afschuwelijk, dacht ik, wat afschuwelijk me zo bang te moeten voelen om mijn eigen moeder te ontmoeten. Even later stond ik aarzelend voor haar deur, mijn vinger bij de bel. Eindelijk drukte ik op de knop en wachtte.

De deur ging open en mamma stond voor me in een badjas, met

ongeborstelde haren, zonder make-up en glazige ogen. Ze wankelde even en sprak voor ze zag wie ik was.

'Wat heb je nu weer vergeten, Richard?' vroeg ze, en concentreerde zich toen op mij. Haar gezicht vertrok, eerst met een glimp van blijdschap, onmiddellijk gevolgd door een blik van ergernis. 'Jij weer?' vroeg ze.

'Mamma...'

Ze staarde me aan, toen boog ze zich voorover en keek de gang in.

'Ik zie wel dat ik je niet zo gemakkelijk kwijtraak. Kom binnen,' beval ze, terwijl ze me het appartement in trok.

Snel deed ze de deur dicht, keek me met een zure blik aan en liep toen naar de zitkamer. Ze hield haar rug naar me toegekeerd.

'Waarom doe je net of je me niet kent, mamma?' vroeg ik en veegde snel een traan weg.

'Omdat ik je niet ken,' zei ze. 'Ik ken niemand uit dat leven. Dat kan ik niet, dat kan ik gewoon niet.' Ze sloeg met haar vuisten tegen haar dijen en draaide zich met een ruk naar me om. 'Waarom ben je hier gekomen? Hoe heb je me gevonden?'

'Alice zag je foto in een catalogus en stuurde die naar mij. Ik nam hem mee naar Kenneth en hij bestudeerde de foto en zei dat hij zeker wist dat jij het was. Toen belde hij een vriend in Boston die heeft geholpen je op te sporen.'

'Kenneth?' Ze ontspande haar lippen tot een vaag glimlachje. Maar toen ze besefte wat ze deed, kwam de nijdige, harde uitdrukking weer terug in haar ogen. 'Ik ken niemand die Kenneth heet, behalve Ken Peters van ICM. Je moet terug,' zei ze. 'Zeg tegen ze... zeg tegen ze dat ik niet ben wie je dacht dat ik was en...'

'Maar waarom, mamma?'

'Het is beter voor iedereen,' zei ze. Ze sloeg haar armen over elkaar en trok haar schouders recht als een van Kenneths beelden, om haar besluit en haar verzet te versterken. Ik begon openlijk te huilen. 'Hou op,' zei ze. 'Snap je het dan niet? Je zult alles in de war sturen, mijn kansen bederven, juist nu ik iets begin te bereiken. Ik krijg misschien een goede rol in een film, en ander, beter werk als model. Ik leer belangrijke mensen kennen. Juist nu het eindelijk gaat gebeuren, kom jij plotseling uit het niet tevoorschijn en verpest alles.'

'Ik begrijp het niet, mamma.' Ik haalde diep adem. 'Hoe heb je dit voor elkaar gekregen? Je hebt iedereen thuis in de waan weten te brengen dat je gestorven was. Er was een lijk. Je ligt begraven in het familiegraf in Provincetown.'

Ze lachte, liep naar een imitatie-ivoren sigarettendoos op een geelbruine, lage tafel en haalde er een sigaret uit.

'Je bedoelt dat Olivia Logan het arme lijk toestond begraven te worden in haar dierbare familiegraf, zelfs al geloofde ze niet dat ik het was?' Ze lachte weer, zocht een lucifer en stak haar sigaret aan. Toen ging ze in de versleten, met katoen overtrokken, gemakkelijke stoel zitten en staarde me aan terwijl ze de rook uitblies. 'Je ziet er goed uit,' zei ze. 'Je figuur heeft zich goed ontwikkeld. Ik neem aan dat Jacob je niet op straat heeft gezet.'

'Hij is erg ziek, mamma. Hij heeft een hartaanval gehad en is bijna gestorven. Nu ligt hij weer in het ziekenhuis.'

'Verbaast me niks. Hij lijkt veel te veel op zijn moeder om van het leven te kunnen genieten of een ander ervan te laten genieten. Waarschijnlijk heeft hij eindelijk zijn eigen hart verzuurd.' Ze haalde diep adem, schudde haar hoofd en keek door de glazen schuifdeuren van het balkon naar buiten. 'Ik kan geen dochter hebben van jouw leeftijd,' zei ze. 'Ik zou geen fatsoenlijk werk kunnen krijgen in deze stad.'

'Waarom niet?'

'Zo is het nou eenmaal. Alleen jonge mensen kunnen hier iets bereiken, vooral vrouwen. Hoor eens, kind, je hoort niet bij mij. Ik ben geen goede moeder. Dat ben ik nooit geweest en dat zal ik nooit worden ook. Het ligt gewoon niet in mijn aard.'

'Waarom niet?' vroeg ik.

'Omdat... omdat ik te egocentrisch ben. Chester had gelijk. Herinner je je niet meer? Chester was altijd degene die de belangrijke dingen voor je deed, niet ik. En het grootste deel van je jeugd bracht je door bij de buren, bij Arlene en George.'

'Pappa George is dood, mamma,' zei ik triest.

'Heus? Hij was al ziek toen ik wegging. Ik dacht niet dat hij het veel langer zou maken. Je ziet,' ging ze verder, terwijl ze me met een angstige blik aankeek, 'je ziet hoe kort het leven is, hoe snel je kans verkeken is om iets te doen. Ik krijg hier geen tweede kans, Melody. Dit ís het wat mij aangaat. Daarom heb ik gedaan wat

Archie voorstelde toen het ongeluk gebeurde.'

'Ik begrijp het niet, mamma. Wat is er gebeurd?'

'Archie had echt een ongeluk,' zei ze, zwaaiend met haar sigaret. 'Hij kwam terug van een party in een bar, waar een bijeenkomst zou zijn van producers en impresario's. Hij had een van zijn jonge cliënten bij zich. Het meisje was echt erg jong, maar ze wist iedereen voor de gek te houden, behalve Archie natuurlijk. In ieder geval wilde hij dat ik haar mijn identiteitsbewijs gaf voor die avond. Op de terugweg verloor Richard — je weet dat hij nu zo heet — de macht over het stuur, en zodra hij verongelukte, vloog de wagen in brand. Hij werd eruit gegooid, maar het meisje zat klem en werd gedood.

'Toen de politie het lichaam en mijn identiteitsbewijs vond, bespraken Archie en ik het, en ik besloot dat het beter zou zijn als ik ervan profiteerde om me van mijn familie af te splitsen. Dus nam ik een nieuwe identiteit aan. Ik ben Gina Simon, Gina Simon, hoor je? Iedereen hier denkt dat ik jaren jonger ben dan ik ben!' ging ze verder om zichzelf te verdedigen. 'Ik bereik hier niets als ik niet jong ben, dus deed ik het. Kijk me niet zo aan,' viel ze uit. 'Ik wist dat jij het goed maakte en dat je bij familie woonde. Ik had je niet zomaar ergens achtergelaten.'

'Familie,' zei ik, met een van woede vertrokken gezicht. 'Je hebt me achtergelaten bij een familie van wie je wist dat ze een hekel aan je hadden.'

'Ja, maar jij bent mij niet,' zei mamma. 'Ik dacht dat ze dat mettertijd wel zouden inzien en jou niet zouden straffen voor het feit dat je mijn dochter bent. En ze zitten er warmpjes bij, zelfs Jacob.'

'Niet meer. Zijn zaken gaan slecht en hij moet hard werken, en nu hij zo ziek is...'

'Je kunt niet bij mij wonen. Waarom ben je hier gekomen? Hoe kan ik je bij me in huis nemen? Ga terug en wacht tot ik gesetteld ben en een hoop geld verdien en dan zal ik je laten komen,' beloofde ze. 'Je moet weg voordat iemand beseft wie je bent. Waar logeer je?' vroeg ze snel, beseffend dat er al mensen konden zijn die het wisten.

'Ik logeer bij Holly Brooks' zus, Dorothy Livingston, maar niet meer na vanavond,' zei ik.

'Holly Brooks? Die naam ken ik.'

'Ze is een vriendin van Kenneth.'

'O. O, ja. Woont ze met hem samen?'

'Nee, ze woont in New York City. Ze is erg aardig. Ze heeft me geholpen hier te komen.'

'En die Dorothy... Wat weet zij van ons?'

'Alleen wat ik haar verteld heb... dat je net deed of je iemand was die ik niet kende.'

'Mooi. Ga terug en vertel haar dat je hier bent geweest en dat je je vergist hebt. En ga dan terug naar Jacob en Sara.'

'Ik kan niet terug naar Jacob en Sara,' zei ik. 'Als ik terugga, moet ik bij grootma Olivia wonen.'

'Olivia? Waarom?' vroeg ze. Ik ging op de bank zitten en begon haar te vertellen over mijn ontdekkingen, dat ik haar moeder had bezocht, mijn grootmama Belinda, en gehoord had dat rechter Childs de vader van mijn moeder was.

'Ik heb eindelijk begrepen waarom Kenneth en zijn vader niet met elkaar kunnen opschieten. Hij geeft zijn vader de schuld dat hij je kwijt is geraakt,' zei ik.

Mamma glimlachte.

'Kenneth,' zei ze mijmerend. 'Ik denk dat hij en ik getrouwd zouden zijn, als alles anders was geweest. Je hebt geen idee hoe knap en intelligent hij was. Al mijn vriendinnen waren gek op hem. Hij was anders dan de anderen, altijd even opwindend gezelschap.' Haar glimlach verdween. 'Maar toen ik de waarheid hoorde en hem die vertelde, was het of ik hem een klap met een moker had gegeven.

'Ze zijn aan de buitenkant allemaal zo keurig netjes, de blauwbloeden die mij zo'n minderwaardigheidsgevoel gaven. Ik was het arme, aan de kant gezette, kleine meisje, het verschoppelingetje dat leefde van Olivia's goedertierenheid en barmhartigheid. En wat liet ze me dat voortdurend merken! Ze nam me in huis om het minder pijnlijk te maken, maar ze haatte elk moment dat ik daar was en ze voedde haar jongens op met de gedachte dat ik besmet was. Maar ik heb haar mooi voor het blok weten te zetten, hè? Ik heb Chester van haar afgenomen en daarvoor heeft ze me eeuwig gehaat.

'Glimlachte ze tijdens mijn begrafenis? Ik wou dat ik erbij was geweest om die huichelaars te zien,' zei mamma, met een diepe trek aan haar sigaret.

'Nee, ze glimlachte niet. Ze was heel waardig. Het was een mooie, plechtige begrafenis. Kenneth was er ook.'

'Arme Kenneth. Was hij erg van streek?'

'Ja.'

Ze leunde tevreden achterover.

'Het is niet zo erg om jezelf een keer te begraven, vooral als je daarbij ook het afgrijselijke verleden begraaft.' Ze staarde me met nietsziende ogen aan. 'Maar dat is allemaal voorbij, Melody, dood en begraven. Je kunt me niet meer opgraven. Dat is niet eerlijk. Ik heb eindelijk de ketenen, de last van mijn verleden van me afgegooid, en ik heb hier nu nieuwe kansen, nieuwe vrienden...' Ze keek om zich heen. 'Dit is maar tijdelijk. Na mijn volgende werk woon ik in een chique flat, misschien in Brentwood. Dat zegt Archie.'

Ik boog mijn hoofd. Mijn hart voelde zo zwaar dat ik bang was dat het uit mijn borst zou vallen.

'Waarom wil Olivia dat je nu bij haar komt wonen?'

'Omdat oom Jacob zo ziek is en omdat ze elk mogelijk schandaal wil voorkomen. Ik vertelde haar dat ik bij Kenneth wilde wonen, omdat hij mijn oom is, maar ze zei dat dat alleen maar praatjes zou uitlokken.'

'O, daar heeft ze gelijk in. Olivia kent haar omgeving. Misschien is het toch niet zo'n slecht idee. Het is een mooi huis. Ik vond het prettig daar te wonen als zij me niet op mijn nek zat of om het een of ander tegen me schreeuwde.'

'Ze wil me naar een goede school sturen, en ze zei dat ik een erfenis krijg van grootmama Belinda's deel van het Gordon-vermogen.'

'Dat is geweldig. Dus je ziet, je moet zo gauw mogelijk terug.'

'Maar... ik wil geen geld of naar een snobistische meisjesschool, mamma. Olivia is mijn moeder niet. Ze is niet eens mijn echte grootmoeder. Ik ben bang om bij haar te wonen, bang dat ze mijn leven even ongelukkig zal maken als dat van jou.'

'Het was niet helemaal haar schuld. Ik heb zelf een hoop ervan veroorzaakt,' bekende mamma. 'Ik was kwaad op ze, op allemaal, en ik wilde ze laten boeten voor het feit dat ik ongelukkig was.'

'Ze zullen altijd jou zien als ze naar mij kijken,' zei ik. 'Dat doet Olivia, wat ze ook zegt, en oom Jacob zeker. Zelfs Kenneth,' ging ik verder, en dat leek haar een kick te geven.

'O?'

'Hij heeft me precies zo laten poseren als hij jou liet poseren.'

Ze sperde haar ogen open.

'Heus? En heb je dat gedaan?'

'Ja. Hij heeft een prachtige, nieuwe sculptuur gemaakt. Hij zegt dat het zijn beste werk is. *Neptune's daughter*, de dochter van Neptunus. Maar het gezicht is meer van jou dan van mij,' vertelde ik. Ik kon zien dat het haar genoegen deed.

'Sta eens op,' zei ze plotseling. Ik gehoorzaamde.

'Je hebt echt een goed figuur gekregen. Je bent een heel aantrekkelijk jong meisje. Kenneth ontgaat niet veel.' Ze dacht weer even na. 'Vond je het helemaal niet prettig daar, was er niemand die je aardig vond?'

'Cary is heel erg aardig. Ik mis hem. En ik hou van May, maar ik heb jou gemist, mamma. Echt waar. Ik ben niet graag... alleen. Het is niet eerlijk.'

Ze knikte en maakte haar sigaret uit.

'Ik vond het naar bij je weg te gaan, tegen je te liegen,' zei ze. 'Misschien niet zo erg als je graag gewild had, maar het was wél zo. Ik vond het naar om je achter te laten, maar er was geen andere manier om dit alles te doen. Begrijp je?'

Ik knikte, ook al begreep ik het niet echt.

'Ik moest naar Archie luisteren. Hij heeft veel meer ervaring met dit,' zei ze verdedigend. 'Wat moeten we doen?' vroeg ze zich toen af.

'Laat me bij je blijven, alsjeblieft, mamma.'

Ze keek me glimlachend aan.

'Jij had altijd een ontnuchterende invloed op me, niet, Melody? Als ik in Sewell te lang in Frankie's bar bleef hangen en thuiskwam, hoefde ik jouw gezicht maar te zien, en ik voelde me zo schuldig dat mijn hele roes wegzakte. Ik haatte je daarom,' bekende ze, 'maar later hield ik weer van je, voorzover ik van enig kind kon houden, denk ik.'

Ze ging rechtop zitten.

'Ik heb hier nog niet veel,' zei ze. 'Het is helemaal niets vergeleken bij wat Olivia heeft en wat zij je kan bieden.'

'Dat kan me niet schelen, mamma. Ik hoor bij jou.'

'Je kunt niet bij me blijven,' kermde ze. 'Ik kán geen dochter hebben van jouw leeftijd.'

Ik dacht snel na en herinnerde me wat haar vriendin Sandy had gedacht.

'Ik zou je jongere zusje kunnen zijn. Je hebt de mensen verteld dat je er een hebt,' opperde ik snel.

'Hoe weet je dat?'

'Toen ik de eerste keer hier kwam, heb ik een vrouw ontmoet. Ze heette Sandy en ze dacht dat ik je jongere zusje was en je wilde verrassen,' zei ik.

'Echt iets voor haar.' Ze glimlachte en keek me strak aan. 'We zien eruit als zusters. Ik bedoel, ik zie er jong genoeg uit om je zus te kunnen zijn, niet?'

'Ja, mamma.'

'Zie je,' zei ze, terwijl ze met haar vinger naar me wees. 'Dat is nu juist het probleem. Je kunt me geen mamma noemen. Een jongere zus noemt haar oudere zus geen mamma, wel?'

'Ik zal het niet meer doen.'

'Dat vergeet je.'

'Ik zal het niet vergeten,' hield ik vol.

Ze ontspande zich, terwijl ze nadacht over mijn suggestie.

'Als ik hier een jonger zusje had, zou iedereen beslist nog meer in me geloven,' dacht ze hardop.

'Hm-mmm, dat is zo,' zei ik met een knikje.

'Je kunt me zus noemen of Gina. Je mag me zelfs geen Haille noemen.'

'Dat heb ik nooit gedaan, mamma.'

'Mámma!'

'Nou ja, er is nu niemand,' zei ik snel.

'Archie zal hier niet blij mee zijn. Hij zal woedend op me zijn,' zei ze hoofdschuddend.

'Hij heeft het recht niet woedend op je te zijn. Je hebt alles gedaan wat hij wilde, ja toch?'

'Ja, ja. Dat is zo,' zei ze. Ze staarde me aan en glimlachte toen. 'Hij zal het trouwens niet erg vinden als ik hem vertel dat hij er weer een belangrijke cliënte bij krijgt,' zei ze.

'Een belangrijke cliënte?'

'Malle! Je bent mooi. Je kunt fotomodel worden en actrice. We zullen iedereen vertellen dat ik je hier heb laten komen om je carrière op gang te brengen. Net als ik. Dan zijn we echt twee zusjes!'

riep ze uit. 'Misschien kunnen we zelfs wel eens iets samen doen.'
Ik schudde mijn hoofd.

'Ik zou nooit...'

'Natuurlijk wel. Het is zo gemakkelijk. Je lacht als ze willen dat
je lacht en je knippert met je oogleden als dat moet en voor je het
weet heb je een opdracht en betalen ze je honderden dollars voor
een uur poseren.'

'Ik weet niet of ik dat kan,' zei ik. Ik dacht aan wat Spike me had
verteld over de business.

'Geloof me, je kunt het,' zei ze. 'Oké, jij mag de logeerkamer
hebben. We proberen het. Als het niet lukt, moet je me beloven dat
je teruggaat naar de Cape en naar school. Nou? Je wilde bij me zijn,
op deze manier kan dat. Je moet nu beslissen.'

Ik bleef even sprakeloos staan. Kon ik werkelijk een kans voorbij laten gaan om weer bij mamma te zijn? Wachten op de juiste
gelegenheid om er achter te komen wie mijn vader was? Voordat ik
de kans kreeg serieus over haar voorstel na te denken, hoorden we
de deurbel.

'Wie is daar zo vroeg?' mompelde ze en stond op om naar de
deur te gaan. Het was Sandy Glee.

'Ik zag je,' zei ze, langs mamma heen naar mij kijkend. 'Ik zat op
mijn patio en zag je over het pad lopen. En, Gina, wil je me niet
voorstellen aan je verrassing?'

'Melody,' zei mamma, terwijl ze zich naar me omdraaide, 'nu zie
je waarom je hier nooit een geheim kunt bewaren. Iedereen is
nieuwsgierig. Dit is mijn jonge zusje,' ging ze verder, terwijl ze me
scherp aankeek.

'Ik wist het wel,' merkte Sandy op en klapte in haar slanke handen.

'Ze komt een tijdje bij me wonen om haar geluk in Hollywood te
beproeven, net als wij idioten.'

'Gaat Richard haar ook vertegenwoordigen?'

'Ja.'

'Goed zo. Welkom in de arena,' zei Sandy. 'Ik krijg morgenavond
een paar mensen te eten, als je haar wilt introduceren,' zei Sandy.
'Een stuk of zeven.'

'We zullen er zijn,' beloofde mamma.

'Tot ziens, zus,' zei Sandy zwaaiend. Ze liep weg en mamma

draaide zich met een brede glimlach naar me om.

'Het lukt. Ik wist het. Ik zie er jong genoeg uit om je zus te kunnen zijn. In deze stad gelooft iedereen de leugens van de anderen. Het is een perfecte stad voor mensen die een hekel hebben aan de waarheid.

'Welkom thuis, Melody,' zei ze oprecht. 'Eindelijk kan ik je omarmen.'

Maar nog terwijl ze me omhelsde en me de genegenheid gaf waar ik zo'n wanhopige behoefte aan had, vroeg ik me af: Wat heb ik me op mijn hals gehaald?

7. Een nieuw begin

Mamma zette koffie en we gingen in haar kleine keukentje zitten om bij te praten en elkaar alles te vertellen wat met ons beiden gebeurd was sinds de dag waarop ze me in Provincetown had achtergelaten.

'Ik vond het echt heel erg om je daar te laten,' zei ze. 'Je weet toch nog hoe moeilijk het me viel, hè? Ik geloof dat ik de hele weg van Provincetown naar New York City heb zitten huilen, maar Archie, ik bedoel Richard, had gelijk toen hij me aanraadde je niet mee te nemen. Het was een moeizame reis, we moesten onderweg voortdurend naar werk zoeken, proberen belangrijke mensen te ontmoeten in de grote steden. We trokken van het ene goedkope motel naar het andere, en soms hadden we nauwelijks genoeg geld om eten te kopen. Je zou het verschrikkelijk gevonden hebben. Je zou heel wat avonden alleen zijn gebleven in een of andere armzalige motelkamer. In sommige stond niet eens een tv-toestel.

'Dat was toch niet te vergelijken met een leven in de frisse zeelucht, een goede school, goed eten... Je begrijpt toch waarom ik het gedaan heb, lieverd? Je neemt het me niet langer kwalijk?' vroeg ze met bevende stem.

Ik haalde diep adem en wendde mijn ogen af, zodat ze niet kon zien hoe diep ze me gekwetst had. Kenneth had me eens gezegd dat ik zoiets als een doorzichtige huid had, zo gemakkelijk waren mijn gevoelens en gedachten te lezen. Maar het had geen zin om oneerlijk te zijn en tegen mijn moeder te liegen nu ik haar eindelijk gevonden had, dacht ik.

'Ik haatte je erom, mamma,' bekende ik. 'Ik zat in Laura's kamer en probeerde door de muren heen te luisteren of de telefoon ging, en ik haatte je omdat je niet belde, haatte je omdat je beloften deed die je niet hield.'

'Ik weet het. Het hinderde mij ook, maar Richard zei steeds

weer: 'Als je haar belt en je kunt haar niet laten komen, maak je het nog veel erger, vind je niet?' Hij had gelijk.

'Hij had geen gelijk. Ik moest je stem horen, mamma,' hield ik vol.

Ze zette haar koffiekopje zo hard neer dat het bijna brak.

'Je moet ophouden met mij van alles de schuld te geven. Ik kan niet tegen stress,' kermde ze. 'Stress maakt dat je oud lijkt en rimpels krijgt en er verschrikkelijk uitziet, en dan krijg je geen werk. De camera ziet alle kleine details, weet je. Ze willen je niet als ze je niet voor close-ups kunnen gebruiken. Dan krijg ik geen werk. Wil je dat? Richard zal het trouwens niet goedvinden. Hij zal je hier niet laten blijven,' waarschuwde ze.

Ik keek om me heen in het appartement toen het tot me doordrong wat ze zei.

'Woont hij hier ook?'

'Ja, wat dacht je dan? Je hebt geen idee hoe duur het is om in Los Angeles te wonen en te werken. Appartementen zoals dit zijn heel moeilijk te krijgen. Wat zou het voor zin hebben om allebei ons eigen appartement te hebben en dubbele huur te betalen?'

'Zijn jullie getrouwd?' vroeg ik, terwijl ik mijn adem inhield.

'Nee, we zijn nooit getrouwd. Ik wil nog heel, heel lang niet hertrouwen. Maar Richard is... nou ja, hij is meer dan mijn agent, hij is mijn financiële manager. Hij zorgt voor al ons geld. Dat doet hij voor al zijn cliënten.'

'Hoeveel cliënten heeft hij?' vroeg ik.

'Zes. Maar geen van allen verdienen ze zoveel als ik op het ogenblik, dus je begrijpt waarom we moeten zorgen dat alles vlot verloopt. We praten niet meer over dat afschuwelijke verleden,' zei ze, haar handen boven de tafel heen en weer bewegend. 'Ik wil niet meer horen hoeveel verdriet je hebt gehad en ik wil niet meer herinnerd worden aan wat ik gedaan heb toen ik daar woonde. Stel me geen vragen over een van hen, en noem zelfs hun namen niet waar ik bij ben,' beval ze. 'Dat is een absolute voorwaarde als je hier wilt wonen, begrepen? Ik meen het, Melody.' Ze keek me woedend aan. Haar ogen waren killer dan ik ze ooit gezien had.

'Zelfs Kenneth niet?' vroeg ik.

'Nee, nee, nee, zelfs Kenneth niet. Niemand. Ik verbied het je. Ik heb geen leven gehad vóór dit. Zo wil ik nu denken. Richard zegt dat ik dat moet doen. Het zijn veranderingen die we hebben moeten aanbrengen voor ons eigen welzijn. Ik vind het heel erg om egoïstisch te zijn, maar het is een goed egoïsme, want het helpt ons op de weg naar succes.'

'Waarom moest hij zijn naam veranderen, mamma? Ik heb nooit dat verhaal geloofd dat Archie zijn bijnaam was.'

'Je hebt gelijk. Hij heeft nooit Archie geheten. Het was de naam van zijn oudste broer, en die heeft hij aangenomen omdat hij dan voor ouder kon doorgaan toen hij uit huis ging. Dat is een groot verschil tussen mannen en vrouwen. Mannen willen graag ouder lijken. Zij worden niet gestraft omdat ze ouder worden en grijze haren en rimpels krijgen, maar wij wel.

'In ieder geval,' ging ze verder, 'raakte zijn broer in grote moeilijkheden met woekeraars en zo, en zodra Richard daar achter kwam, liet hij die naam vallen, zodat ze niet per ongeluk achter hem aan zouden komen. Daarom wilde hij nooit over zijn familie praten. Hij schaamde zich voor hen. Zijn vader was niet veel beter. Denk eraan dat je daar nooit iets over zegt waar hij bij is. Begrepen? Hij zou woedend op me zijn. Hij is erg gevoelig op dat punt.'

'Ik zal niets zeggen,' zei ik. Ik geloofde het verhaal trouwens toch niet echt.

'Goed. Zolang je doet wat je gezegd wordt, zal het allemaal best gaan,' zei ze, nog steeds een beetje onzeker.

Ze keek me weer scherp aan en hield toen haar hoofd schuin en glimlachte.

'Mooi pak heb je aan.'

'Dat heeft Dorothy Livingston voor me gekocht.'

'Heus? We hebben bijna dezelfde maat. We kunnen elkaars kleren lenen, maar je moet erg voorzichtig zijn met alles wat ik je te dragen geef, oké? Sommige dingen van me zijn heel bijzonder en speciaal ontworpen voor audities. Heb je veel van je eigen kleren meegenomen naar Californië?'

'Niet veel, nee.'

'Waar zijn je spullen?'

'Bij de Livingstons.'

'Hm, je zult ze moeten gaan halen. Vertel haar niet te veel als je teruggaat.' Ze dacht even na. 'Ik weet wat je moet zeggen. Zeg dat je teruggaat naar Provincetown. Waarschijnlijk zul je haar toch nooit meer zien, en zo kan ze tegen iedereen die naar je vraagt zeggen dat je weg bent.'

'Waarom kan ik haar niet gewoon de waarheid vertellen?' vroeg ik.

Ze lachte. 'Je vertelt nooit iemand de waarheid als het niet noodzakelijk is, liever. Die houd je achter de hand als een laatste redmiddel. Neem dat maar aan van iemand die zich op moeizame wijze door het leven heeft moeten slaan. Ik weet wat ik zeg. Hoe minder je de mensen over jezelf vertelt, hoe beter je later af bent. Er komt altijd wel een of andere moeilijke situatie waaruit je je moet redden, en de waarheid kan je keuzes beperken. Die les heeft Richard me goed geleerd,' zei ze met een knikje.

'Oké,' ging ze verder, 'laten we eens zien waar je kunt slapen.' Ze stond op en liep naar de deur van de logeerkamer.

Ik volgde haar en ze deed het licht aan. Een doffe gloed scheen uit het plafond omlaag, omdat de lamp onder het stof zat.

'Dit wordt jouw kamer. We hebben maar één badkamer, zoals je ziet, dus maak geen smeerboel. Je kunt me helpen de flat schoon te houden. Het is te veel voor een werkend meisje om schoon te maken en mooi te zijn tegelijkertijd als je plotseling naar een auditie moet. Daarom ziet het er nu zo rommelig uit,' zei ze. Maar ik herinnerde me dat mamma nooit zo'n goede huisvrouw was. Mijn stiefvader Chester en ik deden het grootste deel van het huishouden in onze caravan in Sewell.

Ik bestudeerde de kleine slaapkamer. De muren hadden een verschoten roze kleur, en waren bekrast, afgebladderd en gehavend. Zelfs de logeerkamer in Holly's huis in New York met zijn ene raam was comfortabeler en gezelliger dan deze stoffige kamer met de kale muren, en een bed dat nu bedekt was met kleren, archiefdozen, oude filmtijdschriften en vakbladen. Het dunne kleed was hier en daar erg versleten en gerafeld. De gordijnen voor de twee kamers hingen slap omlaag door het stof en waren gebleekt door de zon. Grote spinnenwebben hingen in de hoeken van het plafond. Ik zag een stapel van wat eruitzag als dunne aktetassen in de rechterhoek.

'Je zult een beetje moeten opruimen, maar zorg dat je niets kwijtmaakt.'

'Wat ligt daar in die hoek?' vroeg ik.

'O, daar mag je niet aankomen. Dat zijn Richards horloges,

antieke horloges. Die verkoopt hij als bijbaantje. Een vriend van hem heeft hem hier in die handel weten te betrekken en hij heeft er een aardig zakcentje mee verdiend.'

'Hij verkoopt antieke horloges? Ik dacht dat hij een agent was met een stuk of zes cliënten.'

'Iedereen die probeert in de business door te dringen doet intussen iets anders, Melody. De meeste mensen die hier wonen werken als kelner of serveerster in een restaurant, sommigen werken als parkeerwacht en sommigen pakken zelfs boodschappen in. Alles om eten op tafel te hebben en de huur te betalen tot je doorbreekt.'

'Ik weet het. Dorothy's chauffeur is acteur. Hij vertelde me dat hij in een paar films gespeeld had.'

'Hoe heet hij?' vroeg ze snel.

'Spike. Ik herinner me zijn achternaam niet.'

'Spike. Ik ken wel tien Spikes,' zei mamma lachend.

We draaiden ons allebei om toen de deur openging en Archie Marlin binnenkwam. Zodra hij mij zag, kreeg hij een kleur van verbazing en toen van woede.

'Verdomme, hoe komt zij hier?' vroeg hij. Hij smeet de deur dicht en stond naar ons te kijken met zijn handen op zijn heupen, een sigaret bungelend uit zijn mond. Hij haalde hem eruit. 'Hè?' zei hij, met zijn sigaret naar me wijzend. 'Heb je haar achter mijn rug om laten komen?'

'Nee, Richard. Een vriendin van haar uit Sewell zag mijn foto in de *En Vogue*-catalogus. Ze stuurde haar de catalogus en Melody ging ermee naar iemand die bekend was in de reclamewereld. Hij spoorde me voor haar op en ze kwam naar L.A. om me te zoeken.'

'Geweldig,' zei hij, zijn armen in de lucht heffend. 'Net wat we nodig hebben. Je dochter,' zei hij vol afkeer.

'Maar niemand weet dat ze me daadwerkelijk heeft gevonden, hè, lieverd?' vroeg ze.

Ik schudde mijn hoofd.

'Mooi, hoor. Wat moeten we nu met haar doen?' vroeg hij, alsof ik een hondje was dat bij zijn deur was achtergelaten. 'En juist toen iedereen geloofde dat je jong genoeg was om hun rollen te spelen.'

'Dat is geen probleem. Dat hebben we al opgelost,' zei mamma.

'O, ja? Hoe?' Hij plofte neer in de versleten fauteuil. De as van zijn sigaret viel op zijn broek en op de stoel. Hij scheen het niet te merken.

'Sandy dacht dat ze mijn jongste zus was. Herinner je je nog het verhaal dat ik van je moest vertellen? Dat ik een jonger zusje had thuis in het Midwesten?' zei ze, knikkend om zijn geheugen op te frissen. Ik kon me voorstellen dat hij moeite had zich alle leugens te herinneren die hij van West Virginia tot Californië had verspreid.

'Ja, ik weet het. En?'

'Snap je het niet?' Ze keek naar mij. 'Melody is me achterna gereisd, is me gevolgd, en wil zelf een carrière opbouwen,' zei mamma. Hij wendde zijn blik van haar af en keek me met plotselinge belangstelling aan.

'Jongere zusje? Zelf op zoek naar een carrière, hè?' Hij boog zich voorover. 'Kom wat dichterbij,' beval hij.

'Toe maar, lieverd. Richard bijt niet,' zei mamma glimlachend.

Ik deed een paar stappen naar hem toe en hij sloeg zijn wellustige groene ogen naar me op. Hij bekeek me van top tot teen, en ik had het gevoel dat hij me met zijn ogen uitkleedde. Zijn lippen krulden.

'Ja, ze is een mooie meid geworden, hè? Hoe oud ben je? Nee, laat maar. Vanaf nu ben je eenentwintig, snap je?'

'Eenentwintig?' Ik keek naar mamma, maar ze knikte slechts glimlachend. Ik keek weer naar Richard. 'Dat gelooft niemand,' zei ik.

'Natuurlijk wel. Het kan ze trouwens toch niet schelen of je liegt of niet, en dat is belangrijker. Ja,' zei hij knikkend en glimlachend alsof zijn ogen door mijn kleren heenbrandden. 'Ik kan wel wat werk voor haar vinden.'

'Dat doe ik liever zelf,' zei ik, en hij verstarde.

'Heb je geld?'

'Ja. Grootma Olivia heeft me reisgeld gegeven.'

'Dat is niet veel. De huur hier is hoog en levensmiddelen en zo zijn duur. Als je bij ons wilt wonen, zul je je deel moeten bijdragen, niet, Gina?'

Even was ik vergeten dat het de naam was die mamma had aangenomen. Ik knipperde even verward met mijn ogen, maar toen herinnerde ik het me weer en keek haar aan.

'Hij heeft gelijk, Melody. Je bent nu groot en oud genoeg om op eigen benen te staan. En misschien maakt Richard van jou ook wel een ster.'

'Dat zou best kunnen,' zei hij. 'Ik heb haar altijd een knappe meid gevonden, want ze is immers jouw dochter,' zei hij met een glimlach naar mamma. Ze straalde. 'Zo,' ging hij verder, 'je hebt je moeder gezien in de *En Vogue*-catalogus. Die baan heb ik haar bezorgd,' schepte hij op, ' en daar hebben we wat geld mee verdiend, hè, Gina?'

'Ja, Richard.'

'Natuurlijk hebben we het allemaal uitgegeven, maar gisteren heb ik ander werk voor haar gekregen. Ik heb de deal net gesloten, schat.'

Mamma gaf een gilletje van plezier.

'O, geweldig. Zie je wel, schat? Ik ga het hier maken. Wat is het?'

'Je gaat een nieuw parfum demonstreren in het Beverly Hills Center en verder ben je model voor make-up demonstraties.'

Mamma's glimlach bleef, maar verloor zijn glans.

'En die rol in de film, Richard?' vroeg ze zachtjes.

'We zullen zien. Ze houden je nog in gedachten. Misschien krijg je morgen zelfs al een telefoontje.'

Haar glimlach werd weer warmer.

'Fijn. Maar Melody moet terug naar het adres waar ze heeft gelogeerd om haar kleren en zo te halen, Richard.'

'O, ja? Waar logeer je?' vroeg hij.

'Bij de zus van een vriendin in Beverly Hills,' antwoordde ik.

'Beverly Hills? Nou, nou, je zoekt het hoog, hè?' Hij lachte. 'Weet je zeker dat je je zo wilt verlagen om hier te komen wonen bij ons, gewone mensen?'

'Ik zou morgen toch weggaan. Mevrouw Livingston bewees haar zus alleen maar een dienst door me te helpen.'

'Oké. Ik zal er met haar naartoe gaan om haar spullen te gaan halen. Ik rij graag door Beverly Hills, dat geeft me de kans om het huis uit te zoeken dat ik binnenkort ga kopen,' zei hij met een dromerige blik in zijn ogen.

'O, wat lief van je, Richard. Tot gauw, schat. Alles komt in orde, zolang je maar naar ons luistert. Dat is toch zo, Richard?'

'Dat is zo,' zei hij met een strenge blik naar mij. 'Zolang je maar weet wie alles hier regelt en precies doet wat ik je zeg.'

114

'Hij weet wat het beste voor ons is, schat,' zei mamma. Ik keek van haar naar hem, naar zijn glinsterende, zelfvoldane ogen, en knikte bij mezelf. Ik herinnerde me Christina's woorden en gedachten. Mamma had me nu meer dan ooit nodig. Op de een of andere manier zou ik haar bevrijden van de greep waarin deze glibberige man haar gevangen hield, zwoer ik bij mezelf.

Hij scheen mijn uitdaging te voelen. Hij trok zijn schouders op, krulde zijn lippen en knikte naar de deur.

'Laten we gaan. Ik heb belangrijke dingen te doen.'

'Dank je, Richard,' zei mamma. 'Dat is aardig van je.' Hij haalde zijn schouders op.

'Zolang ze haar deel bijdraagt, is het mij om het even,' zei hij.

'En,' ging hij dreigend verder, 'zolang ze onthoudt dat ze je zus is en niet je dochter.'

'Dat zal ze heus niet vergeten. Tot gauw, zus,' zei mamma lachend. Richard keek met een sarcastisch lachje naar mij.

'Nou, wat zeg je?'

Ik keek naar mamma, wier gezicht me smeekte te doen wat van me verwacht werd.

'Tot straks... Gina,' wist ik eruit te brengen, ook al stikte ik bijna in de woorden.

Richard Marlin bulderde van het lachen en hield de deur voor me open.

'Miss Simon,' zei hij, terwijl hij een stap achteruit deed en een overdreven buiging maakte, 'zullen we je spulletjes bij de Livingstons gaan halen?'

Ik liep met kloppend hart naar buiten, maar met een rug zo kaarsrecht als die van grootma Olivia als ze een uitdaging tegemoettrad. Misschien had ze gelijk, dacht ik. Misschien leek ik meer op haar dan ik wilde toegeven.

'Vertel eens hoe je het hebt gemaakt sinds we je op de Cape hebben achtergelaten,' zei Richard, toen we de parkeerplaats verlieten. Hij had een andere auto, een oudere auto met tientallen deuken en krassen en een barst in een van de achterruiten. De stoel voor de passagier vertoonde een grote scheur. Hij keek even naar me. 'Je ziet er niet slecht uit. Ik zou zeggen dat ze je goed te eten hebben gegeven en niet te hard hebben laten werken.'

'Ik heb me er doorheen geslagen,' zei ik, en hij lachte.

'Ik wed dat je goed geleefd hebt met die mosselgravers.'

'Het zijn geen mosselgravers. Het zijn kreeftenvissers en ze oogsten veenbessen. Het is zwaar werk en je moet de zee kennen en...'

'Goed, goed. Prachtig als je met de wormen wilt opstaan en elke dag je rug breken. Niks voor mij, niet voor Richard Marlin,' pochte hij. 'Voor mij het gemakkelijke leven, en gauw ook. Ik begin het nu al beter voor elkaar te krijgen dan de meesten hier.'

Naar wat ik ervan had gezien, had hij een beter leven gehad als barkeeper in Sewell.

'Wat is er met je andere auto gebeurd?' vroeg ik. 'Die was veel mooier.'

'Wat? O, het heeft geen zin om een mooie auto te hebben in deze stad. Ze botsen er voortdurend tegenop, en als je een mooie auto hebt, gappen ze de onderdelen. Hopen beroemde acteurs en producers hebben oude, gammele auto's zoals deze,' verzekerde hij me. 'Dan vallen ze niet zo op, zie je? Als de mensen eenmaal ontdekken dat je agent en manager bent, achtervolgen ze je in de hoop dat je ze aan zult nemen als cliënt.'

'Dus je bent bang om te veel cliënten te hebben?' vroeg ik ongelovig.

'Ik heb er nu al meer dan ik aan kan. We worden beroemd, je moeder en ik. Je zult het zien.' Hij nam me aandachtig op en richtte zijn blik toen weer op de weg. 'Weet je zeker dat je bij ons wilt blijven?' vroeg hij. 'We zullen geen tijd hebben om als babysit te fungeren.'

'Ik heb geen babysit nodig.'

'Dit is een stad voor volwassenen, mensen die de harde werkelijkheid onder ogen kunnen zien,' pochte hij.

'Heus? Naar wat ik ervan heb gezien lijkt het me een schijnwereld, een grote zandbak,' antwoordde ik. Hij keek me met opgetrokken wenkbrauwen aan en lachte toen.

'Misschien zul je het hier toch wel redden.'

Toen hij het huis van de Livingstons zag, floot hij tussen zijn tanden.

'Waarom wil je hier in godsnaam vandaan?' vroeg hij. 'Waarom blijf je niet gewoon tot ze je eruitgooien?'

'Dat is zo ongeveer wat meneer Livingston nu doet,' merkte ik op, toen hij op de oprit stopte.

'Je kunt beter in de auto wachten,' zei ik toen hij wilde uitstappen.

'Wat heeft dat te betekenen? Ben je te snobistisch geworden. Breng ik je in verlegenheid? Vind je die mensen beter dan ik ben?'

'Nee, maar als Dorothy Livingston je ziet, zal ze je misschien aan haar zus beschrijven, die het de mensen in Provincetown zal vertellen, en die zouden wel eens kwaad genoeg kunnen worden om de politie te vertellen wat jij en mamma hebben gedaan. Er ligt een vreemde in het familiegraf begraven en Olivia Logan is niet het soort vrouw dat daar genoegen mee neemt,' zei ik. 'Ze is ook heel machtig, ze heeft vrienden in hoge functies. Ze zou zelfs de FBI op jullie af kunnen sturen.'

Hij dacht even na, keek naar het huis en knikte toen.

'Ja, je hebt gelijk. Goed nagedacht. Je bent intelligent. Dat is goed. Ik ben het zat om voor iedereen te moeten denken. Vooruit. Schiet een beetje op. Ik heb nog dingen te doen,' beval hij, en ik stapte snel uit en liep naar de voordeur.

Alec deed vrijwel onmiddellijk open toen ik had gebeld. Hij keek naar de auto die op de oprijlaan stond en deed toen een stap achteruit met die gebruikelijke, afkeurende uitdrukking op zijn gezicht. Dorothy en Philip verschenen in de hal; beiden kwamen uit de zitruimte. Alec deed de deur dicht en liep zonder een woord te zeggen weg toen ze naar me toekwamen.

'Wat is er gebeurd?' vroeg Dorothy. 'Ik heb me erg ongerust gemaakt sinds je weg bent gegaan en Philip ook,' zei ze. Ik keek even naar hem, maar hij leek nog steeds bezorgder over zijn eigen reputatie dan over iets anders.

Ik dacht aan mamma's advies ten aanzien van de waarheid en besloot dat ze ongelijk had. Ik zou me niet laten strikken in het net van leugens van haar en Richard.

'We hebben elkaar ontmoet en ik blijf bij haar,' zei ik snel. 'Ze heeft me nodig.'

'Bedoel je dat ze heeft opgebiecht wie ze was?' vroeg Philip.

'Ja.'

'Waarom heeft ze dan eerst zoiets afschuwelijks gedaan?' vroeg Dorothy.

'Daar had ze haar redenen voor,' zei ik. 'Maar alles is nu opgehelderd. Ik kom alleen even mijn koffer halen.'

Ik liep naar de trap.

'Maar... zal het goed gaan met je?' vroeg Dorothy.

'Ze zal zelf wel weten of het haar goed zal gaan, Dorothy,' zei Philip, kennelijk blij dat hij van me af was. 'Ze is oud genoeg.'

'Nee, dat is ze niet. Ze is...'

'Dorothy,' snauwde hij.

Ze beet op haar lip en keek me na toen ik de trap opliep. Ik liep haastig de kamer in en gooide mijn spullen in de koffer. Ik staarde naar de zwarte avondjurk in de doos, en dacht dat als ik hem hier liet, Dorothy hem terug zou moeten brengen.

'Ik breng hem niet terug,' hoorde ik Dorothy zeggen alsof ze mijn gedachten had gelezen. Ik draaide me om en zag haar in de deuropening staan. 'Je kunt hem net zo goed meenemen, Melody. Anders wordt hij alleen maar een stofnest.'

'Ik wil niet ondankbaar lijken, Dorothy. Je bent geweldig en aardig en edelmoedig geweest, maar...'

'Geen maar, als of misschien. Ik wil je alleen zeggen dat ik het allerbeste voor je hoop, Melody. Je bent zo'n lief, jong meisje.' Ze kwam de kamer binnen en ging op het bed zitten. 'Eigenlijk,' zei ze, 'wilde ik dat ik iets belangrijks kon doen voor mijn eigen zus, maar zij en ik... we hebben altijd op een andere manier tegen het leven aangekeken. O, we houden wel van elkaar, denk ik, zoveel als twee zussen van elkaar kunnen houden, maar ik weet dat Holly denkt dat ik geen ander doel in het leven heb dan het mezelf naar de zin te maken. Ze weet niet wie ik ben,' zei ze met tranen in haar ogen. 'Ook ík heb mijn bergen te beklimmen.'

Ik glimlachte naar haar.

'Ik weet zeker dat ze zich dat realiseert, Dorothy. Ze houdt veel van je en ze denkt heel vaak aan je. Ze zei dat je fantastisch zou zijn voor me en ze had gelijk. Heel erg bedankt.' Ik pakte de doos met de avondjurk op en ze lachte.

'Ik wens je alle geluk ter wereld en alsjeblieft, aarzel niet om me te bellen als je iemand nodig hebt. Maak je geen zorgen over Philip. Hij zal mopperen, maar uiteindelijk doet hij wat juist is.'

Ik knikte en ze omhelsde me.

'Ik zou zo graag een dochter als jij willen hebben,' zei ze. 'Ik wou dat ik iemand anders had, iemand die me nodig had. Philip is zo onafhankelijk als iemand maar kan zijn. Het is goed om nodig te zijn en heerlijk om iemand te helpen die in moeilijkheden verkeert.'

'Ik weet het. Daarom wil ik bij mijn moeder blijven,' zei ik.

Ze knikte.

'Ze boft. Ik weet zeker dat ze je niet verdient.'

Dorothy volgde me de trap af. Bij de deur omhelsden we elkaar nog eens. Philip was nergens te bekennen. Hij was niet het soort mens dat van afscheid nemen hield, dacht ik. Morgen zou hij mijn gezicht alweer vergeten zijn.

Ik liep haastig naar buiten, draaide me nog een laatste keer om en zwaaide. Dorothy hief haar hand op en bleef even zo staan voor ze de deur dichtdeed. Eenzaamheid, dacht ik, had niets te maken met geld of luxe, eenzaamheid had alles te maken met het hart. Als het maar voor één mens klopte, werd het maar half gebruikt.

'Heb je een afscheidscadeau gekregen?' vroeg Richard, toen hij de doos zag.

'Mevrouw Livingston was erg royaal. Ze heeft een paar kleren voor me gekocht.'

Hij keek even naar de doos en zag de naam erop.

'Dat is een dure boetiek in Beverly Hills,' zei hij, terwijl hij de motor startte. 'Wat is het?'

'Een zwarte avondjurk.'

'O, ja? Waarvoor heb je nu zoiets duurs nodig?'

'Ze wilde dat ik hem meenam,' zei ik op droge toon.

Hij reed achteruit de oprijlaan af en keek naar me. 'Ik heb een kennis die zo'n nieuwe jurk kan omzetten in contanten, en die zouden we goed kunnen gebruiken. Vooral omdat je hem nog niet gedragen hebt. Ik wed dat de kaartjes er nog aan zitten?'

'Ja.'

'Mooi.'

'Ik wil hem niet verkopen,' zei ik. 'Het was een cadeau. Het betekende veel voor haar om hem me te geven.'

'O, ja? Wat ben je, miljonair? Betaal jij de eerste zes maanden huur voor ons? Doe jij morgen de boodschappen. En betaal jij de gas- en elektriciteitsrekeningen en de autoverzekering? Ik moet jullie in de stad rondrijden naar audities, om werk te krijgen. Dat kost geld voor benzine, onderhoud. We hebben een hoop kosten hier. Als je erbij wilt horen, moet je je deel betalen. Hoeveel heeft de ouwe dame in Provincetown je als reisgeld gegeven?' vroeg hij. 'Nou?'

'Ze heeft mijn tickets gekocht en me... vijfhonderd dollar gegeven.' Ze had me tweeduizend gegeven, maar ik wist waar Richard heen wilde.

'Nou, waar is het geld?'

'Ik heb bijna alles uitgegeven om hier te komen,' zei ik.

'Hoeveel heb je over?'

'Honderd dollar.'

'Is dat alles? Goed. Geef mij vijfenzeventig en houd vijfentwintig als zakgeld, zodat ik je voorlopig niks hoef te geven. Toe dan, geef op,' zei hij. 'Ik heb geld nodig om nu ook voor jou werk te zoeken.'

Ik maakte mijn tas open en telde de vijfenzeventig dollar uit, zonder hem te laten zien hoeveel ik werkelijk bij me had. Toen ik het hem gaf, stopte hij het zonder een woord te zeggen in zijn zak.

'Goed. Dat is verstandig. Ik zal werk voor je zoeken,' beloofde hij.

Ik zat weggedoken in de hoek van mijn stoel en zag door het raam Beverly Hills achter ons verdwijnen.

'Dat is een huis voor mij,' beweerde Richard, knikkend naar een groot huis met Griekse pilaren aan de voorkant. 'Een kwestie van tijd,' ging hij met een zelfverzekerd lachje verder.

Een kwestie van tijd? Een kwestie van eeuwen, dacht ik, maar ik zei niets. Tranen van vastberadenheid sprongen in mijn ogen. Ik moest zien dat ik mamma heel gauw bij hem vandaan kreeg, weg van dit alles.

Zodra we terugkwamen in het appartement vertelde Richard mamma over mijn avondjurk, maar toen mamma hem zag en aanpaste, smeekte ze hem ons de jurk te laten houden. Ze zag er beeldschoon in uit.

'Ik zal een baan krijgen waar ik zoiets moois als dit zal moeten dragen, Richard. Ja toch?' vroeg ze, terwijl ze ronddraaide voor de spiegel. 'In plaats van iets te moeten huren zal ik zelf kleren hebben. En al die geweldige party's waar we binnenkort naartoe gaan, zoals je zei? Ik zal er goed uit moeten zien voor je, niet? O, alsjeblieft, verkoop hem niet.'

'De mensen zullen onder de indruk zijn dat mamma zoiets kostbaars heeft,' viel ik haar bij, 'en kleren zijn belangrijk in de business. Ja toch?'

Richard keek me woedend aan.

'Hoe weet jij wat mensen in de business belangrijk vinden?'

'Ik heb een acteur ontmoet die me alles erover heeft verteld,' zei ik.

'O, je hebt een acteur ontmoet. Geweldig.'

'Maar ze heeft gelijk, hè, Richard? Dat heb je me zelf verteld. Daarom had je het geld nodig voor je mooie jasjes en pakken,' zei mamma.

Hij schoof heen en weer op zijn stoel.

'We zouden er een aardig bedrag voor kunnen krijgen.'

'Mamma moet werk hebben en je zei dat je voor mij ook gauw werk zou kunnen krijgen,' merkte ik op.

Hij werd rood van woede.

'Dat is zo, Richard,' zei mamma, terwijl ze in de spiegel staarde.

'Je blijft haar mamma noemen,' snauwde hij tegen mij. 'Je zult je vergissen waar vreemden bij zijn.'

'Dat doe ik niet,' hield ik vol.

'Je kunt me ook als we alleen zijn beter Gina of zus noemen, Melody,' adviseerde mamma. 'Het moet een gewoonte worden.'

'Goed, dat zal ik doen. Je ziet er prachtig uit in die jurk, Gina,' ging ik verder. Ik verkneukelde me toen ik Richard heen en weer zag schuiven toen het tot hem door begon te dringen dat hij het geld voor de jurk niet zou kunnen incasseren.

'Richard,' zei ze smekend, 'ik heb zo lang op iets moois gewacht.'

'Goed dan. Voor deze keer zal ik van gedachten veranderen, maar als ik een volgende keer iets besluit...'

'Zullen we naar je luisteren. Dat beloven we,' zei mamma.

Hij keek meesmuilend en achterdochtig naar mij en ging toen tv kijken, terwijl mamma en ik mijn kamer op orde gingen brengen.

'De Livingstons moeten zo rijk zijn, Melody,' zei mamma. 'Zulke dure cadeaus. Maar binnenkort zal ik zelf zulke dingen kunnen kopen. Ik zal me in mijn Rolls naar Beverly Hills laten rijden en in de duurste zaken winkelen,' zei ze. Ze deed net of mijn smerige kamertje een chique designboetiek was. 'De verkoopsters komen onmiddellijk op me af om me te helpen en me de laatste mode te laten zien,' vervolgde mamma. Ik ging op het bed zitten en staarde naar haar, terwijl ze deed of ze een jurk bekeek. 'Ja, die zou ermee door kunnen. Wat? Maar vijfduizend dollar? Is hij in de uitverkoop?'

Ze lachte, draaide zich om en bewonderde zichzelf weer in mijn avondjurk. Ik lachte met haar mee.

'Hij is mooi,' zei ze met een zucht. 'Maar hij is van jou.'

'Nee, mamma, hij is van jou. Ik wil dat jij hem hebt. Hang hem in jouw kast.'

'Echt? Dank je, lieverd. Maar alsjeblieft,' ging ze fluisterend verder, 'je móet proberen me zus of Gina te noemen.' Ze keek naar de deur. 'Vooral als hij hier is.'

Ik knikte. Ze omhelsde me en ging weg naar Richard.

Het was een vreemd gevoel die eerste nacht in hun appartement te slapen, vooral omdat het me herinnerde aan de reis van Sewell naar de Cape. Ik dacht aan de nachten onderweg, in motelkamers waar zij in de kamer naast de mijne sliepen, net als vanavond.

In die tijd kon ik alleen maar denken aan mijn stiefvader en me afvragen hoe mamma een andere man kon omhelzen en zoenen zo vlak na de dood van mijn stiefvader. Misschien was ze bang om alleen te zijn, zo bang dat ze zich zelfs vastklampte aan iemand als Archie Marlin. Hij maakte misbruik van het feit dat ze zo kwetsbaar was en verving haar angst door wensdromen. Was mamma te bedroefd om het te merken? Maar nu? Wat was nu haar excuus dat ze haar leven door hem liet beheersen?

Ik voelde me zo klein en alleen in dit trieste kamertje. Als mamma nu nog steeds niet inzag wat voor man Archie Richard Marlin was, hoe kon ik dan hopen haar de ogen te openen? Hij beloofde haar glamour en roem, rijkdom en respect. Wat kon ik anders bieden dan de waarheid? En voor mamma zou de waarheid weleens een te bittere pil kunnen zijn.

Zoals zoveel andere mensen in Los Angeles, zou ze veel liever de dromen hebben, hoe vals of onmogelijk ze ook waren. Maar in ieder geval, dacht ik, heb ik haar gevonden en in ieder geval was er nu een kans.

De volgende ochtend was ik als eerste op. Ik zette koffie en roosterde wat oudbakken brood. Veel meer hadden ze niet te eten voor het ontbijt, geen cereals of eieren en heel weinig jam of boter. Maar het aroma van versgezette koffie lokte hen uit de slaapkamer.

'Dat lijkt er meer op,' zei Richard. 'Meestal moet ik naar buiten voor koffie. Je zus kan haar ogen niet snel of ver genoeg open krijgen om 's morgens water te koken.'

'O, Richard.'

'Wat, vertel ik haar iets over jou dat ze nog niet weet?' zei hij lachend.

'We hebben wat eten nodig,' zei ik.

Hij trok zijn wenkbrauwen op.

'Nou, je hebt nog een paar dollar over. Terwijl wij naar het winkelcentrum gaan voor de baan van je zus, kun je kopen wat je wilt.'

Iets wat ik beslist zou doen.

'Ruim ook onze kamer op terwijl we weg zijn,' beval hij. 'Ik heb er genoeg van om in een varkensstal te wonen, en voor je aan het werk gaat en geld binnenbrengt, zul je je onderhoud op die manier moeten verdienen.'

'Ik heb je geld gegeven,' bracht ik hem in herinnering. Hij kreeg een kleur.

'Wat voor geld?' vroeg mamma.

'O, wat zakgeld, nauwelijks de moeite waard, en bovendien heb ik het nodig om in de stad op en neer te rijden en mensen te spreken en te proberen werk voor haar te vinden. Ja toch? Nou?'

'Ja, dat zal wel,' gaf mamma toe. Het leek wel of hij haar alles kon laten denken of zeggen.

Ze dronken hun koffie, aten wat toast en gingen zich toen aankleden. Ik wachtte tot ze weg waren en toen belde ik Holly en vertelde haar waar ik was en wat er gebeurd was.

'Dus je hebt besloten te blijven?'

'Ja,' zei ik. Ik vertelde haar niet dat Philip me weg wilde hebben. Ik vertelde haar wél hoe verdrietig Dorothy volgens mij was.

'Ze kan niet genoeg kopen om de schaduwen te verdrijven,' zei ik.

'Ik weet het. Het is een conversatie die zij en ik al eerder hebben gehad. Misschien moet ik er binnenkort weer eens heen.'

'Ik wou dat je dat deed. Ze mist je.'

'Moet je jou horen, andere mensen raad geven en proberen ze te helpen, terwijl jouw toekomst nog steeds heel onzeker is. Neem

123

niet méér op je schouders dan je kunt torsen, schat, en bel me als je me nodig hebt.'

'Dat zal ik doen. Dank je, Holly.'

Zodra ik had opgehangen, belde ik Cary, in de hoop dat hij thuis zou zijn. Dat was hij niet, maar tante Sara wilde dolgraag praten.

'Jacob is erg ziek,' vertelde ze me. 'Het was veel erger deze keer. En nu maak ik me ook zorgen over Cary. Hij krijgt nauwelijks rust tussen het uitvaren met de boot, het zorgen voor de zaak en de bezoeken aan het ziekenhuis. Ik ga er nu heen.'

'Het spijt me, tante Sara. Ik wou dat ik er was om u te helpen.'

'Gaat alles goed met je, lieverd? Ik heb niet eens gevraagd hoe het met je speurtocht gaat. Het spijt me.'

'Geeft niet. U hebt genoeg aan uw hoofd. Geef Cary mijn tele-foonnummer alstublieft, maar zeg dat hij niet moet bellen voor hij echt even tijd heeft. Het is geen noodgeval.'

'Ik ben bang dat het dat hier wél is,' zei ze zacht. 'We proberen allemaal sterk te zijn voor Jacob, maar het is zo moeilijk om opge-wekt te blijven.'

Ik hoorde dat ze begon te snikken en toen excuseerde ze zich snel en hing op. Ik vond het vreselijk om zo ver weg te zijn van tante Sara en de familie nu het zo slecht ging. Ik voelde me alle kanten op getrokken. Mamma had me ook nodig, maar zij scheen haar erbarmelijke situatie zelf gekozen te hebben. Cary en tante Sara en May hadden geen keus.

Waar hoorde ik werkelijk thuis?

Het leek of ik eeuwig naar een thuis gezocht had. Juist toen ik dacht dat ik het gevonden had...

8. Een ster straalt

Toen ik me had aangekleed ging ik naar beneden en vroeg een man die in de tuin werkte waar de dichtstbijzijnde levensmiddelenzaak was. Hij sprak gebroken Engels, doorspekt met Spaanse woorden, maar ik herinnerde me genoeg van mijn Spaanse lessen op de middelbare school om met hem te kunnen communiceren. De supermarkt was iets verder dan drie lange blokken. Toen ik binnen was en alle verrukkelijke dingen zag, wilde ik mijn kar vullen, maar de gedachte aan de lange wandeling naar huis remde me af. Het was al heet en kleverig, slechts een paar donzige wolkjes gleden traag naar de horizon. Een mooie dag voor een wandeling, maar niet om met boodschappen te sjouwen.

Een knappe jongeman met donkerbruin haar en een schort voor draaide zich naar me om toen ik betaalde, en ik zag dat hij naar me staarde. Toen ik de winkel uit liep en mijn best deed niets te verliezen uit een van de twee zakken, en hopend dat de bodem niet zou scheuren, hoorde ik iemand achter me zeggen: 'Het lijkt me dat u wel een derde arm kunt gebruiken.' Ik draaide me om en zag dezelfde knappe jongeman uit de winkel. In het zonlicht zag ik een koperkleurige glans in zijn haar. Zijn lachende ogen waren lichtbruin en hadden lange wimpers. Hoewel hij niet direct wat je noemt gespierd was, was hij goed gebouwd, lenig, slank, en zijn gezicht en mond waren heel mannelijk.

'Ik kan wel een zak voor u dragen,' bood hij aan. 'Ik zal uw voedsel niet stelen,' ging hij glimlachend verder toen hij zag dat ik aarzelde.

'Hoe weet u waar ik naartoe ga?' vroeg ik.

'De Egyptian Gardens, hè? Ik heb u daar gisteren gezien. Ik zat bij het zwembad toen u langskwam. Ik woon daar ook. Ik ga toch die richting uit,' ging hij verder. 'Naar huis.' Hij haalde zijn schouders op toen ik geen antwoord gaf. 'Het licht verspringt.'

'Wat?'

'We kunnen oversteken,' zei hij, wijzend dat het verkeer stilstond.

'We moeten opschieten,' zei hij. 'Het is een van de kortste verkeerslichten in L.A.'

Hij pakte me bij mijn elleboog en hielp me behoedzaam de straat over. We liepen snel door en zeiden pas weer iets toen we op het trottoir stonden.

'Het verbaast me niet dat je aarzelde om mijn aanbod aan te nemen. Ik vertrouw mijn boodschappen ook niet aan vreemden toe,' zei hij weer met die ondeugende grijns van hem. 'Vreemde vrouwen komen altijd naar me toe en bieden aan een van mijn tassen te dragen.'

'Grappig.'

'Mijn naam is Mel Jensen.'

'Melody... Simon,' zei ik.

'Zo, nu zijn we geen vreemden meer,' zei hij schertsend., 'Nu kan ik altijd je boodschappen dragen.'

'Dat we onze namen hebben genoemd wil nog niet zeggen dat we geen vreemden meer zijn,' antwoordde ik, en hij werd heel serieus.

'Je hebt gelijk. Bovendien weet je hier nooit of iemand je wel zijn of haar echte naam zegt,' zei hij, en trok even zijn mondhoek omlaag. Ik voelde me vuurrood worden. Hij keek recht voor zich uit, dus hij merkte het niet. 'Maar dit is mijn echte naam en ik ben van plan hem in ieder huishouden bekend te maken,' zei hij pochend, en keek me nu aan om mijn reactie te zien.

'Wat verkoop je?' vroeg ik en hij lachte. Zijn ogen glinsterden. Hij zweeg even toen hij zag dat ik geen gekheid maakte. 'Serieus? Denk je dat ik een verkoper ben?'

'Nou ja, je zei huishouden, dus dacht ik...'

'Wat doe je in L.A.?' vroeg hij plotseling heel nieuwsgierig en achterdochtig.

'Ik ben op bezoek bij mijn zus,' zei ik.

'Zus? Simon,' dacht hij hardop.

'O, je bent Gina Simons zusje?'

'Ja,' zei ik. Ik had mezelf nooit als een goede leugenaarster beschouwd en ik betwijfelde of ik mensen voor de gek zou kunnen houden zoals Richard en mamma wilden. Maar als Mel Jensen mijn bedrog doorzag, liet hij het niet merken.

'Natuurlijk. Jullie lijken veel op elkaar. Ik neem aan dat jij ook een actrice en fotomodel wilt worden?'

'Niet echt, maar de agent van mijn zus denkt dat ik het zou kunnen. Hij zegt dat hij zal proberen werk voor me te krijgen zolang ik hier ben,' antwoordde ik.

'Er zijn vreemdere dingen gebeurd. De portier van de Four Seasons kreeg een kleine rol aangeboden in een televisie-trailer. De trailer had succes, en hij kreeg een steeds terugkomende rol erin. Nu is hij een acteur die in zijn eigen Mercedes naar de Four Seasons rijdt en voor wie de portieren worden opengehouden.'

'Ben jij ook acteur?'

'Nee. Ik ben danser, jazz, interpretatie, dat soort dingen. Maar als ze nog musicals maakten zoals in de tijd toen Gene Kelly en Fred Astaire nog leefden, zou ik bij de film zijn,' beweerde hij. 'In ieder geval is die baan om boodschappen in te pakken en schappen te vullen alleen maar om een dak boven mijn hoofd te hebben, terwijl ik vecht om er te komen. Ik deel een appartement met twee andere jongens, die allebei acteur zijn. Komen jij en je zus niet ergens uit het Midwesten?'

'Ja,' zei ik snel. Ik hoopte dat hij niet naar bijzonderheden zou informeren. Ik kende alle leugens niet die mamma en Richard over zichzelf hadden rondgestrooid.

'Ik kom uit Portland.'

We gingen de Egyptian Gardens binnen en ik bleef staan om mijn tweede zak met boodschappen van hem over te nemen.

'O, laat maar,' zei hij. 'Ik loop wel even mee naar het appartement van je zus. Ik heb geen haast. Ik hoef nergens op te wachten. Morgenochtend heb ik een auditie en dan hang ik rond bij de telefoon.' Hij lachte en we liepen over het pad naar mamma's gebouw. 'Je moet ons drieën eens zien als we allemaal ergens op af zijn geweest, en de telefoon gaat. We duikelen over elkaar heen. De laatste tijd hebben we alledrie een teleurstelling gehad, maar mijn geluk is aan het veranderen. Ik voel het.'

'Ik hoop het voor je,' zei ik.

'Dank je. Zie je, we kunnen geen vreemde meer voor elkaar zijn. Je wenst me nu al geluk.'

Hij liep met me mee de lift in en droeg mijn zak met boodschappen naar mamma's appartement.

'Dank je,' zei ik, toen hij me de boodschappen teruggaf.

'Gewoon een extra service van de Bay Market,' antwoordde hij met een verleidelijk glimlachje. 'Wat ga je de rest van de dag doen?'

'Eh... schoonmaken,' zei ik.

'Het is zo warm vandaag.'

'Het moet toch gebeuren,' zei ik.

'Als je even een rustpauze neemt, kom dan naar het zwembad, dan zal ik je aan een paar andere huurders voorstellen.'

'Dat zou leuk zijn,' zei ik aarzelend.

'Tot straks dan,' antwoordde hij, en liep naar de lift. Ik weet niet waarom ik heb gezegd dat ik misschien naar het zwembad kom, dacht ik. Ik heb niet eens een zwempak. Ik borg de boodschappen op en begon het appartement schoon te maken. Te oordelen naar de hopen stof en de spinnenwebben die ik vond, besefte ik dat mamma noch Richard veel had schoongemaakt sinds ze hier hun intrek hadden genomen. Het water in de emmer werd zwart toen ik twee of drie keer over de keukenvloer had geveegd. De ramen waren zo smerig dat de buitenwereld er zelfs op een zonnige dag grauw uitzag.

De badkamer was nog vuiler. In elke spleet en hoek zat hardnekkige schimmel, en toen ik een kleedje bij het bad verplaatste, maakte ik een luchtsprong achteruit, zo groot was het ongedierte dat eronder vandaan kroop.

Eindelijk ging ik naar de slaapkamers. De kleine bolletjes stof onder de bedden leken amaranten. Er was ook geen stofzuiger, zodat ik onder de bedden moest vegen en met de hand de plekken schoonmaken waar ik met de mop niet bij kon. Ik wist niet of mamma zou willen dat ik in haar en Richards laden kwam maar ik zag dat ze haar kleren niet beter opvouwde dan vroeger in Sewell. Toen deed ik ook het grootste deel van het wassen en strijken.

Kleren hingen over stoelen en een spijkerbroek en een blouse lagen in een hoop op de grond. Terwijl ik een van haar laden opruimde, vond ik een lichtroze, tweedelig badpak, en ik dacht aan Mel Jensens uitnodiging. Het was nog heel warm en zonnig buiten, en ik was toe aan een pauze.

Maar toen ik het badpak aantrok, zag ik dat het erg onthullend was. Ik wilde het uittrekken en op zoek gaan naar een ander, wat minder opzichtig badpak, maar het enige wat ik vond was een nog kleinere bikini.

Ik stond op en bekeek mezelf weer in de spiegel. Het badpak paste me goed. Mijn boezem was iets omvangrijker dan die van mamma, zodat het bovenstukje strak aansloot. Mijn heupen waren smaller, maar de bikini leek nieuw en was niet uitgerekt. Ik draaide rond, bekeek me van verschillende kanten en was niet ontevreden over wat ik zag. Ik hield niet van meisjes die pronkten met hun figuur, maar ik zag ook niet in waarom ik me zou schamen omdat ik een goed figuur had. Ik zou wel een bruin kleurtje kunnen gebruiken, dacht ik, en dacht aan Mel Jensens aardige, uitnodigende glimlach. Was ik moedig genoeg om in dit pak naar het zwembad te gaan? Alleen de gedachte al was opwindend.

Terwijl ik erover nadacht ging de telefoon. Het was Cary.

'Ik heb geprobeerd je eerder te bellen,' zei hij, 'maar toen ik het antwoordapparaat kreeg, besloot ik geen boodschap in te spreken. Je zou toch niet weten wanneer je moest bellen, ik loop voortdurend in en uit.'

'Ik was boodschappen doen.' 'Boodschappen? Waar ben je? Wat heb je tegen ma gezegd? Ik kan tegenwoordig helemaal niets meer onthouden. Wat gebeurt er?' Hij vuurde de vragen op me af zonder zich de tijd te gunnen op adem te komen. Ik vertelde hem over mijn confrontatie met mamma en vatte snel haar verhaal samen.

'Dus ze hebben het lichaam van een vreemde vrouw naar Provincetown gestuurd? Dat is niet te geloven. Dat is toch tegen de wet?' vroeg hij.

'Waarschijnlijk wel,' zei ik.

'En de vrouw die in dat graf ligt? Is iemand naar haar op zoek?'

'Ik ken niet alle bijzonderheden, maar er zijn hier veel mensen die hun familie voorgoed hebben achtergelaten. Bovendien geloof ik dat voornamelijk Richard Marlin de hand hierin had,' zei ik. 'Mamma lijkt... onder zijn invloed, maar ik ben van plan haar hier weg te halen,' zei ik, en legde hem uit waarom ik in Los Angeles wilde blijven en wilde proberen haar uit Richards greep te bevrijden.

'Misschien wil ze niet daaruit bevrijd worden, Melody,' zei Cary.

'Ik moet het proberen.'

'Waarom? Ze gaf geen steek om jou. Kijk maar eens wat ze gedaan heeft. Als je vriendin in West Virginia die foto in de catalogus niet had gezien, denk je dan dat je moeder je ooit nog gebeld zou hebben?' argumenteerde hij. 'Ze was net als die andere mensen die je noemde, mensen die hun familie zijn vergeten.'

Ik wist dat hij alleen maar wilde dat ik thuis zou komen bij hem, al was het wel een beetje waar wat hij zei.

'Dat is het nou juist, Cary. Ik héb de foto gezien en ik héb haar gevonden en ik weet dat ze me nodig heeft. Op een dag zal ze hier helemaal alleen zijn. Als Richard eenmaal tot de slotsom komt dat er verder niets uit haar te halen valt, laat hij haar in de steek.'

'Dat had ze zelf moeten bedenken. Jij hoort daar niet,' hield hij vol. 'Ze zijn misdadigers, die het lichaam van een vreemde sturen om te laten begraven als dat van je moeder. Grootma Olivia zal razend zijn.'

'Misschien is het beter haar voorlopig nog niets te vertellen.'

'Wat moet ik doen als ze ernaar vraagt. Liegen? Is dat wat je leert in L.A.?'

'Nee.'

'Je moeder is een goede lerares,' mompelde hij. 'Dat weten we allebei.'

'Hoor eens, Cary, wat ze ook gedaan heeft, ze is nog steeds mijn moeder. Jij zou er net zo over denken.'

'Nee, dat zou ik niet' zei hij kalm, en ik hoorde de droefheid in zijn stem.'

'Hoe gaat het met je vader?' vroeg ik.

'Er is geen verandering in zijn toestand. Hij ligt nog steeds op de hartbewaking in het ziekenhuis. Het regende hier vanmorgen, het onweerde zelfs even, dus zijn we niet weggegaan met de boot. Ik vertrouw op de veenbessenoogst om ons door de winter heen te helpen. Er komt straks een hoop werk aan de winkel.'

'Misschien kan ik terugkomen om te helpen,' opperde ik. 'En dan wat, terug naar L.A.?'

'Ik weet het gewoon niet, Cary.'

'Waarschijnlijk heb je het daar erg naar je zin. Hollywood,' zei hij minachtend. 'Heel wat aantrekkelijker dan in een oud huis wonen en veenbessen oogsten. Ik kan het je niet kwalijk nemen,' zei hij op vermoeide toon. 'Ik wou dat ik ook kon weglopen van mijn verantwoordelijkheden.'

'Ik loop niet weg van mijn verantwoordelijkheden, Cary Logan.

Ik loop ernaartoe. Ik probeer mijn moeder te helpen,' zei ik nadrukkelijk, vastbesloten het hem aan zijn verstand te brengen.

'Ja. Nou ja, je weet waar je me kunt bereiken. Bel eens, *als je tijd hebt*,' zei hij, zonder zijn frustratie en woede te verbergen.

'O, Cary, je weet dat ik zal bellen.'

'Ik moet naar het ziekenhuis,' zei hij. 'Ik heb ma daar achtergelaten met May. Dag.'

'Cary.'

De lijn was dood. Ik bleef even staan met de hoorn in mijn hand en legde hem toen neer. Mijn hart leek van koude steen. Cary kon niet goed tegen droefheid en ontberingen. Hij werd introvert en klapte dicht als een oester. Zo had ik hem aangetroffen toen ik bij oom Jacob en tante Sara kwam wonen, en het had een tijd geduurd voor hij zelfs maar twee vriendelijke woorden tegen me zei. Ik vond het vreselijk dat ik niet bij hem was nu hij me zo hard nodig had.

Maar toen ik om me heen keek in dit kleine appartement en aan mamma dacht, die zich zo volledig door Richard liet overheersen, wilde ik dat er twee van me waren. Dan zou ik mijn andere ik terugsturen naar Provincetown. Ík had een van een tweeling moeten zijn, niet Cary, dacht ik.

Een hartelijk gelach klonk onder de patio. Twee jonge vrouwen liepen over het pad naar het zwembad. Ze droegen allebei een bikini, nog kleiner dan de mijne.

Ik heb gewoon even rust nodig, dacht ik, een kleine onderbreking van al die moeizame gedachten. Even zal ik net doen of ik een van hen ben. Mijn enige angst was dat de waanzin die hen voortdreef, wat die ook was, aanstekelijk zou zijn en dat wat Cary suggereerde uit zou komen. Dan zou ik het gemakkelijker gaan vinden om weg te vluchten in mijn dromen en fantasieën, en me net als alle anderen hier, er niet om bekommeren of ze in enig redelijk verband stonden met de waarheid.

Ondanks die angst, zocht en vond ik een strandlaken onderin de kast en een paar sandalen. Ik pakte mamma's badjas met de koffievlekken en brandgaatjes van sigaretten en trok die aan. Toen liep ik naar het zwembad en hield mezelf voor dat het maar voor heel even was. Niets aan de hand. Nee toch?

'Dit is Melody Simon,' zei Mel Jensen tegen de stevig gebouwde man met het lichtbruine haar die op de ligstoel naast hem lag. 'Melody, Bobby Dee,' zei Mel.

'Hoe maak je het,' mompelde Bobby Dee. Hij hield de reflector onder zijn kin en keek even naar me.

'Bobby is drummer van de Gross Me Outs, een rockband die vorige week hun eerste single hebben uitgebracht.'

'O, gefeliciteerd,' zei ik. Bobby Dee bromde wat. Mel trok een ligstoel bij, zodat ik naast hem kon liggen. Aan de andere kant van het zwembad lagen Sandy en twee vriendinnen van haar te zonnen, omringd door twee andere jongemannen. Iedereen keek naar me toen ik mamma's badjas uittrok en netjes op de stoel uitspreidde. Mels glimlach werd breder.

'Je moet wat zonnecrème opdoen,' zei hij. 'Je ziet nogal bleek op de plaatsen die kennelijk al een tijdje de zon niet meer hebben gezien.' Hij overhandigde me zijn fles zonnebrandolie.

'Dank je,' zei ik en smeerde wat olie op mijn armen en benen.

'Ik zal je rug wel voor je doen,' bood hij aan.

'Pas op. Dat is de manier waarop hij begint,' mompelde Bobby Dee. 'Eerst is het de rug, dan volgen de armen en dan...'

'Hou je grote mond,' zei Mel. Hij pakte de fles olie en ging achter me staan. Zijn handen voelden warm op mijn huid, maar de olie was koud, en ik sprong op.

'Hij is de jongen met de magische aanraking.' Bobby liet zijn reflector zakken en keek me deze keer echt aan. 'Je zingt zeker niet? We zoeken een nieuwe leadsinger.'

'Ik zing als ik op de fiedel speel,' zei ik. 'Maar ik ben niet goed genoeg om het in een band te doen.'

'De fiedel? Bedoel je country music?'

'Ik denk het,' zei ik. Mel smeerde olie op mijn armen en toen mijn schouders en hals. 'Dank je,' zei ik. Ik had het gevoel dat hij, als ik niets zei, de hele middag ermee bezig zou zijn.

'Geen probleem.'

'*Hells'a Poppin* heeft een fiedelspeler in hun band,' zei Bobby. 'Ze hebben een optreden in de valley, op het marktplein bij Ventura. Wel eens van ze gehoord?'

'Ze is hier net, Bobby. Ze weet niet eens wat je bedoelt met de valley,' zei Mel.

'O, ja?' Hij nam me even aandachtig op en keerde toen weer terug naar zijn reflector.

Sandy en een van haar vriendinnen doken het water in en zwommen naar ons toe. De jongemannen sprongen hen achterna.

'Hai,' riep Sandy en richtte zich op in het water om naar me te kijken.

'Hai.'

'Ik zie dat je Mel hebt leren kennen,' zei ze.

'Op mijn kantoor,' zei Mel.

'Pas op, hij bijt,' waarschuwde ze lachend, en duwde zich af van de kant.

'Waarom waarschuwt iedereen me voor je?' vroeg ik. 'Jaloezie,' zei hij. 'Pas op voor het groenogige monster. Uiteindelijk neemt het iedereen hier in bezit.'

Bobbie gromde.

'Moet je horen wie dat zegt,' zei hij. Mel draaide zich met een ruk naar hem toe.

'Ben jij soms niet jaloers op Tommy en de Loafers?' vroeg Mel.

'Puur geluk dat zij dat contract kregen in plaats van wij,' antwoordde Bobbie.

'Toch ben je jaloers,' zei Mel. 'Zie je nou?' vroeg hij aan mij. Ik glimlachte, leunde achterover en sloot mijn ogen. Iemand zette een radio aan en de muziek kwam onze kant uit. De zon was warm. Om me heen werd gelachen. Het was gemakkelijk je problemen te vergeten. Ik zou hier best gewend aan kunnen raken, dacht ik beschaamd.

'Ga je vanavond naar Sandy's party?' vroeg Mel.

'Ik geloof het wel.'

'Goed.'

Ik deed één oog open en keek naar hem. Hij lag op zijn zij en draaide zich naar me om.

'Neem je fiedel mee naar Sandy vanavond,' zei hij.'

'Ik heb hem niet meegenomen naar Californië,' zei ik.

'Nee? Waarom niet?'

'Ik... ik dacht niet dat iemand hier een fiedelspeler zou willen horen,' zei ik.

'Heeft Jerry geen fiedel?' vroeg Mel aan Bobby.

'Ja. We zullen hem voor je opdiepen. Ik zal hem vanavond meebrengen.'

'Nee, liever niet. Zo goed ben ik niet,' zei ik.

'Als er één plaats is waar bescheidenheid niet werkt, is het L.A.,' zei Mel. 'Hier vinden ze het raar als je niet je eigen loftrompet blaast.'

'Dan vinden ze me maar raar,' zei ik, 'want dat doe ik niet.' Bobby lachte.

'Ze speelt fiedel, stommerd,' zei hij, 'geen trompet.'

'Je bent vast goed,' hield Mel vol. Ik gaf geen antwoord. 'Kom mee,' zei hij en gaf me een por, 'laten we nat worden.'

Hij stond op en dook het water in, een soepele, sierlijke duik die nauwelijks enig gespetter veroorzaakte.

'Kom erin,' zei hij, toen hij bovenkwam. 'Het is heerlijk water.'

Ik keek naar Bobby, die zijn schouders ophaalde en zei: 'Ik heb van de week al een bad genomen.'

Mel was aan het watertrappen en Sandy en de andere meisjes begonnen water naar hem toe te spatten. Hij spatte terug. Ze schenen veel plezier te hebben, dus stond ik op en ging op de rand van het zwembad zitten. Mel zwom naar me toe en pakte me bij mijn enkels.

'Kom. Je verdrinkt niet. Het is maar anderhalve meter diep.' Hij trok en ik duikelde naar voren, viel in zijn armen en in het water. De meisjes kwamen me te hulp en bespatten hem zo erg dat hij onder moest duiken. Ik deed mee, maar toen ze naar me omdraaiden sperden ze geschokt hun ogen open. Ik wachtte nieuwsgierig af.

'Wat is er?' vroeg ik.

Sandy zwom naar voren.

'Je badpak,' zei ze, en ik keek omlaag naar het bovenstukje van mamma's bikini. In het water werd het badpak doorzichtig. Ik was zo goed als naakt.

'O, nee,' jammerde ik en sloeg mijn armen om mijn borsten.

'Wacht even,' zei Sandy en klom het water uit. Ze pakte mijn handdoek van de ligstoel en kwam terug. Ik hees me het water uit en ze sloeg de handdoek om me heen. Iedereen keek naar ons en sommige mannen die waren aangekomen schudden vrolijk hun hoofd. Zelfs Bobbie Dee lachte me uit.

Ik voelde me dodelijk verlegen. Mijn gezicht en zelfs mijn lichaam waren zo rood geworden dat het leek of ik flink door de zon verbrand was.

'Dank je,' zei ik tegen Sandy. 'Het is een badpak van mijn... moe... mijn zus. Ik wist niet dat het doorzichtig zou worden,' legde ik uit. Ik keek naar de anderen, griste de sleutels van het appartement van de tafel en vluchtte weg.

Toen ik in de flat kwam, bekeek ik mezelf in de spiegel. Het badpak was kennelijk niet bedoeld om mee het water in te gaan, dacht ik. Snel trok ik het uit, droogde me af en trok mijn kleren aan. Terwijl ik bezig was mijn haar te drogen, hoorde ik de bel. Het was Mel, die me de rest van mijn spulletjes bracht.

'Nou, dat was een dramatische aftocht,' zei hij toen ik opendeed. 'Je bent absoluut een actrice. Je hebt een diepe, eerste indruk gemaakt.'

'Dank je wel. Ik was liever níet opgevallen. Ik besefte niet dat die bikini niet bedoeld was om in te zwemmen. Ik had het uit de la van mijn zus gehaald.'

'Uitleg overbodig. Het beviel me wel,' zei hij, terwijl hij zich dicht naar me toe boog.

'Ik vraag me af waarom,' zei ik sarcastisch, en nam toen mijn badjas en sandalen aan. 'Bedankt voor het brengen.'

'Geen probleem. Zie je bij Sandy,' zei hij. 'Aangekleed?'

'Ik durf mijn gezicht niet te laten zien,' jammerde ik.

'Doe niet zo mal. Iedereen begrijpt het. Zoiets gebeurt hier geregeld.'

'Mij niet,' riep ik uit. Hij lachte toen ik de deur dichtdeed.

Toen mamma en Richard Marlin thuiskwamen, nam ik mamma terzijde en vertelde haar wat er gebeurd was.

'O, ik ben nog nooit bij dat zwembad geweest,' zei ze. 'Die pakken gebruik ik in mijn modellenwerk. Je moet niet te vaak in de zon zitten op mijn leeftijd. Daar krijg je rimpels van,' verklaarde ze.

'Het was heel pijnlijk,' zei ik, maar ze lachte alleen maar.

'Ik wed dat het je onmiddellijk populair heeft gemaakt bij de jongemannen hier,' zei ze met een tikje jaloezie in haar stem.

'Ik ben liever niet zo populair.'

'Natuurlijk wel. Hoe meer mannen er naar je kijken, hoe belangrijker je bent,' zei ze. 'Neem de tijd ervoor en bekijk ze allemaal stuk voor stuk. Je hebt jaren en jaren de tijd voor je doet wat ik heb gedaan, je aan één man ketenen.'

'Was het zo voor jou, mamma? Voelde jij je gevangen?'

'Ja,' bekende ze vlot. 'En denk er alsjeblieft aan dat je me geen mamma noemt,' fluisterde ze.

Richard kwam de keuken uit.

'Je hebt heel wat gekocht,' zei hij. 'Er is zomaar eens echt iets te eten in huis.'

'Nou, vanavond hoeven we ons daar geen zorgen over te maken. We gaan naar Sandy's party,' bracht mamma hem in herinnering.

'Ik kan niet, zus. Niet na wat er vanmiddag gebeurd is.'

'Onzin, Melody.'

'Wat is er vanmiddag gebeurd?' vroeg Richard. Mamma vertelde het hem en hij lachte. Toen keek hij mij ernstig aan.

'Ik geloof dat ik werk voor je heb. Ik heb je beschreven aan die producer en hij wil je morgen ontmoeten. Als ik Gina heb afgezet bij het winkelcentrum, breng ik jou naar de studio.'

'O, Melody, dat is geweldig, en zo gauw al. Nu zullen de meisjes hier werkelijk sterven van jaloezie.'

'Het groenogige monster,' zei ik knikkend, denkend aan Mels woorden.

'Wat?'

'Niets. Wat voor werk is het?' vroeg ik aan Richard. 'Wat moet ik demonstreren?'

'Doe niet zo slim. Toevallig is het acteerwerk,' zei hij, 'in een onafhankelijke film.'

Ik keek naar mamma die stralend terugkeek.

'Maar ik heb nog nooit geacteerd,' zei ik.

'Dan leer je het wel,' zei Richard. Hij keek om zich heen en knikte. 'Ze heeft goed werk gedaan in de flat, vind je niet, Gina?'

'Ja. Dank je, schat.'

'Misschien, misschien pakt het allemaal toch nog goed uit,' zei Richard, glimlachend als de Cyperse Kat uit Alice in Wonderland. Het was die glimlach die een rilling over mijn rug deed lopen. Plotseling voelde ik me als een in de hoek gedreven muis.

Het kleine incident bij het zwembad maakte me de ster van Sandy's party. Zodra wij drieën binnenkwamen, ging er een gejuich op. Ik voelde me gegeneerd door de belangstelling, maar vond iedereen erg vriendelijk. De party was al in volle gang toen we aankwamen, want mamma had er eeuwig over gedaan om zich op te maken en te besluiten hoe ze haar haar wilde doen.

'Bovendien,' zei ze tegen me, 'is het in Hollywood een teken van zwakte als je op tijd komt. Je moet altijd chic te laat komen.'

Mel had Sandy geholpen met het eten, had haar dingen gebracht die kant-en-klaar in de supermarkt te koop waren. Ze begonnen met cd's maar Bobby Dee en zijn band begonnen te spelen toen er meer gasten arriveerden. Het appartement was niet veel groter dan dat van ons en het leek me dat iedereen die in het complex woonde er was, en het duurde niet lang of iedereen was aan het dansen. Zelfs degenen die bleven staan praten bewogen zich op het ritme van de muziek terwijl ze spraken. Als pret ooit aanstekelijk was, dan was dat hier het geval, dacht ik. Onwillekeurig zwaaide en bewoog ik me mee op de muziek en het gelach om me heen.

Bijna alle gesprekken die ik hoorde gingen over audities, rollen, agenten en producers. Wat me het meest verbaasde was hoe gemakkelijk iedereen mamma accepteerde als iemand van ongeveer hun eigen leeftijd. In haar micro mini en haar zwarte tanktop, met haar haar naar achteren in een paardenstaart, leek ze inderdaad meer mijn zus dan mijn moeder. Ik begreep waarom de leugen zo gemakkelijk geaccepteerd werd.

Mijn gedachtegang werd onderbroken toen Mel me ten dans vroeg. Terwijl we rondwervelden in de kamer zag ik dat Richard was weggelopen om met twee aantrekkelijke vrouwen te praten, terwijl mamma danste met iemand die zich Stingo noemde. Nu en dan keek ze naar mij en lachte. Ze zag er gelukkig uit, alsof ze een verjongingskuur had ondergaan. Was het echt mogelijk om de tijd terug te draaien en weer jong te zijn?

Plotseling hield Bobby's band op met spelen en hij vertelde de aanwezigen dat er een nieuw talent in hun midden was, een frisse, onschuldige stem. Ik had geen idee over wie hij het had, tot hij de fiedel tevoorschijn haalde en mijn naam afriep. Mamma keek even verbaasd als ik.

'Nee,' zei ik bevend, 'ik heb je gezegd dat ik niet zo goed ben.'

'Dat zullen wij wel beoordelen,' verklaarde Bobby. 'Laat dat maar gerust aan ons over,' ging hij lachend verder.

'Toe dan,' drong Mel aan.

'Ik kan niet. Ik...'

'Doe het nou maar, anders blijft hij je lastigvallen. Zo is Bobby.'
Met tegenzin liep ik naar voren en iedereen juichte. Mamma en Richard stonden naast elkaar en keken belangstellend en verbaasd toe. Hoewel Richard voldaan keek, kwam er een vreemde uitdrukking op mamma's gezicht. Als ik niet beter had geweten, zou ik hebben gedacht dat ze jaloers was.

'Dit is een liedje dat een oude vriend me heeft geleerd,' begon ik, terwijl ik de fiedel aannam. Alle aanwezigen werden stil, maar ik probeerde niet aan ze te denken. Ik dacht aan pappa George en hoe fijn hij het vond als ik voor hem speelde. 'Het is een oud volksliedje uit de bergen over een vrouw wier minnaar sterft in een ruzie. Ze treurt zo intens om hem dat haar haar in een vogel verandert en wegvliegt om zich bij zijn ziel te voegen.'

Iemand lachte en iemand anders zei: 'Wees stil, idioot.'

Ik hief de strijkstok op en begon. Eerst zong ik heel zacht, toen liet ik mijn stem luider klinken en sloot mijn ogen. Toen ik eindigde, heerste er een doodse stilte.

'Dat was prachtig,' zei Mel, net luid genoeg dat iedereen het kon horen. Er klonk een instemmend gemompel en toen volgden er een luid applaus en toejuichingen.

'Het ziet ernaar uit dat je een echt goede, nieuwe cliënt hebt, Richard,' schreeuwde Bobby door het vertrek. Richard knikte lachend.

'Herken ik talent als ik het zie of niet?'

'Is dat een vraag?' riep iemand, en er klonk nog meer gelach. Bobby en zijn band begonnen weer te spelen en de wilde, vrolijke stemming keerde terug.

'Dat was heel aardig,' zei mamma, die naar me toekwam. 'Je hebt er geen gras over laten groeien om iedereen te leren kennen en te laten weten dat je viool en fiedel speelde.'

'Dat heb ik niet gedaan. Ik...'

'Maar ik geloof echt niet dat dit soort muziek tegenwoordig nog succes heeft in Hollywood, Melody, dus verwacht er niet te veel van.'

'O, ik verwacht helemaal niet dat de fiedel me beroemd zal maken. Ik wilde nu ook niet spelen. Daarvoor ben ik niet hier.'

Ze lachte.

'Of misschien wél,' zei ze met een knipoog. zonder verder iets te zeggen pakte ze de arm van een lange, donkere jongeman en ging weer dansen.

Toen ik door de kamer liep, werd ik van alle kanten gefeliciteerd met mijn optreden en Sandy omhelsde me.

'Je bent geweldig,' zei ze. 'Jij gaat het maken.'

'Het maken? Wat maken?'

'Je krijgt succes, malle,' zei ze en holde weg om te gaan dansen.

Mel kwam naast me staan.

'Je hebt een hit. Niemand is ooit in dit complex gekomen en heeft zo gauw ieders aandacht getrokken,' zei hij.

'Dat wil ik helemaal niet.'

'Wat wil je dan wél? Een baan in de supermarkt? Die kan ik je wel bezorgen,' plaagde hij. 'Ik denk dat je meer wilt, net als wij allemaal.'

'Nee,' hield ik vol.

Ik keek om me heen naar de verzameling hoopvolle, jonge mensen. Iedereen geloofde dat er iets geweldigs zou gebeuren, als ze maar hard genoeg hun best deden. Ze kwamen overal vandaan, het oosten, het Midwesten, Noord-Californië, en allemaal wachtten ze op hun doorbraak. Het was niet verkeerd om ambitie te hebben, maar er was een grens, een verschil, tussen ambitie en valse dromen, dromen die alleen maar verdriet en teleurstelling zouden brengen. Ik had geen idee waar die grens liep of wie die overschreed, maar ik zou het niet doen, zwoer ik bij mezelf. Toch kon ik begrijpen hoe gemakkelijk je verleid kon worden om in sprookjes te geloven. Ik kon niet ontkennen dat de complimentjes en aanmoedigingen me hadden doen dagdromen dat ik een beroemd musicus zou worden.

Cary's woorden galmden door mijn hoofd. *Het is aantrekkelijker dan in een oud huis wonen en veenbessen oogsten. Ik kan het je niet kwalijk nemen.*

'Ik ben moe,' zei ik tegen Mel, toen mijn gedachten weer terugkwamen op de aarde. 'Ik heb een vermoeiende dag achter de rug.' Ik lachte naar hem en pakte mamma's arm zodra ze mijn richting uit danste. 'Ik ga terug naar onze flat. Ik ben moe, zus.'

'Zoals je wilt.' Ze hoorde me nauwelijks. Ze ging veel te veel op in het dansen.

'Hé, het is nog vroeg,' zei Mel, toen ik naar de deur liep.

'Jetlag, denk ik,' antwoordde ik kortaf.

'Je zult een hoop plezier missen. De avond is nog niet eens begonnen,' probeerde hij me over te halen. Hij hield nog steeds mijn hand vast.

Voorzichtig trok ik die terug.

'Er komen nog meer plezierige tijden,' zei ik. 'Dank je.'

Zijn teleurstelling stond duidelijk op zijn gezicht te lezen.

'Ja, je bent altijd welkom. Wanneer je maar wilt,' zei hij, en draaide zich om.

Ik glipte snel weg en liep de gang door naar ons appartement. Toen ik de deur achter me dichtdeed, liet ik mijn ingehouden adem ontsnappen. Mijn gezicht was verhit. De bries die door het raam naar binnen woei was te warm om me af te koelen, dus ging ik naar de patio en ging zitten, uitkijkend over de daken van de gebouwen heen naar de stralende sterren.

Ik vroeg me af of Cary duizenden kilometers ver weg naar dezelfde sterren keek. Ik miste de manier waarop ze fonkelden boven de oceaan, en hoe ik een wens deed bij een vallende ster als ik over het strand liep. Was de zee vanavond kalm? Kabbelden de golven zachtjes op het strand? Ik wilde dolgraag Cary's stem horen, maar ik wist dat het te laat was om hem te bellen. Iedereen zou nu waarschijnlijk slapen, dacht ik.

Ik hoorde het alarm van een auto afgaan op de straat voor het gebouw. Het geluid leek op een gewond dier, een gewonde zwerfhond. De hoge gil duurde ruim twee minuten voordat hij ophield. Toen was het weer betrekkelijk rustig. Mijn oogleden vielen dicht. Ik stond op en maakte me gereed om naar bed te gaan. Zodra mijn hoofd op het kussen lag, sliep ik.

Maar een paar uur later werd ik gewekt door het lachen van mamma en Richard. Ze stommelden het appartement in; ze leken allebei dronken en er niet om te geven hoeveel lawaai ze maakten. Mamma schreeuwde. 'Waar is mijn talentvolle zusje?' Ze lachte en kwam in mijn deuropening staan. 'De hit van de party. Hoe vind je die, Richard?'

'Prachtig,' riep hij, en ze lachten weer. Ik deed net of ik sliep, maar keek door mijn wimpers en zag haar zwaaiend op de drempel staan. 'Iedereen vond het erg cool, Melody... een hit zijn en dan vroeg weggaan. Heel cool. Ik schijn je meer geleerd te hebben dan ik dacht,' zei ze. 'Maar vergeet niet wie je lerares is.'

'Kom in bed, Gina.'

'Ik kom.'

Ze stond in de deuropening en keek me nijdig aan. Ik bewoog me niet.

'Slaap lekker, zus,' zei ze. Toen lachte ze, veegde haar voorhoofd af en stommelde weg. Ik hoorde iets met een plof op de grond vallen en ik hoorde haar vloeken.

'Ga naar bed voor je het hele appartement vernielt en al het goede werk bederft dat je zus heeft gedaan,' plaagde Richard.

Mamma vloekte weer en ging naar hun slaapkamer en sloeg de deur achter zich dicht. De hele flat trilde in zijn voegen.

Ik hoorde hun gedempte stemmen door de muren heen. Mamma sprak met stemverheffing en Richard gilde iets. Daarna hoorde ik mamma snikken en jammeren. Eindelijk werd het rustig.

Ze kan hier niet gelukkig zijn, dacht ik. Dat kan ze gewoon niet. Morgen, morgen zal ik beginnen met haar te praten over teruggaan. Ik zal haar herinneren aan mijn erfenis en dat we genoeg geld zullen hebben en dat ze kan doen wat ze wil, als ze maar eens ophield met proberen iemand te zijn die ze niet is.

Het was als in het land van de geesten. Iedereen probeerde iemand anders te zijn en hun ware ik zweefde om hen heen, wachtte om terug te keren in het verloren lichaam. Ironisch genoeg was dat wat mamma moest doen... terugkeren tot haar lichaam, haar eigen naam, de identiteit die ze had begraven in een graf in Provincetown.

Zou ze ooit weer Haille Logan willen zijn?

Ik hoopte het, want Haille Logan was mijn moeder.

9. Eerste opname

Ik werd wakker door hetzelfde geschreeuw en de gedempte uitroepen die ik had gehoord voordat ik in slaap viel. Maar toen ik opstond, me aankleedde en koffie ging zetten was alles weer rustig. Richard kwam als eerste met een woedend gezicht tevoorschijn. Hij schonk koffie in voor zichzelf en begon hardop te mompelen.

'Het is soms net of je een kies laat trekken. Ik hoef dit toch niet te verdragen? Ze doet net of ze me een gunst bewijst. LATEN WE EVEN GOED BEDENKEN WIE WIE EEN GUNST BEWIJST!' schreeuwde hij naar de slaapkamer.

'Wat is er aan de hand?' vroeg ik, en hij draaide zich met een ruk naar me om.

'Wat er aan de hand is? Er is van alles aan de hand. Zoals gewoonlijk had ze weer te veel gedronken, dankzij jou, en toen kreeg ze een van haar huilbuien en hield me de hele nacht wakker. Ten slotte viel ze in slaap en nu heeft ze een kater en voelt zich ellendig.'

'Door mij?' vroeg ik verward, maar hij negeerde mijn vraag.

'Ze ligt te kermen en met me te vechten. Ze weet dat ze op moet staan en er goed uit moet zien. MIJN REPUTATIE STAAT OP HET SPEL!' ging hij verder, weer schreeuwend in mamma's richting. Eindelijk kwam ze tevoorschijn. Ze had een zonnebril op en liep heel behoedzaam, alsof ze op eieren liep. Ze ging rechtstreeks naar de koffiepot.

'Je kunt die zonnebril niet de hele dag ophouden, Gina. Ik heb je gisteravond wel tien keer gezegd dat je moest ophouden met drinken. Ja toch?' zei hij woedend.

'Ik voel me best,' zei ze.

'O, ja. Je voelt je best. Je zult eruitzien en je gedragen of je halfdood bent, en ze zullen mij weer de schuld geven. Weer een markt verloren voor mij en mijn andere cliënten!' riep Richard uit.

'Je andere cliënten?' Ze probeerde te glimlachen, maar dat leek pijn te doen, want ze greep onmiddellijk naar haar voorhoofd.

'Wil iemand iets eten?' vroeg ik. Mamma gaf geen antwoord, maar Richard wendde zich af van mamma en keek naar mij.

'Nee. En kleed je aan,' snauwde hij. 'Je moet met ons mee. Ik ben niet van plan weer helemaal terug te rijden om jou op te halen. Je afspraak is in West L.A.'

'Aankleden? Ik ben gekleed.'

'Trek iets aan dat wat... meer sexy is. Heb je geen minirok of zo?'

'Nee, ik...'

'Kijk in Gina's kast,' beval hij. Mamma glimlachte.

'Ja, doe dat, Melody. Trek alleen niet mijn andere badpak aan.' Ze lachte.

'O, wat ben je weer grappig,' zei Richard. 'Ik draag alle verantwoordelijkheid. Ik ben degene die mijn nek uitsteekt. Het wordt tijd dat ik eens gewaardeerd word. Ik meen het,' zei hij streng.

Ze nam de zonnebril van haar neus. Haar ogen waren met bloed doorlopen en heel vermoeid.

'Ik waardeer het, Richard. Je hebt niet het recht te zeggen dat ik dat niet doe.'

'Nou, als je niet in topconditie bent als ik je aflever, stel je me in een slecht daglicht,' zei hij. Hij draaide zich naar me om.

'Zei ik niet dat je iets uit moest zoeken? We lopen al achter op ons schema omdat het zo lang duurde voor ik haar het bed uit kon krijgen.'

Ik keek naar mamma. Ze liet haar bril weer zakken en dronk haar koffie. Ze had me niet eens goedemorgen gewenst. Ik ging naar hun slaapkamer. Het leek of er een oorlog was uitgevochten in hun bed: de deken zat in elkaar gedraaid, het laken was omhooggetrokken, een van de kussens lag op de grond. De kleren die mamma gisteravond aan had lagen op haar schoenen gegooid naast het bed. Ik vond een minirok en bijpassende blouse in haar kast en trok ze aan.

'Dat lijkt er meer op,' zei Richard. 'Jullie moeten leren hoe je je beste beentje voor moet zetten als ik je ergens naartoe breng,' zei hij vermanend.

'Het zijn niet die beentjes waarvoor ze belangstelling hebben,' zei mamma lachend.

'Geestig. Laten we gaan,' beval hij.

Hij gaf me niet de tijd om iets op te ruimen. Ik had nog net de gelegenheid de koffie af te zetten voor hij ons het appartement uitjoeg, kwaad mompelend achter ons dat we hem onder druk zetten omdat het zo lang duurde voor we klaar waren.

'Hij is een slavendrijver,' zei mamma luid genoeg dat hij het kon horen. 'Maar hij heeft gelijk. Ik bof dat ik hem heb om voor me te zorgen.'

'Als hij zo goed voor je zorgt, waarom liet hij je dan zoveel drinken?' vroeg ik.

Ze keek me even aan en verstijfde.

'Dat heeft hij niet gedaan. Je hebt gehoord wat hij zei in de keuken. Hij probeerde me tegen te houden.'

'Waarom deed je het dan?' hield ik vol.

'Omdat ik niet de hit van de party ben zoals jij, Melody. Ik ben niet perfect, maar er zijn hier mensen die heel wat erger zijn,' zei ze luid, voornamelijk zodat Richard het zou horen.

'Ik ben niet perfect, mam... zus, en ik ging er niet naartoe om de hit van de party te zijn. Echt niet.'

'Laat maar. Wat doet het er trouwens toe wat die verliezers hier denken? De meesten zullen over zes maanden verdwenen zijn. Je zult het zien.'

Ik stapte achterin de auto en mamma ging voorin zitten. Geen van allen zeiden we iets terwijl Richard door de straten van de stad reed, vloekend op automobilisten, hardop mompelend waarom hij in een betere buurt hoorde te wonen.

'En daar zou ik ook wonen, als ik maar het soort medewerking kreeg dat ik nodig heb.'

'Het spijt me, Richard,' zei mamma, toen we de kleine parkeerplaats opreden. 'Ik weet dat ik me slecht heb gedragen.'

'Probeer het hier binnen beter te doen. Er komen belangrijke mensen in dit winkelcentrum en je zult gemakkelijk iemands aandacht kunnen trekken. Denk eraan wat ik je gezegd heb... bekendheid, bekendheid, bekendheid... dat is het spel.'

'Ja. Het spijt me,' zei ze en boog zich naar hem toe om hem een zoen te geven. Zijn stemming werd niet beter, hij bleef met kaarsrechte rug voor zich uit staren.

'Veel succes, schat,' zei ze. 'En luister goed naar wat Richard zegt.'

'Ik weet niet wat ik moet doen of...'

'Schiet op, Gina,' beval Richard. 'Je bent al een paar minuten te laat.'

'Ja, ik ga al,' zei ze, en stapte uit. Voor ik voorin kon gaan zitten, reed Richard al weg.

'Waar gaan we precies naartoe?' vroeg ik.

'Live Wire Studios,' zei hij. 'Een vriend van me wil me een dienst bewijzen en je een kans geven.'

'Maar ik begrijp het niet. Hoe moet ik acteren zonder ooit les te hebben gehad?'

'De regisseur leert je alles wat je moet weten. Het betaalt goed. Als je het goed doet, kunnen we een halfjaar huur verdienen met deze ene opdracht,' zei hij.

'Een halfjaar huur?' Zoveel geld, dacht ik, en het hing van mij af.

'Precies, en dat is nog maar het begin. Ik heb je moeder verteld hoe goed dit alles kan worden, maar soms moet ze zo nodig door-zakken. Het is niet gemakkelijk geweest voor me, wat je ook denkt.'

'Misschien is ze niet echt gelukkig hier,' opperde ik. Hij zweeg. 'Waarom zei je dat het mijn schuld was wat er gisteravond gebeurd is?'

'Je speelde haar van het toneel,' zei hij, 'en daar heeft Gina een enorme hekel aan, vooral door iemand die geacht wordt haar jongere zus te zijn.'

'Van het toneel spelen? Maar... dat was helemaal mijn opzet niet.'

'O, nee,' zei hij grijnzend. 'Jullie vrouwen doen nooit iets met opzet.'

'Het is toevallig de waarheid,' snauwde ik.

Ik keek naar buiten. De gebouwen en omgeving werden armoediger en verwaarloosder. Waar gingen we heen?

Eindelijk reden we een oprijlaan in. Ik zag een gebouw met een bord *Boekhandel voor Volwassenen.* De oprit liep eromheen naar een ander gebouw dat eruitzag als een aangebouwde garage, maar boven de deur was een bord bevestigd: *Live Wire Studios.*

'We zijn er,' zei Richard.

'Is dit een studio?'

'De meeste studio's zien er zo uit,' zei hij. 'Mensen die Hollywood niet kennen fantaseren erover en zien alles in een geromantiseerd licht. Het is gewoon een pakhuis, een fabriek die fantasie produceert in plaats van schoenen of stoelen. Dat is alles. Denk eraan,' waarschuwde hij, 'je bent eenentwintig. O, ik heb ze verteld dat je in een korte film bent opgetreden in West Virginia.'

'Wat?'

'Het is niets. Iedereen verzint hier zijn eigen verleden. De film heette *Cherry Blossom*. Jij speelde Cherry.'

'Wat?'

'Zeg niet aldoor "wat",' zei hij scherp. 'Vertel ze vooral niet meer over jezelf dan ze moeten weten. En doe snel wat de regisseur zegt, zonder vragen te stellen, begrepen? Je bent hier het grootste deel van de dag. Ik kom je om vijf uur halen.'

'Ga je niet mee?'

'Ik heb andere cliënten, andere afspraken,' zei hij geprikkeld. 'Ik kan niet op jou passen. Je wilt een filmster zijn, dit is de manier om te beginnen.'

'Ik wil geen filmster zijn,' zei ik. Ik staarde naar de vervallen ingang van het dofbruine gebouw. Ik zag dat er geen ramen waren.

'Nou, en? Verdraag de beroemdheid en rijkdom maar met een glimlach. Had ik maar zo'n pech.' Hij maakte mijn portier open. 'Kom, schiet op. Ik haal je om vijf uur af,' zei hij, en deed een stap achteruit.

Ik stapte langzaam uit, te langzaam naar zijn zin. Hij trok me aan mijn arm naar buiten.

'Schiet een beetje op, wil je? Iedereen moet zijn deel bijdragen om de zaak aan de gang te houden. Wat wil je, bij ons blijven en je brood verdienen of naar huis gaan?' vroeg hij dreigend. 'Kom op, wat wordt het?'

'Ik zal mezelf alleen maar voor gek zetten,' zei ik.

'Nou, en? Bovendien,' zei hij met een sluw lachje, 'zegt iets me dat je je niet voor gek zult zetten. Misschien word je wel een grotere ster dan je moeder ooit zal zijn. En dat heb je dan aan mij te danken.'

Hij stapte weer in de auto en knikte naar de deur van de studio.

'De naam van de regisseur is Parker, Lewis Parker.'

Hij keerde de auto en reed weg en liet me voor de studio staan. Ik haalde diep adem, slikte mijn verwarring en angst in en liep naar de deur. Die gaf toegang tot een donkere, smalle gang. Rechts was een piepklein kantoortje met een stapel papieren op het kleine bureautje en op de grond verspreide scripts. Een poster van een vrouw in een doorkijk-nachthemd, die gebogen stond over een man met handboeien, hing aan de muur boven het bureau. Eronder stond: SLAAPWANDELAARSTER. ZE WAS ZIJN MOOISTE NACHTMERRIE.

Ik liep de gang door naar een andere deur met een onverlichte rode lamp en de woorden VERBODEN TOEGANG WANNEER LAMP BRANDT. Ik klopte op de deur en wachtte en klopte toen opnieuw. Misschien was er niemand, dacht ik. Het zag er verlaten uit.

Plotseling ging de deur open en een jonge, zwarte man met krulhaar en spijkerbroek en een wijd T-shirt begroette me.

'Wat kan ik voor je doen?' vroeg hij.

'Ik ben Melody Simon,' zei ik hees.

'O, ja. Mooi. Parker, het andere meisje is er,' riep hij achterom.

'Ik ben Harris. Volg me,' zei hij, en draaide me zijn rug toe.

'Breng haar hier,' riep iemand achter hem, en Harris deed glimlachend een stap opzij.

'Kom,' zei hij.

Ik ging langzaam naar binnen. Overal zag ik kabels en lichten op palen. Ik zag drie camera's, die allemaal gericht waren op iets wat op een slaapkamer leek, waar een cameraman bezig was met de belichting.

Een mollig, platinablond meisje, dat er niet veel ouder uitzag dan ik, zat op de rand van het bed, met haar armen achter zich. Ze leunde met ontblote borsten achterover. In het geultje tussen haar borsten had ze een tatoeage van een omhoog kronkelende slang. Ze had alleen maar een piepklein slipje aan, en ze kauwde op klapkauwgom, blies een bel en liet die klappen voor ze hem met haar tong naar binnen haalde. Ik kon een kreet niet bedwingen.

Een dikke, kale man draaide zich met een ruk om in een stoel.

'Hierheen,' riep hij. 'Ik ben Lewis Parker. Ben jij het meisje dat Marlin heeft gestuurd? Hoe heet je ook weer?'

Ik was nog te geschokt om iets te kunnen zeggen. Ik schudde slechts mijn hoofd.

'Hé,' zei hij. 'We hebben geen tijd te verliezen. Ik moet vier scènes en twee set-ups doen vandaag.'

Toen hij opstond uit zijn stoel, zag ik dat hij erg dik was, en ik vroeg me af hoe hij in de stoel paste. Meer waggelend dan lopend kwam hij naar me toe. Hij bleef staan, bekeek me van top tot teen, en een tevreden grijns verspreidde zich als gesmolten boter over zijn hangwangen en dikke, vlezige lippen. Omdat hij zo dik was, leken zijn ogen klein en weggezonken in zijn grote hoofd.

'Marlin had gelijk,' zei hij. 'Een knapperdje. Geweldig. Delores!' schreeuwde hij, en een vrouw die in de vijftig leek, maar ook geblondeerd haar had en zwaar was opgemaakt, kwam achter een rek kostuums tevoorschijn. 'Zorg dat ze zich omkleedt en op de set komt, oké? En let erop dat ze er... onschuldig uitziet. Dat bevalt me. Goed.'

'Ja, Lewis.'

Ze kwam op me af.

'Hallo,' zei ze. 'Hierheen. We hebben geen kleedkamer.'

'Kleedkamer? Waarvoor hebben we een kleedkamer nodig?' zei Lewis Parker, en Harris en de cameraman lachten. 'We zijn vrienden onder elkaar.'

'Ik begrijp het niet,' zei ik. Ik schudde mijn hoofd en deed een stap achteruit. De halfnaakte, jonge vrouw ging rechtop zitten en toonde plotseling belangstelling voor me. 'Wat is dit? Wat voor soort film maakt u?'

'Wat dit is? Wat voor soort film we maken? Dit is Live Wire Studios,' zei Lewis Parker. 'Jij bent Melody... nog-wat, niet? Je hebt in een seksfilm opgetreden die... hoe heette die ook weer, Harris?'

'*Cherry Blossom*. Ze speelde de hoofdrol,' zei Harris.

'Precies. Dus je weet wat je moet doen. We hebben een strak schema.'

Lewis Parker liep terug naar zijn stoel. De cameraman keek naar mij en hield op met morrelen aan zijn apparatuur. Ik schudde weer mijn hoofd en deed nog een stap achteruit.

''Nee, ik doe dat soort dingen niet,' zei ik. 'Dat heb ik nooit gedaan.'

'Wat?' Parker draaide zich zo snel om als zijn dikke benen maar toestonden. 'Wat bedoel je, je doet dit soort dingen niet?'

'Ik weet niet wat Richard u heeft verteld, maar... maar ik kan dit niet doen!' riep ik uit.

'Hé!'

Ik draaide me om en holde de deur uit, de smalle gang af naar het parkeerterrein. Even bleef ik daar verward staan, onzeker welke richting ik moest nemen. Toen holde ik met bonzend hart de oprijlaan af naar de drukke straat. Toen ik op het trottoir stond, liep ik eerst de ene richting uit en toen de andere, en keek weifelend naar mijn omgeving. Ik stapte van het trottoir af terwijl de auto's langs me heen suisden. Een automobilist toeterde, en ik sprong haastig terug. Mijn hart klopte in mijn keel, de tranen stroomden over mijn wangen. Ik haalde diep adem en sloot mijn ogen. Richard moest geweten hebben wat voor soort film het was. Hij kon onmogelijk verwacht hebben dat ik die opdracht werkelijk zou aannemen...

'Beheers je,' zei ik streng tegen mijn wanhopige lichaam. Toen ik mijn ogen weer opendeed, zag ik een telefooncel naast het benzinestation aan de overkant van de straat. Ik dacht erover Dorothy te bellen en haar te vragen me door Spike te laten ophalen. Deze keer wachtte ik tot het licht op groen stond en liep toen snel naar de telefooncel. Ik zocht in mijn tas naar wat kleingeld. Pas toen ik met de hoorn in mijn hand stond en de muntjes erin wilde stoppen, besefte ik dat ik Holly's zus niet kon bellen. Haar man zou woedend op haar zijn als ze betrokken raakte bij zoiets als dit. Het was niet eerlijk haar dat aan te doen na alles wat ze voor mij had gedaan, dacht ik.

Maar ik wist niet waar ik was en hoe ik terug moest naar het appartement. Ik dacht even na en belde toen informatie en informeerde naar Mel Jensens telefoonnummer. Er waren drie Mel Jensens, maar ik wist dat ik de juiste had toen ik de Egyptian Gardens noemde. Ik kreeg het nummer en belde. Iemand nam op na de eerste bel.

'Hallo.'

'Is Mel Jensen daar?' vroeg ik.

'O,' zei de stem teleurgesteld. 'Wacht even. Het is voor jou,' hoorde ik hem zeggen, en Mel kwam aan de lijn.

'Hallo?'

'Het spijt me dat ik je stoor, maar ik wist niet wie ik anders moest bellen. Mijn zus werkt in het winkelcentrum en...'

'Melody?'

'Ja.'

'Waar ben je? Ik hoor een hoop verkeer.'

149

'Ik sta op een hoek. Ik ben verdwaald en... ik weet niet hoe ik terug moet en ik dacht...'

'Wat is het adres? Waar ben je?'

'Het adres?' Ik keek naar het straatbordje en las het hem voor.

'Oké. Ik weet waar dat is. Wacht daar op me,' zei hij. 'Het zal een minuut of twintig duren.'

'Dank je.'

Toen ik had opgehangen keek ik om me heen naar een plaats waar ik kon zitten om op hem te wachten, maar er waren geen banken, dus ging ik naar een café aan de overkant en bestelde een kop koffie. Ik dronk er nauwelijks van en staarde naar de klok. Toen er een kwartier verstreken was, liep ik naar buiten en ging weer op de hoek staan. Terwijl ik stond te wachten zag ik een man die Harris had kunnen zijn uit de studio komen en in een steeg verdwijnen. Bijna tien minuten later toen ik al zenuwachtig begon te worden, hoorde ik een claxon en zag Mel. Ik was nog nooit zo blij geweest iemand te zien. Hij stopte bij het trottoir en ik stapte vlug in.

'Wat doe jij hier in godsnaam?' vroeg hij.

Ik begon te huilen, hield mijn adem in en vertelde het hem.

'Marlin wilde dat je in een seksfilm speelde? Geweldige kans, hoor... Maar ze brengen goed geld op. Ik kan niet zeggen dat hij in dat opzicht loog. Weet je zus het?'

'Nee. Dus je denkt dat Richard wist dat het zo'n film was?' vroeg ik.

'Wat dacht je dan? Dat soort baantjes is echt iets voor Marlin. Maar je hebt er verstandig aan gedaan om weg te lopen. Die dingen kunnen je blijven achtervolgen als je fatsoenlijk werk krijgt en een ster wordt.'

'Ik wil geen ster worden. Daarom ben ik niet hier,' protesteerde ik. Wilde dan niemand me geloven?

'Waarom ben je dan hier?'

'Alleen voor een bezoek,' zei ik. Na een ogenblik voegde ik eraan toe: 'Maar nu ik hier ben, hoop ik dat ik mijn zus kan overhalen met me mee naar huis te gaan.'

Mel lachte.

'Ik ken je zus niet zo goed, maar ze ziet eruit of ze aan de haak zit, net als wij allemaal. Hoop maar niet teveel.'

Nu ik in zijn auto zat en we wegreden van Live Wire Studios begon mijn paniek te zakken en mijn hart weer wat normaler te kloppen.

'Heel erg bedankt dat je me bent komen halen,' zei ik.

'Je stem klonk doodsbang. Ik heb de auto van mijn kamergenoot geleend. Ik heb zelf geen auto.'

'O. Aardig van hem om je de auto te lenen.'

'Ja. Waarom ging je gisteravond zo vroeg weg?'

'Ik was doodmoe. Je hebt niet gezien hoe smerig het appartement van mijn zus was en hoe hard ik gewerkt had.'

Hij lachte.

'Dat geloof ik. Ze is niet de ideale huisvrouw, hè?'

'Nee. Dat is ze nooit geweest.'

'Hebben je ouders haar verwend?'

'Mijn vader wél,' zei ik. Dat was niet zo'n grote leugen. 'Hij en ik deden tenslotte het meeste werk, we kookten zelfs.'

'En je moeder?'

'Die is gestorven toen we nog heel jong waren.'

'O, sorry.'

'Ik kan niet geloven dat Richard me zoiets wilde laten doen,' mompelde ik, nog steeds geschokt.

'Het verbaast me niets. Voor een manager of een agent is het gemakkelijk verdiend geld.'

'Ik moet een andere manier vinden om geld te verdienen zolang ik hier ben,' zei ik.

'Ik kan je altijd een baan in de supermarkt bezorgen,' zei hij, maar half in scherts.

'Zou je dat kunnen?'

'Zou je dat willen?'

'Ik wil alles doen, alles, behalve wat Richard me wilde laten doen,' antwoordde ik.

'Oké, ik zal ervoor zorgen. Ik zou wel ergens iets met je gaan eten, maar ik moet naar mijn werk. Ik heb middagdienst vandaag.'

'Dat geeft niet. Je hebt al zoveel voor me gedaan.'

'Als je me eens beloonde door vanavond met me te gaan eten?'

'Noem je dat een beloning?' vroeg ik lachend.

'Ik hou van je gezelschap,' zei hij glimlachend. 'Nou? Ik ben om half zeven klaar. We kunnen om een uur of zeven weg. Hou je van

Italiaans? Ik ken een uitstekend klein restaurant, maar twee blokken bij ons vandaan.'

'Oké,' zei ik. 'Maar ik hoor jou mee uit te nemen. Ik wou dat ik het me kon permitteren.'

'Maak je geen zorgen. Ik trakteer.'

Ik bedankte hem weer toen we bij de Egyptian Gardens kwamen. Toen hij me had afgezet, liep ik rechtstreeks naar het appartement en trok haastig mamma's minirok en blouse uit en mijn eigen kleren weer aan. Ik was intussen kalm genoeg om een lunch voor mezelf klaar te maken. Daarna ging ik nog wat schoonmaken om mijn gedachten af te leiden van wat er gebeurd was. De rest van de middag bracht ik door op de patio met het lezen van mamma's filmbladen. Even na vijf uur hoorde ik haar en Richard binnenkomen. Ik stond op en liep naar binnen om hen in de zitkamer te begroeten.

Richard stond met zijn handen op zijn heupen en keek me woedend aan. Mamma keek bijna even kwaad; ze had haar vuisten gebald.

'Wat heb je gedaan, Melody?' vroeg mamma zacht. 'Wat heb je Richard aangedaan?'

'Wat ze me heeft aangedaan?' viel Richard uit. 'Ik zal je vertellen wat ze heeft gedaan.' Hij kwam naar me toe voor ik kon antwoorden. 'Ze heeft een nagel in mijn doodkist geslagen. Ze heeft mijn reputatie beschadigd en een lucratieve markt volledig voor me bedorven. Ik had drie meisjes voor werk bij de Live Wire Studios en ze hebben ze allemaal geannuleerd. Je hebt die meisjes een hoop geld laten verliezen dat ze hard nodig hadden,' zei hij. 'En dan heb ik het nog niet eens over mijn verloren provisie.'

'Melody, hoe kon je dat doen?'

'Mamma, je begrijpt het niet,' riep ik uit.

'Zie je,' schreeuwde hij, terwijl hij met zijn wijsvinger in mijn richting porde. 'Ze blijft het vergeten. Ze zal je mamma noemen waar anderen bij zijn en dan kun je je carrière vaarwel zeggen.'

'Melody, ik heb je gesmeekt me geen mamma te noemen.'

'Ik weet het. Het spijt me,' zei ik. 'Ik ben gewoon van streek. Ik zal het niet meer vergeten.' Ik haalde diep adem. 'Ik heb gedaan wat hij zei. Ik ben naar de studio gegaan en daar zat een halfnaakte vrouw op een bed en ze wilden dat ik... dat ik in die film optrad.'

'Nou, en?' vroeg mamma. 'Richard heeft me verteld hoeveel je

152

zou verdienen. Ik wed dat het wel het driedubbele was van wat Kenneth je betaalde om naakt voor hem te poseren,' ging ze verder.

Mijn hart stond stil; het bloed gonsde in mijn oren en leek weg te trekken uit mijn gezicht. Ik probeerde iets te zeggen, maar kon geen woord uitbrengen. Het brok in mijn keel was hard en onwrikbaar.

'Wat? Je kleedt je alleen maar uit voor sommige mannen als je pet ernaar staat?' zei Richard hatelijk. 'Als ik een baan voor je versier, waarmee je ons kunt helpen, hang je plotseling het preutse juffertje uit?'

'Zus, dat was iets anders. Wat Kenneth deed was kunst. Dat weet je,' zei ik, niet in staat te geloven dat ze het verschil niet konden zien.

'Een hoop mensen vinden dit ook kunst, Melody. Je moet begrip tonen; je kunt geen snob zijn,' zei ze.

'Een snob? Maar, zus, ze wilden dat ik me uitkleedde en in bed stapte met die andere vrouw en...'

'En? Dat heb ik ook gedaan,' zei ze.

'Heus?' Ik weigerde haar te geloven.

'Natuurlijk. Hoe denk je dat we de verzekeringspremies en de huur al die maanden hebben betaald? Weet je hoeveel dat is? En dat heb ik met twee dagen werken verdiend,' zei ze trots.

Ik schudde ongelovig mijn hoofd.

'Je kunt hier niet blijven als je niet je eigen brood verdient,' hield Richard vol. 'We hebben geen tehuis voor daklozen.'

'Ik gá wat verdienen. Mel Jensen denkt dat hij me wel een baan in de supermarkt kan bezorgen,' snauwde ik.

'De supermarkt? Is dát wat je wilt?'

'Ik boen liever eeuwig de vloeren en vul de schappen, dan te doen wat die dikke kerel me wilde laten doen in die zogenaamde filmstudio.'

'Nou, je hebt een slimme meid grootgebracht,' zei Richard tegen mamma. 'Het Supermarktwonder. Geweldig. Intussen kun je dit appartement schoonhouden en de was doen. Als je geen filmster wilt zijn, wees dan maar een bediende. Misschien is dat het enige waartoe je in staat bent.'

Ik keek steunzoekend naar mamma, maar ze knikte slechts.

'Richard heeft gelijk, schat. Nu we met ons drieën zijn, kunnen we ons geen huishoudster of stomerij veroorloven als je niet werkt waar Richard je wil laten werken.'

'Ik vind het niet erg om schoon te maken en de was te doen,' zei ik. Mamma begreep vast niet goed wat Richard haar aandeed en wat hij mij zou hebben aangedaan als ik hem zijn gang had laten gaan. Wij waren degenen die ons blootstelden, onszelf in verlegenheid brachten, ons zelfrespect verloren, en hij was degene die het geld ervoor opstreek. Ik moest het haar aan haar verstand brengen en als ik om dat te doen een tijdje voor slavin moest spelen, dan moest dat maar, dacht ik.

'Goed,' zei Richard, en liep de kamer uit naar de slaapkamer.

'Zus, je weet niet hoe afschuwelijk het daar was. Jij kunt zoiets onmogelijk gedaan hebben.'

'Doe niet zo stom, Melody. Je bent geen kind meer. Je bent nu hier, profiteer ervan, buit de mogelijkheden uit. Je hebt een manager en agent. Weet je hoe moeilijk het is voor nieuw talent om een agent te krijgen?'

'Talent? Wat voor talent heb je nodig om je kleren uit te trekken en pornodingen te doen voor de geile blikken van een cameraman?'

'Je zou verbaasd staan,' zei mamma. 'De camera liegt niet. Als je niet oprecht bent als je speelt, legt de camera dat bloot.'

'O, je wordt blootgelegd, ja, en hoe! Zus, luister,' zei ik.

Maar op dat moment kwam Richard weer binnen met zijn armen vol hemden en broeken en een paar schoenen erbovenop.

'Zorg er voor dat dit gewassen en gestreken wordt. We kunnen ons geen wasserij veroorloven. En ik wil dat die schoenen zo glimmend gepoetst worden dat ik mijn gezicht erin kan spiegelen. Ik moet er twee keer zo goed uitzien nu jij de zaak hebt verpest,' zei hij, en gooide alles voor mijn voeten.

Ik keek van de stapel naar mamma, maar ze draaide zich om en liep naar de slaapkamer.

'Natuurlijk,' zei Richard zachtjes toen ze weg was, 'kun je ook teruggaan naar Cape Cod als je dat wilt...'

Ik staarde hem aan met hete tranen in mijn ogen en begon zijn kleren op te rapen.

'Nog niet,' zei ik. 'Ik heb nog niet afgemaakt waarvoor ik gekomen ben.'

Hij zag hoe vastberaden ik was en zijn glimlach verdween.

'Pas op,' zei hij. 'Je speelt boven je macht en je speelt op mijn terrein.'

'Ik speel niet,' antwoordde ik en bracht alles naar mijn kamer.

Een uur later, toen ik Richards hemden stond te strijken, stak mamma haar hoofd om de deur van mijn kamer en zei dat ze uit gingen eten.

'We kunnen ons niet permitteren je mee te nemen, lieverd,' zei ze. 'Je zult hier wel iets te eten vinden.'

'Iemand heeft me uitgenodigd voor het eten,' zei ik zacht, zonder haar aan te kijken.

'O? Wie?'

'Mel Jensen,' antwoordde ik. Toen ik opkeek zag ik een verbaasde uitdrukking op haar gezicht.

'Werkelijk? Wees voorzichtig,' zei ze. 'Pas op met wat je zegt, wat je hem vertelt. Mannen kunnen te gauw te veel vertrouwen wekken,' waarschuwde ze.

'Dat zul jij wel weten,' antwoordde ik. Ze rechtte haar rug en er verscheen een scherpe blik in haar ogen.

'Wees niet oneerbiedig, Melody.'

'Dat ben ik niet. Ik ben alleen... Zus, wanneer kunnen we eens rustig bij elkaar zitten en echt met elkaar praten? Wanneer kunnen we weer zijn als vroeger, al is het maar heel even?'

'Ik weet het niet,' zei ze een beetje triest. 'Ik weet niet of we dat ooit kunnen. Daarom... daarom was het beter geweest als je me nooit was komen opzoeken, Melody. Het spijt me. Ik weet het gewoon niet.'

We staarden elkaar even aan en toen liep ze terug naar de zitkamer en ging met Richard de deur uit. Mijn hart voelde alsof het als een steen in mijn maag was gezakt. Ik ging op bed zitten, verborg mijn gezicht in mijn handen en snikte het uit. Billy Maxwell had gelijk gehad toen hij zei dat mensen veranderden door hun omgeving en door hetgeen ze deden. Hij had me gewaarschuwd dat mamma een heel ander mens kon zijn geworden. Maar was ze zo veranderd? Misschien was ze dezelfde vrouw die ze altijd geweest was, maar de vrouw die ik geweigerd had te zien. Ik haalde diep adem en ging rechtop zitten. Ik vroeg me af wat ik moest doen. Moest ik gewoon weggaan, vergeten dat ik ooit een moeder had gehad, of moest ik blijven en de strijd aanbinden met haar fantasieën en haar niet bestaande ridder op het witte paard? Hoe moest ik haar ooit zover krijgen dat ze luisterde naar iets wat ik te zeggen had?

Ik was zo verward en verontrust, dat ik Mel helemaal vergeten was, tot hij aanklopte.

'Klaar?' vroeg hij toen ik opendeed.

'O, Mel. Ik was het vergeten. Het spijt me.' Ik keek naar het schort dat ik over mijn spijkerbroek droeg. 'Ik kom zo,' zei ik. 'Kom binnen.'

Ik holde naar de slaapkamer en pakte iets om aan te trekken. Toen ging ik gauw naar de badkamer om mijn tanden te poetsen en wat lippenstift op te doen. Mel zat op de bank en lachte toen ik op en neer liep te rennen.

'Het is in orde. Doe het rustig aan,' riep hij.

Ik haalde diep adem, deed mijn ogen dicht en probeerde te kalmeren voor ik weer naar hem toe ging.

'Voilà,' zei hij. 'Een opmerkelijke metamorfose. Je ziet er geweldig uit.'

'Ik voel me niet geweldig,' kreunde ik. Hij deed de deur open en deed een stap achteruit zodat ik langs hem heen kon.

'Vertel eens, hoe reageerde Marlin op het feit dat je daar bent weggelopen?' vroeg hij toen we met de lift naar beneden gingen.

'Hij was woedend. Hij zei dat ik zijn reputatie had beschadigd.'

'Dat geloof ik graag. Én zijn portemonnee. Mij hebben ze dat soort films ook aangeboden.'

'Echt waar?'

'O, ja. Een hoop zogenaamde acteurs en actrices denken dat dat de manier is om in de business door te dringen, en helaas laten ze zich daardoor misbruiken. Dit is een harde stad, met scherpe tanden, die de onschuldigen verslindt,' zei hij.

'Waarom blijf je dan?' vroeg ik.

'Het is de stad waar de dingen gebeuren,' antwoordde hij, zijn schouders ophalend. 'En ik ben niet zo onschuldig.' Hij gaf me een arm en liep met me naar buiten.

Het restaurant was klein en gezellig, precies zoals hij had gezegd, en het eten was verrukkelijk. Mel praatte over zichzelf, vertelde me alles over zijn thuis en zijn familie. Telkens als hij me iets vroeg, moest ik bij mezelf nagaan of ik niet iets zei dat mamma en Richards leugens zou verraden. Ik probeerde zo min mogelijk te zeggen. Ten slotte leunde hij achterover en kneep zijn ogen samen.

'Jou aan de praat te krijgen over jezelf is of je iemands tanden uittrekt. Waarom?'

'Dat weet ik niet,' zei ik, en sloeg snel mijn ogen neer. Hij bleef me aanstaren.

'Ben je werkelijk alleen maar op bezoek of ben je van huis weggelopen?' drong hij aan. Ik keek op en glimlachte.

'Van huis weggelopen? Waarom denk je dat?'

'Ik heb een paar mensen gekend die van huis waren weggelopen en die gedroegen zich zo ongeveer als jij, gaven amper en ontwijkend antwoord als je ze iets vroeg.'

'Nou, ik moet je teleurstellen, ik ben echt alleen maar op bezoek,' zei ik, en hij lachte.

'Best.'

'Het ís zo!'

Waarom waren alle mannen die ik ontmoette zo irritant, en waarom dacht hij dat hij me beter kende dan ik mezelf?

'Ze hebben uitstekende schuimgebak,' zei hij, en bestelde.

'Ik vind het afschuwelijk dat je je geld voor mij uitgeeft,' zei ik. Langzamerhand kwam ik weer tot rust. 'Ik weet hoe moeilijk je het hebt.'

'Dat is oké. Feitelijk heb ik je uitgenodigd om bij je te zijn én om iets met me te vieren. Ik heb een rol in een theaterproductie die over twee maanden opent. Ik had zo lang geleden auditie ervoor gedaan, dat ik het allang had afgeschreven, maar plotseling, zomaar, kreeg mijn agent een telefoontje. Hij belde me vlak voordat ik je vanavond kwam halen.'

'Gefeliciteerd. Wat geweldig, Mel.'

'Ik verwacht dat je bij de première op de eerste rij zit,' zei hij. Toen ging hij op serieuzere toon verder. 'Maar dat betekent dat ik mijn baan in de supermarkt zal moeten opgeven. Ik sprak vanmiddag met de manager en zei hem dat ik een verantwoordelijk meisje had om mijn plaats in te nemen. Hij vond het een uitstekend idee. Dus jij ook gefeliciteerd. Als je het werkelijk wilt, kun je over drie dagen beginnen.'

'Fijn,' zei ik. 'Nu hoeft Richard zich niet meer over me te beklagen. Dank je.'

'Natuurlijk vind ik dat je hoger moet mikken. Je hebt talent en je ziet er geweldig uit,' zei hij. 'Maar je moet het willen, ernaar hunkeren.'

'Maar ik wil het níet,' zei ik, en hij staarde me weer aan met die merkwaardige glimlach van hem.

'Misschien intrigeert dat me nog het meest in je,' zei hij.

'Wat?'

'Je vermogen om de verleiding te weerstaan, je gebrek aan ego. Je bent precies het type om succes te hebben,' voegde hij eraan toe.

Ik keek naar hem, naar die ondeugende grijns op zijn gezicht. Het verbaasde me dat andere mensen altijd dingen in me zagen die ik zelf niet zag.

Toen we naar huis liepen, vroeg Mel me of ik meeging naar zijn appartement.

'We kunnen naar muziek luisteren. Mijn kamergenoten zijn weg vanavond.'

'Ik weet het niet,' zei ik. 'Ik heb mijn zus beloofd dat ik vroeg thuis zou komen.'

'Het is nog niet laat,' hield hij vol. 'Ik zou voor je willen dansen.'

'Dansen?'

'Ja. Ik zal je laten zien wat ik op de auditie voor deze show heb gedaan. Oké?'

Het klonk interessant, dus stemde ik toe en gingen we naar zijn appartement.

'Ik moet je waarschuwen voor de rommel,' waarschuwde hij me bij de deur. 'Denk eraan dat hier drie mannen wonen.'

Het zag er lang niet zo vuil en rommelig uit als mamma's appartement voordat ik het begon schoon te houden. Ik zei het tegen Mel en hij lachte.

'Wil je iets drinken? Nog wat wijn?'

'Wijn lijkt me lekker,' zei ik, en hij schonk een glas voor me in. Daarna ging hij naar zijn slaapkamer om zijn danskleren aan te trekken. Ik hoorde eerst de muziek en toen sprong hij plotseling de kamer in. Hij droeg de strakste top en maillot die ik ooit had gezien, zo strak dat ze niets aan de verbeelding overlieten. Hij draaide rond op zijn tenen en hief zijn benen zo hoog dat mijn adem stokte, vooral toen hij het vlak voor me deed.

De muziek werd sneller en het ritme gejaagder. Hij wisselde balletstappen af met duizelingwekkende sprongen en draaien. Eindelijk stopte hij en stond hijgend voor me, zijn gezicht rood van inspanning. Ik voelde me zelf verhit door de wijn en zijn voorstelling.

'Nou?'

'Je bent geweldig,' zei ik. 'Ik kan me niet voorstellen dat jij geen succes zult hebben.'

Hij lachte en kwam dichterbij. De muziek speelde door, zachter, langzamer. Hij stak zijn hand uit om me vast te pakken. Ik wilde mijn hoofd schudden, maar hij trok harder, tot ik stond en we wang aan wang dansten. Zijn hete, snelle adem blies in mijn hals. Toen ik ons spiegelbeeld zag in de ramen, leek het of ik met een naakte man danste. Mijn eigen ademhaling ging sneller. Hij glimlachte naar me en kuste me zacht. Ik voelde dat hij zich tegen mijn dijen perste.

'Je bent zo lief,' zei hij. 'Ik vind je echt erg aardig.' Hij kuste me weer, maar ik wendde mijn hoofd af. Ik deed een stap achteruit, boog mijn hoofd, en toen ik omlaagkeek en zag hoe opgewonden hij was, begon mijn hart sneller te kloppen en kreeg ik bijna geen adem meer.

'Ik moet naar huis,' zei ik.

'Melody...'

Hij kwam dichterbij.

'Echt waar, Mel. Alsjeblieft.'

'Oké,' zei hij. 'Ik dring mezelf nooit aan iemand op, maar ik hoop dat je me aardig vindt.'

'Dat vínd ik, maar niet op die manier. Het spijt me,' zei ik. 'Ik weet zeker dat er hopen meisjes zijn die maar al te graag hier met je boven willen zijn.'

Hij meesmuilde.

'Heel weinig meisjes zoals jij. Oké, ik zal het tijd geven. Beschouw dit maar als mijn eerste auditie. Misschien bel je terug, oké?'

Ik lachte en probeerde mijn ogen af te wenden van zijn heel erg zichtbare lichaam. Ik pakte mijn tas en liep naar de deur.

'Als je even wacht tot ik me verkleed heb, breng ik je naar huis.'

'Nee, dat hoeft niet. Bedankt voor het dineetje.'

'Ik bel je over die baan in de supermarkt,' zei hij.

'Dank je.'

Ik liep haastig naar buiten en toen ik omkeek, zag ik hem glimlachend naar me staan kijken.

Ik zwaaide en liep de trap af, met een gevoel of ik vluchtte.

Maar vluchtte ik voor hem of voor mezelf? Voor het eerst dacht ik dat ik eigenlijk banger was voor mijn eigen zwakheid en verlangen. Er waren hier zoveel verschillende verleidingen. De Egyptian Gardens kon de Tuin van Eden zijn, dacht ik, en verwachtte half en half dat er een slang zou komen om in mijn oor te fluisteren toen ik het plein overstak naar mijn gebouw en naar ons appartement.

De telefoon ging toen ik binnenkwam. Haastig liep ik erheen en hoorde niets na mijn eerste hallo.

'Hallo?' zei ik weer. Ik hoorde diep ademhalen en toen...

'Waar was je?' vroeg Cary.

'Uit eten. Cary, wat is er?'

'Pa is dood,' zei hij. 'Hij had weer een hartaanval in het ziekenhuis, en hij is gestorven.' Hij lachte vreemd. 'Ik wist niet wie ik anders moest bellen dan jou, en jij was uit eten.'

'Cary, het spijt me zo.'

'Nou ja, er zal in ieder geval geen verkeerde liggen in zijn graf, hè?'

'Cary...'

'Ik ben moe. Het is erg laat hier. Ik ben naar de steiger gegaan toen ik thuiskwam en heb naar de zee staan kijken en gedacht aan alle tochten die hij en ik samen gemaakt hebben. Gek,' zei hij, 'nu hebben jij en ik geen van beiden een vader.'

'Ik kom zo gauw mogelijk terug, Cary. Ik beloof het je.'

'Oké,' zei hij met een benepen stem.

En toen hing hij op en liet me huilen voor ons beiden.

160

10. Onthullingen

Toen ik had opgehangen ging ik op de bank zitten in de donkere zitkamer en begon zachtjes te huilen. Ik dacht aan Cary, de kleine May en tante Sara en wat ze allemaal moesten doormaken. Ik vroeg me af hoe grootma Olivia en grootpa Samuel zouden reageren op het nieuws van de dood van hun zoon. Niets kon erger zijn dan een kind verliezen, dacht ik, hoe oud dat kind ook was, of hoe afstandelijk en kil je ook was.

Oom Jacob had zich geërgerd aan mijn komst en aan het feit dat ik bij hem en zijn gezin kwam wonen, maar meestal dacht ik dat het kwam omdat mijn aanwezigheid het verlies van zijn Laura des te moeilijker te dragen maakte. Vanaf het begin had tante Sara me behandeld alsof ik gezonden was om Laura te vervangen, maar ik wist dat niemand oom Jacobs dochter in zijn hart kon vervangen. Hij was hard, soms zelfs wreed tegen me geweest, maar ik herinnerde me ook momenten waarop hij met een zachtere, vriendelijke blik naar me had gekeken, vooral als hij me had horen zingen en vioolspelen, en vaak als hij niet wist dat ik me van zijn blik bewust was.

Hij was een hardwerkend man, die zo goed mogelijk voor zijn gezin wilde zorgen. Zijn godsdienstijver maakte hem vaak koud en onaangenaam in mijn ogen, maar Cary zinspeelde erop dat zijn vader vromer en strenger was geworden na Laura's dood en zichzelf min of meer de schuld daarvan gaf. Toen hij de eerste keer in het ziekenhuis lag, had hij gevraagd of ik bij hem kwam, en omdat hij dacht dat hij op sterven lag, had hij bekend dat hij en mijn moeder iets zondigs hadden gedaan toen ze jong waren. Hij had toen de schijn gewekt dat hij zichzelf de schuld gaf van het wilde leven dat mijn moeder leidde toen ze ouder was. Later ontkende hij dat hij het had gezegd. Omdat hij zich schaamde voor wat hij me verteld had, vond hij mijn aanwezigheid nog moeilijker te verdragen. Ik weet zeker dat hij blij was toen ik besloot mijn moeder te gaan zoeken, even blij als grootma Olivia was om me te zien vertrekken.

Ik sloot mijn ogen en haalde diep adem. Enkele minuten later viel ik in slaap en werd pas wakker toen ik de deur open hoorde gaan, gevolgd door luid gelach.

'Waarom is het hier zo donker?' hoorde ik Richard zeggen voor hij een lamp aandeed. Ik knipperde tegen het licht, wreef in mijn ogen en ging snel rechtop zitten.

'Wel, wel, kijk eens wie er op ons zit te wachten,' zei hij.

'Waarom ben je nog op en aangekleed? Hoe was je etentje, Melody?' vroeg mamma. 'Je hebt toch niet te veel wijn gedronken of zo? Heb je Mel hiermee naartoe genomen?' Ze keek om zich heen alsof ze naar bewijzen zocht dat hij hier was geweest. Ze wankelde een beetje en concentreerde zich toen met enige moeite. Eindelijk zag ze mijn rode ogen en de strepen op mijn wangen die de tranen daar hadden achtergelaten.

'Wat is er nu weer?' vroeg ze.

'Oom Jacob,' zei ik en slikte moeilijk. Het duurde haar te lang.

'Nou en? Ik kan me niet voorstellen dat ook maar iets van hem me kan interesseren,' zei ze tegen Richard, die lachte. 'Nou, wat heeft hij gedaan?'

'Hij is gestorven. Zijn hart gaf het op in het ziekenhuis.'

Ze staarde voor zich uit. Het nieuws had een ontnuchterende uitwerking op haar. Talloze emoties wisselden zich af op haar gezicht, van geschoktheid tot droefheid, tot woede en ten slotte onverschilligheid. Ze keek eerst even meesmuilend naar Richard voor ze weer naar mij keek.

'Zijn hart, zoals je het noemt, heeft het al heel lang geleden opgegeven. Ik wens niemand iets slechts toe, maar ik kan niet zeggen dat ik het me erg aantrek,' zei ze. Alle vrolijkheid was uit haar ogen en lippen verdwenen.

'Maar je bent met hem en pappa opgegroeid. Zo ongevoelig kun je toch niet zijn,' antwoordde ik.

'Je hebt geen idee hoe mijn leven was, te moeten opgroeien met Jacob als een zogenaamde broer, Melody,' viel mamma tegen me uit, 'en ik kan ook niet vergeten hoe hij me later behandelde toen alle moeilijkheden begonnen voor mij en Chester.' De woede in haar ogen verbijsterde me zo, dat ik sprakeloos was.

'Ik wil niet dat iemand Gina slecht nieuws brengt,' zei Richard,

162

die plotseling deed of hij haar moest beschermen. 'Vooral als het nieuws is over haar verleden, en vooral de avond voordat ze een auditie heeft.'

'Ja,' zei mamma met een trotse glinstering in haar ogen. 'Ik moet morgen een opwindende auditie doen, een rol in een televisiekomedie. Ik moet meteen naar bed. Daarom zijn we zo vroeg thuis.'

Ik keek op de klok. Vroeg? Het was een paar minuten over één. Wat noemde ze dan laat?

'Je moet zelf ook gaan slapen,' zei Richard. 'Jij hebt ook een hoop werk voor de boeg.' Hij lachte en liep naar de slaapkamer.

'Ik heb medelijden met Sara en de kinderen,' zei mamma op zachtere toon. 'Sara is altijd erg aardig voor me geweest.' Ze zuchtte en trok haar hoofd iets naar achteren alsof ze een paar verdwaalde tranen wilde inslikken. 'Als je vindt dat je terug moet voor de begrafenis is dat in orde. Ik... ik wil niets meer met ze te maken hebben. Mijn tranen zouden slechts één traan meer zijn dan die van zijn moeder. Geloof me.'

'Je haat haar heel erg, hè?' vroeg ik.

Haar mondhoeken werden wit van woede.

'Ja, dat zal ik niet ontkennen. Dat doe ik, en zij verspilt ook geen enkele liefde aan mij, Melody.' Haar ogen fonkelden en toen was haar gezicht weer vol zelfmedelijden. Ze kreunde. 'Ik vind het afschuwelijk om naar bed te moeten als ik van streek ben,' zei ze, toen ze naar de slaapkamer liep. 'Ik wou dat je het me niet verteld had.'

Ik keek haar na toen ze naar binnen ging, en toen stond ik op en ging zelf ook naar bed. Misschien moest ik terug naar de Cape, dacht ik. Misschien was de moeder die ik gehoopt had te zullen vinden inderdaad dood en begraven in Provincetown. Wat was er met mamma gebeurd om haar zo zelfzuchtig te maken? Of was ik te blind geweest om te beseffen dat dat haar ware ik was?

Mamma had gelijk wat betreft het gaan slapen met droefheid die als een steen op je borst lag. Ik lag te draaien en te woelen, en zuchtte en huilde het grootste deel van de nacht. Ik kon Cary's trieste ogen niet van me afzetten.

Eindelijk viel ik tegen de ochtend in slaap, en toen sliep ik zo vast dat ik Richard en mamma niet hoorde opstaan. Ik werd pas wakker toen ik hem tegen me hoorde schreeuwen.

163

'Mooi is dat. Er is geen koffie. Wat voor dienstmeid heb je aangenomen, Gina? Ze blijkt nog luier te zijn dan jij.'

'Ik zal meteen koffie zetten,' zei ik. 'Het is zo gebeurd.' Ik liep naar de keuken.

'We hebben geen tijd om te wachten,' zei Richard, terwijl hij me strak aankeek. Ik besefte dat ik niet veel aan had en hij scheen recht door mijn dunne nachthemd heen te kunnen zien. 'We drinken wel koffie in de studio. Maak onze slaapkamer schoon terwijl we weg zijn. Ik heb nog een paar dingen voor je achtergelaten om te strijken,' en met die woorden liep hij naar de voordeur.

Mamma keek me met een somber gezicht aan.

'Wens me succes,' zei ze tenslotte.

'Veel succes.'

'Dank je,' zei ze met een glimlach. Toen volgde ze Richard naar buiten. Ik hoorde hun voetstappen in de gang vervagen toen ze naar de lift liepen, en ging toen naar de keuken om koffie te zetten. Ik bleef min of meer versuft zitten, dronk koffie en knabbelde op wat toast met jam. Het duurde niet lang of er kwamen herinneringen bij me op aan mijzelf en Cary op het strand. Ik dacht aan Kenneth en zijn hond, Ulysses, en aan mijn eerste ontmoeting met Holly en de pret die we hadden toen we als zussen met elkaar praatten.

Hoe kon mamma dit soort leven willen? dacht ik. Ondanks zichzelf en de nare dingen die ze gisteravond tegen me had gezegd toen ik haar verteld had dat oom Jacob was gestorven, had ik nu en dan een zachtere uitdrukking in haar ogen gezien. Diep in haar hart, dacht ik, wil ze naar huis. Ik moet haar alleen zover zien te krijgen dat ze dat beseft.

Nog steeds in mijn nachthemd en mamma's peignoir maakte ik hun slaapkamer schoon en begon Richards broeken en hemden te strijken. Ik werkte zonder erbij na te denken, als een soort robot, versuft door de tragische gebeurtenissen. Even na het middaguur legde ik het werk eindelijk opzij en ging naar de badkamer om een douche te nemen. Ik liet het warme water op mijn hoofd kletteren en over mijn gezicht stromen terwijl ik mijn ogen gesloten hield. Tenslotte draaide ik de douche dicht en kwam achter het gordijn tevoorschijn.

Even bleef ik verward staan. Ik wist dat ik een badlaken en mijn kleren naar de badkamer had meegenomen, maar er hing slechts één handdoek op het rek en mijn kleren waren nergens te bekennen.

Omdat ik mijn eigen geheugen niet vertrouwde, meende ik dat ik het van plan was geweest, maar vergeten was omdat ik zo diep in gedachten verzonken was. Druipnat holde ik de badkamer uit naar mijn slaapkamer. Zodra ik binnen was, ging de deur achter me dicht. Alleen had ik dat niet gedaan.

Richard stond met geile blikken naar me te kijken, en hij was zelf spiernaakt!

Een stille schreeuw bleef in mijn keel steken.

'Wat doe je hier? Waar is mamma?' schreeuwde ik tenslotte en holde naar het bed om het bovenlaken eraf te halen en om me heen te slaan. Broos als glas klonk zijn lach door de kamer. Hij deed een stap naar voren, zonder een poging te doen zijn gezwollen mannelijke lid voor me te verbergen.

'Ik heb je gezegd dat je haar geen mamma meer moet noemen,' zei hij, nog steeds glimlachend.

'Waar is ze? Wat doe je hier?'

'Ze is op de auditie. Daar zal ze het grootste deel van de dag blijven. Er zijn een hoop actrices die auditie doen voor die rol, dus ik dacht bij mezelf, waarom zal ik daar blijven rondhangen? Ik besloot dat ik me tijdens het wachten wel nuttig kon maken. Ik heb me afgevraagd waarom je gisteren bent weggelopen van een gemakkelijk baantje dat een hoop geld opbrengt, en ben tot de conclusie gekomen dat het kwam omdat je te onschuldig bent. Je moet volwassen worden, en een beetje gauw ook, anders bereik je nooit iets. Beschouw dit maar als een extra service. Noem het mijn edelmoedigheid.' Hij kwam steeds dichterbij tot hij nog geen tien centimeter meer van me verwijderd was.

Ik draaide me om en keek minachtend naar zijn gezicht. Zijn adem stonk naar alcohol en maakte me misselijk. Mijn maag begon te draaien.

'Kom,' zei hij. 'Ik weet dat je je hierop verheugt.'

'Blijf uit mijn buurt,' schreeuwde ik.

Hij legde zijn rechterhand op mijn schouder en zijn linker om mijn middel en draaide me naar hem toe.

'Ontspan je en geniet ervan,' zei hij, en bracht zijn lippen vlak bij de mijne. Ik wendde mijn hoofd af en probeerde me los te maken uit zijn greep, maar hij pakte me nog steviger vast en drukte zijn lippen op mijn mond. Ik kokhalsde en schopte en trapte en raakte hem

165

met mijn knie tussen zijn benen. Zijn gezicht vertrok als een ballon die barst en hij kromp ineen, met zijn handen tegen zijn onderbuik. Ik wachtte geen seconde. Ik schoot langs hem heen en holde de deur uit, het laken vastklemmend. Op de een of andere manier wist hij zijn arm uit te strekken en het eind van het laken te pakken te krijgen. Het trok me terug, tot ik het losliet en in mijn blootje de kamer uit vluchtte. Ik ging terug naar de badkamer, smeet de deur dicht en deed hem op slot. Toen bleef ik een ogenblik hijgend, snikkend, staan luisteren. Mijn hart bonsde zo hard dat ik tegen de deur moest leunen om steun te zoeken. De herinnering aan zijn stinkende adem deed me weer kokhalzen.

'Klein kreng,' hoorde ik hem schreeuwen. Hij kwam naar de deur en draaide aan de knop. 'Doe open. Hoe durf je me met je knie te bewerken? Ik laat je hier wonen, of niet soms?'

Hij bonkte met zijn vuist op de deur en ik schreeuwde. Toen hield hij op en een ogenblik bleef alles rustig. Ik probeerde mijn adem in te houden, zodat ik kon luisteren, maar mijn longen stonden op knappen en het bonk, bonk, bonk van mijn hart weergalmde in mijn trommelvliezen.

'Je zult er spijt van hebben,' zei hij tenslotte, luid fluisterend tussen de deur en de deurpost. 'Ik had je iets kunnen leren, je van de ene op de andere dag volwassen laten worden. Je zou genoeg ervaring hebben opgedaan om alles te kunnen doen, maar Richard Marlin laat zich niet meer dan één keer afwijzen. Jouw pech,' ging hij verder. 'Hoor je?'

Hij bonkte weer op de deur. Ik schreeuwde en deinsde achteruit, bang dat hij de deur zou inslaan. Na een tijdje hoorde ik alleen maar stilte en toen ik dichter naar de deur liep, hoorde ik hem weglopen. Ik kwam niet naar buiten. Ik ging op het bad zitten en wachtte, mijn armen stevig over mijn borsten geslagen. Mijn gesnik werd minder en mijn ademhaling werd weer normaal. Ik hoorde de voordeur open en dicht gaan. Alles was stil. Was het een truc om me uit de badkamer te lokken?

Ik wachtte en wachtte, luisterend, hopend dat hij ongeduldig zou worden als hij nog steeds daarbuiten was, maar ik hoorde niets. Plotseling ging de telefoon. Hij rinkelde en rinkelde, en ik dacht dat als hij er nog steeds was, hij zou denken dat het voor hem kon zijn en op zou nemen. Met iets meer vertrouwen dat hij weg was, ontsloot ik de deur zo voorzichtig en stil mogelijk. Ik aarzelde en deed de deur toen centimeter voor centimeter verder open, tot ik naar buiten kon kijken.

Ik zag hem nergens. Ik keek door de eethoek naar mijn kamer. De deur stond wagenwijd open. Wachtte hij weer in de kamer? Ik probeerde te slikken en mijn hart te beletten weer op hol te slaan, maar ik kon het niet. Door zijn plotselinge aanval leken mijn benen van rubber en ik beefde over mijn hele lichaam. Tenslotte deed ik de deur helemaal open en liep naar buiten. Toen bleef ik staan wachten, doodsbang dat hij plotseling tevoorschijn zou komen en op me af zou springen. Het gebeurde niet.

Ik werd wat moediger en sloop op mijn tenen naar de deur van mijn slaapkamer. Daar bleef ik staan luisteren. Ik hoorde niets. Ik haalde diep adem en liep mijn kamer in. Daar keek ik snel om me heen, met gebalde vuisten, zodat ik hem kon raken als hij plotseling op me af zou stormen. Hij was nergens te zien. Snel deed ik de deur dicht, maar toen was mijn moed weer verdwenen. Als hij zich eens in de kast verschool?

Ik wachtte en luisterde weer. Toen ik niets hoorde liep ik naar de kast en rukte de deur open, zo hard dat mijn kleren hingen te trillen aan de hangertjes, maar goddank was er geen Richard Marlin die stond te wachten om me te grijpen.

Ik kleedde me zo snel mogelijk aan en vluchtte toen het appartement uit. Ik had het gevoel dat ik in de val zat en het risico liep van een afgrijselijke herhaling van het gebeurde als ik daar bleef. Ik keek naar niemand toen ik haastig het pad afliep. Alsof ik meedeed aan een hardloopwedstrijd holde ik door het hek van de ingang, het trottoir op. Ik liep zo snel ik kon, zonder achterom te kijken, stak straten over, baande me een weg door het verkeer en liep zo snel door alsof ik wist waar ik naartoe wilde. Het deed me goed om zo hard te lopen. Mijn lichaam bedaarde en beefde niet meer, en hoe verder ik de Egyptian Gardens achter me liet, hoe veiliger ik me voelde. Tenslotte bleef ik moe en zwetend op een hoek staan, aarzelend welke richting ik moest nemen. Ik staarde naar de naam van de straat, Melrose Avenue, en keek toen om me heen naar de voorbijgangers.

Tot op dit moment had ik op niets en niemand gelet. Ik was blindelings doorgelopen, uitsluitend erop bedacht aan Richard te ontkomen. Nu bevond ik me in een heel merkwaardig deel van de stad. Jonge mensen met blauw, groen en roze haar, gekleed in leren jacks en jeans liepen langs en vóór me. Velen van hen hadden tatoeages op hun armen en borst. Twee meisjes hadden zelfs een ring in hun neus! Ik dacht dat ik op een andere planeet terecht was gekomen.

Ik bleef staan, draaide me om en liep in de tegenovergestelde richting. Iedereen in deze stad leek in zijn of haar eigen film te leven, dacht ik. Ik had het gevoel dat ik op een filmset terecht was gekomen. Ik wist niet of ik moest lachen of huilen. Toen ik een paar minuten gelopen had, veranderde de omgeving opnieuw, en ik ging langzamer lopen. Ik besefte dat ik verdwaald was. Ik stopte opnieuw en tuurde om me heen. Toen zag ik een kleine etalage links van me, waarop stond MADAME MARLENE, ASTROLOGE. Ik zag de kristallen en de tarotkaarten en dacht aan Holly en Billy. Ik moest even glimlachen. Impulsief, misschien op zoek naar goede herinneringen in een moeilijke tijd, liep ik het winkeltje binnen.

Er stonden een kersenhouten tafel en twee stoelen in het midden van het kleine vertrek. De kristallen lagen in een glazen vitrine rechts en achterin de winkel was een deuropening, net als in Holly's winkel, afgesloten met een kralengordijn. Toen ik binnenkwam was er een zachte zoemer afgegaan. Een kleine, oudere dame met donker haar kwam door het gordijn naar binnen. Ze droeg een glimmende, witte sjaal op een donkerblauwe jurk en zilveren oorhangers met kristallen die fonkelden als diamanten tussen het lange haar dat over haar schouders hing. Haar donkere ogen waren groot, maar zwarte eyeliner deed ze nog groter lijken.

'Hallo,' zei ze. 'Ik ben madame Marlene. Wilt u een voorspelling?'

Ik schudde mijn hoofd.

'Eh... ik... ik wilde alleen...'

'Je ziet eruit of je van streek bent,' zei ze, wijzend naar de tafel. 'Ga even zitten en vertel me wat je dwarszit.'

'Ik ben verdwaald,' zei ik. 'Ik ben hier pas, en ik weet niet hoe ik terug moet naar mijn flatgebouw.'

'Welk gebouw, kindlief?' vroeg ze met een zachte, vriendelijke glimlach. Ze leek een jaar of vijftig en was niet langer dan één meter vijftig.

'De Egyptian Gardens,' antwoordde ik.

'Dan ben je niet zo erg verdwaald. Je gaat twee blokken verder, slaat linksaf en na een minuut of tien ben je er. Maar ik denk dat er meer is dat je hindert, hè?'

Ik knikte en keek om me heen.

'Ik heb een vriendin in New York City die een kristallenwinkel heeft en horoscopen trekt voor mensen. Ze heet Holly.'

'Dat is interessant,' zei madame Marlene met een begrijpende blik. 'Je bent eigenlijk hier gekomen omdat je iets wilde weten, ja?' Ze hield haar hoofd schuin en haar ogen glinsterden nog meer in het gedempte, warme bovenlicht.

Ik dacht even na en knikte toen.

'Ik wilde weten of iemand van wie ik hield ooit bij me terug zal komen,' zei ik.

Ze knikte, alsof ze altijd al geweten had dat ik bij haar op de stoep zou staan.

'Ga zitten alsjeblieft,' zei ze.

'Ik ben halsoverkop mijn appartement uitgelopen,' zei ik. 'Ik heb geen geld bij me.'

'O, dat geeft niet,' zei ze. 'je kunt me later wat sturen.' Ze ging aan de tafel zitten en wenkte me tegenover haar te komen zitten. Ze pakte mijn rechterhand in haar beide handen en hield hem met gesloten ogen vast. Toen knikte ze bij zichzelf en keek naar mijn open palm.

'Je hebt al een moeilijke weg afgelegd,' zei ze, 'met veel bochten en hindernissen. Je leven heeft meer dieptepunten dan de meeste mensen, maar ik zie ook een paar belangrijke hoogtepunten. Ik zie dat je geliefde mensen hebt verloren?'

'Ja.'

'Maar je hebt een krachtige energie. Hoe heet je?'

'Melody.'

'Ik zie muziek in je, ja. Degene van wie je houdt en die verloren is, is al een hele tijd verloren.'

'Ja.'

Ze keek weer naar mijn hand en toen raakte ze het medaillon aan dat Billy Maxwell me had gegeven. Ze draaide het even rond in haar vingers.

'Lapis lazuli. Iemand om wie je veel geeft en die veel om jou geeft heeft het je gegeven.'

'Dat is zo,' zei ik.

'Je bent als een komeet, iets dat heel mooi en vol energie is en door de ruimte zweeft, zoekend... zoekend naar een thuis, je echte thuis.'

'Ja, dat is waar,' zei ik, opgewonden dat ze zoveel over me leek te weten.

'Iemand die je zoekt komt eraan,' zei ze, terwijl ze haar ogen weer sloot. Seconden later gingen ze weer open, en deze keer lag er geen glimlach om haar lippen. 'Waar je zoekt naar liefde is geen liefde. Je moet van richting veranderen. Maar maak je niet ongerust. Je energie is te sterk om te worden verslagen. Wees niet bang om je naar de duisternis te wenden, want vaak is wat we aanzien voor zonlicht slechts de weerkaatsing van onze eigen gloed. Zoek niet naar liefde op de gebruikelijke plaatsen,' eindigde ze, en leunde achterover alsof het lezen van mijn hand, het aanvoelen van mijn energie en het voorspellen van mijn toekomst haar had uitgeput.

'Dank u,' zei ik. Ik stond op, onzeker of ik haar advies zou kunnen volgen.

'O, het was een genoegen. Het is altijd een genoegen om een hart te zien dat zo groot is als dat van jou. Hier,' ging ze verder. Ze trok een la open en haalde er een visitekaartje uit. 'Hier staat mijn adres op. Meestal krijg ik twintig dollar, maar jij kunt me vijftien sturen.'

'Dank u.' Ik pakte het kaartje uit haar gerimpelde hand.

'Je medaillon zal je veel geluk brengen op je reis. Hou het altijd bij je.'

'Dat zal ik doen. Goedendag.'

Ik liep naar buiten, opgewekter en kalmer. Ik zou tijd nodig hebben om alles te begrijpen wat ze had gezegd, maar ik zou erover denken. Na mijn verblijf bij Holly en Billy besteedde ik meer aandacht aan deze dingen en lachte ik niet zo snel om iets dat nieuw en anders leek. Ik stelde me open voor nieuwe ideeën en ervaringen. Maar een paar dingen kon ik missen als kiespijn.

Ik liep terug naar het appartement, de aanwijzingen volgend van madame Marlene. Ik was bang om Richard weer onder ogen te komen. Iets meer dan een halfuur later liep ik met angst en beven door de ingang naar ons gebouw en naar de lift. Toen ik uit de lift stapte en naar de deur van het appartement liep, bleef ik staan. Ik moest mamma vertellen wat hij geprobeerd had, besloot ik. Misschien dat ze nu eindelijk zijn ware aard zou zien.

Ik deed de deur open en liep naar binnen, verbaasd hen beiden aan te treffen in de zitkamer. Mamma zag eruit of ze de hele middag gehuild had. Haar ogen waren bloeddoorlopen, haar make-up was uitgelopen. Richard zat er met een kalm gezicht bij, zijn benen over elkaar geslagen, een drankje in de ene hand en een sigaret in de andere. Hij keek naar me op met een zelfverzekerde grijns die me deed verkillen.

'Dus je hebt besloten terug te komen,' zei Richard.

'Wat heb je gedaan, Melody. Ben je daarna weggelopen?'

'Ja,' zei ik met een uitdagende blik op Richard. 'Dat heb ik gedaan. Ik was te bang om hier te blijven. Ik was bang dat hij terug zou komen en het weer zou proberen.'

'Ha!' zei Richard, en maakte zijn sigaret uit in de asbak. 'Moet je dat horen.'

'Melody, hoe kón je?' vroeg mamma.

'Hoe kon ik wát?' Ik keek van haar naar hem en toen weer naar haar. Ik besefte dat hij haar een of andere leugen op de mouw had gespeld. 'Híj was het, mamma. En het kan me niet schelen of ik je mamma noemde,' ging ik snel verder. 'Hij heeft me aangevallen in mijn slaapkamer. Hij kwam de badkamer in terwijl ik een douche nam en hij...'

'Leugenaarster. Ze is precies zoals ik je gezegd heb,' viel Richard me in de rede. 'Een sluwe intrigante. Vertel de waarheid eens, wil je?'

'De waarheid?'

'Ik zat hier, op dezelfde plaats waar ik nu zit, op mijn gemak, denkend aan een paar belangrijke telefoontjes die ik moest maken, en toen, plotseling, kwam zij uit de badkamer nadat ze een douche had genomen, en paradeerde naakt langs me heen,' zei hij tegen mamma. 'Ze kwam glimlachend naar me toe alsof ze volledig gekleed was. Toe dan, vertel het haar dan,' daagde hij me uit.

'Nee,' zei ik hoofdschuddend. 'Dat is niet wat er gebeurd is, mamma. Hij had al mijn kleren uit de badkamer gehaald, en toen ik eruit kwam en naar mijn kamer ging, stond hij op me te wachten. En hij was naakt!'

'Heb je ooit zo'n verhaal gehoord, Gina? Hoor eens, Melody, je hebt geprobeerd met Gina te concurreren sinds je hier bent gekomen. Je hebt je belachelijk gemaakt bij het zwembad en toen probeerde je ieders aandacht te trekken op die party. Ik bezorg je werk, maar dat vond je niet goed genoeg. O, nee. Je hebt liever dat we jou ook onderhouden.'

'Mamma, luister... Hij stond in de slaapkamer op me te wachten. Hij zei dat hij me zou opvoeden. Hij...'

'Jou opvoeden? Dat verhaal wordt elke keer dat ze haar mond opendoet idioter. Hoor eens, schat, je zult wat beters moeten verzinnen als je het in Hollywood wilt maken.'

'Ik wil het niet maken in Hollywood! En jij ook niet, mamma. Je moet naar huis. Je moet hier weg,' riep ik uit.

'Zie je?' zei Richard Marlin, met zijn vinger naar me wijzend. 'Dat is van begin af aan haar plan geweest... de dingen voor jou in de war sturen, zodat je weg zou gaan. Ze is jaloers op haar eigen moeder. Ik heb het honderd keer gezien, vooral hier. Nu zegt ze dat het haar niet kan schelen of ze je mamma noemt. Ze zal het met opzet doen waar mensen bij zijn en je belachelijk maken in de hele industrie. Ze heeft al een hoop moeilijkheden veroorzaakt door wat ze deed bij Live Wire.'

'Mamma,' zei ik, me naar haar omdraaiend. Ze schudde haar hoofd.

'Ik ben erg teleurgesteld in je, Melody. Ik weet echt niet wat ik moet zeggen.'

'Zeg dat je me gelooft. Zeg dat je weet dat hij liegt en dat hij een opschepper en een bedrieger is die niets voor je kan doen hier, je alleen maar stomme baantjes bezorgen of je verkopen aan sekshandelaars,' zei ik smekend.

Richard leunde voldaan achterover. Mamma beet op haar lip en wendde haar gezicht af.

'Mamma...'

'Hou vol, hou vol. Blijf haar vooral mamma noemen,' dreunde Richard als een cheerleader bij een footballwedstrijd.

'Misschien heeft Richard gelijk, Melody. Misschien is het beter voor ons allemaal als je teruggaat. Dit werkt niet.'

'Geloof je hem, mamma?' vroeg ik met verstikte stem. Ik kon de woorden nauwelijks uitbrengen.

Ze gaf geen antwoord. Ik zag de grijns op Richards gezicht en keek hem vol haat aan. Hij keek zo zelfverzekerd en mamma was zo zwak en in zijn ban. Mijn frustratie en trots wonnen het.

'Misschien verdien je hem dan,' zei ik en vluchtte naar mijn kamer om mijn koffers te pakken.

Twintig minuten later, toen de telefoon was gegaan, hoorde ik Richard schreeuwen, en mamma verwijten dat ze alweer geen rol had gekregen. Toen hoorde ik hem weggaan. Een paar minuten later kwam mamma naar mijn kamer. Ze had haar zonnebril weer op en zag er heel bleek en ongelukkig uit.

'Je hebt het zeker wel gehoord,' zei ze. 'Die auditie van vandaag is niets geworden. Richard zegt dat het komt omdat ik te verstrooid ben de laatste tijd.'

'Misschien komt het omdat je niet voorbestemd bent om actrice te worden, mamma,' zei ik, en deed mijn koffer dicht.

'Nee, ik kan het. Ik weet dat ik het kan. Het duurt alleen wat langer dan we dachten, dat is alles.'

'Ik heb niet gedaan wat hij zei dat ik deed, mamma. Het was precies andersom, ik zweer het.'

'Het doet er niet toe, Melody. Richard heeft gelijk. Je hoort hier niet. Ik weet niet wat me bezielde toen ik het goedvond dat je hier bleef.'

'Je dacht als mijn moeder,' zei ik. 'Je wilde doen wat juist was.'

Ze glimlachte.

'Jij bent altijd een droomstertje geweest.'

'Ik?' Ik begon te lachen. 'Kijk om je heen, mamma. Kijk waar je bent. In deze stad groeien dromen als... als het onkruid dat in Sewell groeide.'

'Ik bedoelde dat je een droomstertje was omdat je meer in me zag dan er is. Het spijt me, lieverd. Ik ben niet de moeder die je wilt dat ik ben.'

Ik knikte. Misschien sprak ze eindelijk de waarheid.

Ik ging op het bed zitten en staarde naar mijn schoot.

'Wat ga je doen? Heb je wat geld?' vroeg mamma.

'Ja, ik heb het meeste van mijn geld nog. Ik heb Richard niet de waarheid verteld. Hij zou alles van me hebben afgenomen. Ik heb ook mijn retourbiljet. Ik ga naar het vliegveld en neem het eerste het beste vliegtuig.'

'Terug naar Provincetown?'

'Ja.'

'Goed. Ik zal me opgeluchter voelen als ik weet dat je veilig bent, en daar ben je veilig.'

'Je bedoelt dat je geweten je dan niet zal plagen, hè, mamma?' Ze wilde kwaad worden, maar toen liet ze haar schouders zakken en ze knikte.

'Ja,' gaf ze toe. 'Ik denk dat het tijd wordt dat er geen leugens meer tussen ons zijn.'

Ik staarde haar ongelovig aan.

'Chester is altijd een betere vader voor je geweest dan ik een moeder was.' Ze lachte. 'En het grappige was dat hij niet je echte vader was. Al stoorde hem dat niet in het minst.'

'Mamma,' zei ik, terwijl ik mijn adem inhield, 'toen je me in Provincetown achterliet en ik de waarheid ontdekte over jou en mijn stiefvader, dacht ik eerst dat Kenneth mijn echte vader was. Ik wist gewoon dat je loog over grootpa Samuel. Alsjeblieft, vertel me de waarheid. Alsjeblieft!'

Ze keek me lange tijd aan en ik dacht dat ze haar hoofd wilde schudden en weglopen, maar ze kwam dichter naar me toe.

'Ik haatte hen,' zei ze, 'zoals je weet. Toen rechter Childs me vertelde dat hij mijn echte vader was en dat Kenneth en ik dus halfbroer en halfzus waren, had ik het gevoel of hij zijn hand in mijn borst had gestoken en mijn hart eruit gerukt. Ik voelde me zo verraden, Melody. Je hebt geen idee. Al die arrogante mensen die me altijd het gevoel hadden gegeven dat ik iets minderwaardigs was omdat mijn moeder ongetrouwd was toen ze me kreeg en Olivia me in huis moest nemen als een verdwaalde wees. Ze bleven me altijd maar eraan herinneren hoe dankbaar ik hoorde te zijn, hoe enorm ik bofte.

'En al die tijd... ze waren geen haar beter, slechter zelfs. Het waren onbetrouwbare, hebzuchtige mensen, leugenaars en charlatans, dus besloot ik het ze betaald te zetten. Toen ze merkten dat ik zwanger was, stond Olivia op het punt op me af te springen, met de vinger naar me te wijzen en te schreeuwen: "Kijk, kijk, dit bewijst hoe laag ze is, dat ze niet deugt, dat ze een slet is."

'Maar ik heb haar voor gek gezet, het hele stelletje, toen ik de rollen omdraaide en Samuel ervan beschuldigde dat hij de vader was van de ongeboren baby. Olivia,' mamma glimlachte bij de herinnering, 'stierf bijna van schaamte. Dagenlang sloot ze zich op in haar kamer. Ik zei dat ik het hele zondige stel aan de kaak zou stellen. Ik zou het van de daken schreeuwen.

'Chester... Chester had altijd van me gehouden. Hij nam het voor me op, vooral toen ik naar hem toe ging en op zijn schouder uithuilde. Hij beloofde voor me te zorgen, wat er ook gebeurde. Ik speelde ze allemaal tegen elkaar uit. Chester en Jacob vochten met elkaar. Olivia kroop met haar staart tussen haar benen weg in een hoek. Het speet me voor Samuel, maar hij was toch iemand om medelijden mee te hebben, zoals hij zich door haar liet koeioneren en net deed of hij niet wist dat ze in werkelijkheid verliefd was op Nelson Childs, die een relatie had met haar zus, mijn moeder. Ze waren verschrikkelijk wreed voor haar. Ze borgen haar op in dat instituut en maakten me beschaamd voor mijn eigen moeder.

'Niets wat ik hen aandeed haalde het bij wat ze mij hadden aangedaan, Melody. Ik heb nergens spijt van behalve... behalve van wat ik jou moest aandoen. Het spijt me, maar ik weet dat alles in orde komt met je.'

'Niet voordat ik de hele waarheid ken, mamma. Ik wil weten wie mijn echte vader is. Je moet het me vertellen.'

Ze knikte, draaide me de rug toe en staarde uit het raam. 'Ik was door het dolle heen. Ik wilde hen zo graag kwetsen, pijn doen, beschaamd maken. Ik dronk, ging om met oudere vrienden, flirtte met iedereen. En toen op een avond, toen ik uit was geweest en had gedronken, besloot ik naar huis te lopen. Het was een warme avond, met een stralende sterrenhemel. Ik herinner me dat ik me duizelig voelde zodra ik omhoogkeek.

'Plotseling was hij naast me, in zijn auto. Ik draaide me om en hij rolde zijn raam omlaag en vroeg me waarom ik zo laat op de avond alleen buiten liep. Hij klonk zo beschermend, zo bezorgd. Hij zei dat hij me naar huis zou brengen, dus stapte ik in, maar hij reed niet naar huis. Hij reed naar een kustweg en praatte over zijn ongelukkige leven, dat hij getrouwd was met een mooie vrouw en een hoop geld verdiende, maar toch onvoldaan was. Hij miste iets in zijn leven, hij miste opwinding, en hij zei dat altijd als hij me zag, waar ik ook was en wat ik ook deed, hij vervuld werd van die unieke opwinding.'

Mamma draaide zich weer om naar mij.

'Je moet begrijpen hoe het voor mij was, Melody. Geen man had ooit zo tegen me gesproken. Ik liet me meeslepen en die man... hij was succesvol en rijk en hij vertelde me dat ik belangrijker voor hem was. Hoe kon ik me tegen hem verzetten?

'Ik vrijde met hem en het was iets heel bijzonders. We ontmoetten elkaar vaak in het geheim, en toen werd ik zwanger van jou en liep alles uit de hand. Het zou me geen goed hebben gedaan om zijn identiteit te onthullen. Hij zou zijn gezin niet voor mij in de steek laten, en toen Olivia me aanviel, besloot ik wraak te nemen. Ik heb nooit iemand de waarheid verteld, Chester niet, Kenneth niet, niemand.'

Ik hield mijn adem in tot ik bijna stikte.

'Wie was het, mamma? Woont hij nog steeds in Provincetown?'

'Ja, schat,' zei ze. 'Het is Teddy Jackson. Ze noemen hem T.J..'

Mijn hart hield even op met kloppen. Al het bloed trok weg uit mijn gezicht. Ik voelde de kamer om me heen draaien. Mamma pakte mijn hand. Ik sloot mijn ogen en snakte naar adem.

'Gaat het?'

Ik gaf geen antwoord. Ik wachtte tot mijn hart weer begon te kloppen, slikte en knikte.

'Zijn zoon,' zei ik, 'Adam Jackson, probeerde mijn vriendje te worden toen ik pas aankwam.'

'O, nee! Wilde jij zijn vriendin worden?'

'Nee, ik haatte hem. Hij is arrogant.'

'Goed,' zei ze. 'Ik dacht heel even dat ik jou aandeed wat rechter Childs Kenneth en mij had aangedaan.'

'Ik geloof dat ik een bepaald gevoel had ten aanzien van meneer Jackson, mamma.'

'Heeft hij met je gesproken?'

'Van tijd tot tijd, en dan was hij altijd erg aardig.'

'Hij zal het nooit toegeven, schat. Hij heeft een gezin, een positie in de gemeenschap...'

'Dat kan me niet schelen. Ik wilde alleen maar weten wie hij was,' zei ik.

'Dank je, mamma.'

Ik stond op. Madame Marlene had gelijk toen ze mijn hand las. Ik zocht naar liefde op de verkeerde plaats.

'Misschien zou je nu nog niet weg moeten gaan, Melody.

Misschien zou je nog een dag moeten blijven.'

'Nee, ik hoor hier niet, mamma, en Cary heeft me nodig. Hij heeft me veel meer nodig dan jij,' zei ik.

Mijn moeder staarde me aan of ik een vreemde was en knikte toen.

De leugens tussen ons waren achterhaald, en als twee mensen die eindelijk het masker van hun gezicht hebben gehaald zagen we elkaar eindelijk zoals we werkelijk waren.

En we wisten allebei dat we daarmee zouden moeten leven. In goede en slechte tijden.

11. Weer thuis, weer thuis

Ik besloot weg te gaan zonder verder afscheid te nemen. Ik wist zeker dat mamma wel een verhaal zou verzinnen om Mel Jensen en de anderen te vertellen. Ze kon nu even gemakkelijk liegen als ademhalen. Misschien had ze dat altijd wel gekund. Ik nam een taxi naar de luchthaven en regelde een vlucht die de *Red Eye* werd genoemd van Los Angeles naar Boston. Even dacht ik erover om naar New York te gaan en Holly en Billy te bezoeken, maar de zomer liep snel ten einde. Ik moest mijn laatste schooljaar nog afmaken en ik had er genoeg van om me in het leven van anderen te dringen.

Het werd trouwens toch tijd om volwassen te worden, hield ik me voor. Ik moest wat ik in mijn kindertijd geloofd had in mijn doos met fantasieën stoppen, het deksel dichtdoen en mijn verleden, mijn hoop op een echte moeder en een echte vader voorgoed wegsluiten. Ik was in de ware zin des woords een wees. De enige man die mijn vader had willen zijn was dood, en de man die echt mijn vader was had het geheim gehouden en was blij dat hij aan de verantwoordelijkheid ontsnapt was.

Eigenlijk was mijn moeder twee keer gestorven: eerst toen zij en Richard Marlin hun bedrog hadden gepland en een dode vreemde hadden teruggestuurd in haar kist; en nu weer, nu ik haar had gevonden en er niet in was geslaagd enige moeder-dochter gevoelens in haar wakker te roepen. Ze was echt een vreemde voor me. Ik liet geen traan toen ik van haar wegwandelde, en ik kon haar zucht van verlichting horen toen ze de deur achter me dichtdeed. Haar beproeving was voorbij. Ze kon weer het leven en de leugen gaan leven waarnaar ze altijd verlangd had.

Op de vlucht terug naar Boston zat niemand naast me in het vliegtuig, en ik was blij toe. Ik was niet in de stemming voor oppervlakkige conversatie, en na mijn bijna tragisch afgelopen ervaring met die man in New York, die me met een truc zover had gekregen dat ik zijn met drugs volgepakte aktetas meenam, was ik toch op mijn hoede voor onbekenden. Ik sloot mijn ogen en dommelde in. Ik sliep het grootste deel van de reis.

Toen ik in Boston aankwam, liep ik naar de bushalte en kocht een kaartje naar Provincetown. Het was al laat in de ochtend toen de bus koers zette naar de snelweg. Ik had geen tijd gehad om te ontbijten, maar ik had toch geen honger. Ik voelde me versuft, verslagen, zonder enige weerstand of energie. De monsters in de schaduw waren te groot en te machtig en er waren er veel te veel. Ik moest me terugtrekken en berusten in wat het lot voor me in petto had.

In die sombere stemming leek het me beter een taxi te nemen naar grootma Olivia en grootpa Samuel zodra ik in Provincetown arriveerde. Grootma Olivia was de ware monarch van de familie. Zij leek de enige te zijn die in staat was het lot in eigen hand te houden. Zij was degene die had besloten hoe en waar grootmama Belinda zou leven. Zij was degene die het gezin van oom Jacob en tante Sara beheerste. Ze domineerde zelfs rechter Childs. En ze was beslist degene die in haar eigen huis regeerde. En wat mijn moeder ook geloofde, grootma Olivia was degene die mamma had verbannen naar een armer, moeizamer bestaan in het mijnstadje in West Virginia.

Het werd tijd die macht te erkennen en ervoor te buigen. Ik was niet meer in staat tot verzet. Ik voelde me als een vlag die halfstok hing. Toen de taxi stopte voor grootma Olivia's huis nam mijn gevoel van verslagenheid nog toe. Met gebogen hoofd, lethargisch, uitgeput, liep ik naar de deur en drukte op de bel. Ik leek iemand die gekomen was om zich over te geven.

Boven me was de late middaglucht donkerblauw geworden. De lucht rook fris en helder, maar ik was veel te zenuwachtig om van de mooie dag te kunnen genieten. Grootma Olivia's dienstmeisje, Loretta, deed open en keek me met een onverschillig gezicht aan. Ik vermoedde dat werken voor grootma Olivia haar hard had gemaakt. Ze deed haar werk als een radertje in een machine, betrouwbaar, consequent, maar zonder liefde. Ze gaf geen blijk van enige reactie toen ze me zag. Wat haar betrof, had ik een handelsreiziger kunnen zijn.

'Wil je tegen mijn grootmoeder zeggen dat ik er ben, Loretta,' zei ik vermoeid, en liep naar binnen. Ze trok haar wenkbrauwen op en staarde naar mijn koffers.

'Ze hoeft het me niet te vertellen,' hoorde ik een stem. Toen ik me omdraaide zag ik grootma Olivia in een vorstelijke houding boven-aan de trap staan en op ons neerkijken. Ze droeg rouwkleren, een zwarte blouse en een zwarte rok tot op haar enkels, die haar langer deed lijken dan ze was. Haar witte haar was zoals gewoonlijk geborsteld en naar achteren getrokken, en haar bleke gezicht ver-toonde geen spoor van make-up.

'Dat is alles, Loretta,' ging ze verder toen ze een tree lager kwam. 'Je kunt verdergaan met de voorbereidingen voor het diner.'

'Ja, mevrouw,' zei Loretta met een knix. Haastig liep ze weg.

'Dus je bent terug, precies zoals ik verwacht had. Je dat reisgeld geven was verspilling, maar het is jouw verspilling, niet de mijne. Ik zal het document dat je hebt getekend bewaren en het aftrekken van de trust.'

Ze bleef de trap afdalen en liet haar hand over de mahoniehouten leuning glijden terwijl ze liep met opgeheven hoofd en volmaakt rechte schouders en rug.

'Ik hoef je niet te vragen wat er gebeurd is. Ik zie het aan je gezicht: teleurstelling, desillusie. Of moet ik zeggen dat je eindelijk wakker bent geworden? Dat je haar nu ziet zoals ze is?' vroeg ze. Ze stak haar voldoening niet onder stoelen of banken.

'Het komt door de man met wie ze is...' begon ik.

'O, geef niet de schuld aan een ander,' viel ze me in de rede. 'Zo ging het altijd met Haille. Iemand maakte eeuwig en altijd excuses voor haar, gaf iets of iemand anders de schuld en de verantwoorde-lijkheid voor haar egoïstische, wrede handelingen.' Ze zweeg even en lachte spottend. 'Ik neem aan dat ze haar dood in scène heeft gezet om een eind te maken aan zelfs een schijn van verantwoorde-lijkheid voor jou,' zei ze zelfvoldaan. Haar ogen keken me strak aan. Ze had het zelfvertrouwen van een roofdier dat weet dat het zijn prooi in een hoek heeft gedreven.

'Ja,' mompelde ik met neergeslagen ogen. Zelfs nu nog, zelfs na alles wat ik had meegemaakt, schaamde ik me voor mamma.

'Hm,' zei grootma Olivia. Ik keek naar haar op. De tranen brand-den achter mijn oogleden, maar ik hield ze daar gevangen, het laat-ste restje van mijn trots. Ze wendde haar blik af, maar toen ze weer

180

naar me keek, meende ik een spoortje medeleven te bespeuren. 'Goed,' zei ze, 'ik veronderstel dat het iets was dat je moest doen, iets dat je zelf moest ontdekken. Je kunt me later de bijzonderheden vertellen, als je wilt. Ik brand beslist niet van verlangen ze te horen.

'Maar,' ging ze verder met die karakteristieke kracht die ik tegelijk haatte, respecteerde en benijdde, 'dat deel van je leven is voorbij en we moeten verder. De familie moet ernaar blijven streven haar vooraanstaande positie in de gemeenschap te handhaven. Het zou natuurlijk het beste zijn als niemand iets te weten kwam over dit schandaal. Wat mij betreft, hebben we je moeder begraven. Ik ben niet van plan een of andere ongelukkige ziel op te laten graven. Haille is trouwens toch zo goed als dood voor me, en als ik jou zo zie, denk jij er net zo over. Wie heb je hierover verteld?'

'Alleen Cary,' zei ik. 'En Kenneth Childs komt het natuurlijk te weten.'

Ze dacht even na.

'Kenneth houdt zijn mond. Ik zal met Cary spreken, om er zeker van te zijn dat hij hetzelfde doet,' zei ze met een kort knikje.

'U hoeft zich geen zorgen te maken. Cary kletst niet, vooral niet over onze familie,' zei ik, en ze glimlachte. Maar het was een koude, harde glimlach die haar harde ogen in glinsterend glas veranderden.

'Onze familie, hè? Dat is goed. Dat is wat ik wil horen.' Ze knikte en haar glimlach verzachtte iets. 'Je hebt er goed aan gedaan hierheen te komen,' zei ze. 'Je hebt een goed verstand. Zoals we bespraken voordat je deze zinloze reis ging maken, zul je voortaan hier wonen.' Ze zweeg even en haar gezicht werd weer hard. 'Je hebt ongetwijfeld gehoord dat mijn zoon is gestorven terwijl je weg was?'

'Ja,' zei ik. 'Het spijt me. '

'Mij ook, maar we begraven de doden opdat de achterblijvenden verder kunnen leven. Jacob was een goed mens, maar een slachtoffer. Hij trok zich de dingen veel te veel aan en zijn hart werd zo bezwaard dat het niet verder kon. Daar kun je iets van leren,' zei ze, terwijl ze haar ogen opensperde. 'Je moet een muur rond je hart bouwen om het te beschermen. Je moet je genegenheid, je sympathie, je gevoelens niet goedkoop weggeven, want altijd als je dat doet, moet je daarvoor boeten.

'Je zult hier veel leren,' zei ze, terwijl ze me zo strak bleef aankijken, dat ik het niet waagde mijn blik af te wenden.

'Zoals ik je vertelde voordat je vertrok, heb ik bepaalde karaktereigenschappen in je ontdekt die, hoewel ze nu nog ruw van vorm zijn, kunnen worden gecultiveerd, zodat je een sterk, capabel mens zult worden. Maar dat zal alleen gebeuren als je luistert en gehoorzaamt. Ik ben niet van plan het pijnlijke verleden opnieuw te beleven dat ik met je moeder heb doorgemaakt,' waarschuwde ze. 'Je zult je goed gedragen zolang je onder dit dak verkeert en je zult niets doen dat deze familie in diskrediet kan brengen.'

'Misschien is dit toch niet zo'n goed idee,' opperde ik. 'Misschien kan ik beter weer bij tante Sara gaan wonen.'

'En wat wil je daar leren? Zelfmedelijden? Ha. Bovendien heeft ze genoeg te doen met zorgen voor haar gehandicapte kind.'

'Ik kan haar helpen. Ik kan...'

'Je leven verspillen,' maakte ze mijn zin af. Haar kille ogen verzachtten iets. 'Iedereen verwacht dat ik voor jou zal zorgen, nu je moeder verondersteld wordt te zijn gestorven. Wat voor indruk denk je dat het zal maken als ik Sara toesta weer een last op zich te nemen zo onmiddellijk na het verlies van Jacob?'

'Dus u maakt zich bezorgd over uw eigen reputatie,' zei ik. Ze verstijfde of er een elektrische schok door haar heen was gegaan.

'Ik hoopte dat je zou inzien dat wat ik je bied een kans is waar andere meisjes van jouw leeftijd alles voor over zouden hebben. Ja, ik heb egoïstische motieven, maar het zijn geen motieven voor mijzelf. Ze zijn voor deze familie. De naam, de reputatie, de eer van de familie zijn de echt belangrijke dingen, Melody. Dat zul je na een tijdje leren begrijpen.

'Mensen zonder familietrots zijn zwak, en hun zwakheid en gebrek aan gezag beïnvloedt hun hele familie. Kijk maar naar die vrouw die je je moeder blijft noemen. Heeft zij enige trots? Nou?' vroeg ze.

'Nee,' gaf ik aarzelend toe.

'Wil je net zo worden als zij?' ging ze verder. Ik sloeg mijn ogen op en ze glimlachte toen ze mijn vurige blik zag. Toen knikte ze. 'Je hebt meer van mijn familiebloed in je dan je wilt erkennen,' zei ze. 'Goed. Je krijgt de kamer die vroeger van Haille was. Ik heb hem voor jou in orde laten maken, in afwachting van deze dag. Ook al kom je hier wonen, je moet voor jezelf en je eigen spullen zorgen.

182

Loretta is mijn dienstmeisje en heeft geen tijd om jou op je wenken te bedienen. Bovendien is dat waar we met Haille in de fout zijn gegaan: we hebben haar teveel gegeven, te veel verwend. Feitelijk was Samuel degene die haar in alles toegaf, en je weet wat voor dank hij daarvoor kreeg.

'Ik verwacht dat je goede cijfers blijft halen op school. Ik verwacht, nee ik éis, ook dat je je sociaal en privé op het hoogste niveau gedraagt. Ik wil nooit zelfs maar een toespeling horen dat je iets hebt gedaan van al die verschrikkelijke dingen die jonge mensen van jouw leeftijd tegenwoordig doen. Geen drank, geen drugs, geen vrij seksueel verkeer, en ik wil niet dat je loopt te paraderen in die belachelijke, gewaagde kleren die de jonge mensen van vandaag modieus vinden.

'Ik zal zorgen voor je voorbereidende scholing na je eindexamen, zodat er een soepele overgang zal zijn als je je laatste jaar hebt voltooid,' zei ze op kalmere toon. 'Maar, zoals ik zei, er zijn dingen die je van me zult leren alleen al door hier te wonen en te observeren, dingen die je op geen enkele school kunt leren. Je kunt nu naar boven gaan om te rusten. Je ziet er moe uit. Als je wilt eten, kom dan over twee uur beneden.'

'Waar is grootpa Samuel?' vroeg ik.

'Hij slaapt op een ligstoel achter. Zo brengt hij tegenwoordig zijn meeste tijd door...' Haar stem klonk zo zacht dat het leek of ze vergeten was dat ik in de kamer was. Toen merkte ze plotseling dat ik naar haar staarde. 'Nou? Is er iets?'

'Ik weet niet zeker welke kamer van mijn moeder was,' zei ik, en keek naar de trap.

'Eerste deur links,' zei ze. 'Hij is schoongemaakt, en de badkamer ook. Zorg ervoor dat het zo blijft. Je zult wat kleren vinden in de kast en de laden. Ik heb ze voor je gekocht op de dag na je vertrek, in afwachting van deze dag,' ging ze triomfantelijk verder.

'Ik wou dat ik dezelfde kristallen bol had,' antwoordde ik ironisch.

'Die krijg je wel,' zei ze zelfverzekerd. Toen keek ze naar me alsof ze overwoog of ze wel of niet moest zeggen 'Welkom thuis'. Ze zweeg, knikte, en draaide zich toen om en liep de gang af naar haar salon.

Ik voelde me als iemand die de sleutel heeft gekregen van een motelkamer en te horen krijgt dat ze haar eigen weg moet vinden, en liep de trap op. Toen ik bij de eerste deur links kwam, bleef ik even staan, haalde diep adem en deed de deur open. Mijn nieuwe thuis, dacht ik, toen ik naar binnen keek.

Als er ooit een spoor van vrouwelijkheid in die kamer geweest was, had grootma Olivia die verwijderd. Hij zag er bijna even Spartaans uit als een kamer in een klooster. De muren waren behangen met donkerbruin behang zonder patroontje en voor de ramen hingen effen witte gordijnen. Het bed was eenvoudig. Het had geen hoofdeinde, en was bedekt met een beige deken en kussenovertrek. In de hoek stond een klein bureau, waarop een paar blocnotes, pennen, potloden en een slijper lagen. Het enige andere meubilair bestond uit een donkere ladenkast van pijnhout met zes laden en een nachtkastje van hetzelfde pijnhout naast het bed.

Er was geen kaptafel en geen andere spiegel dan die boven de wasbak in de badkamer. Natuurlijk was er geen telefoon in de kamer en geen televisie of radio. Toen ik de kast opendeed, zag ik zes eenvoudige jurken, twee lange rokken en een paar in kleur overeenkomende blouses. In de laden ontdekte ik ondergoed, sokken en een paar wollen truien, waarvoor ik dankbaar zou zijn als het koud begon te worden.

Ik maakte mijn koffer open en haalde de twee dure kledingstukken eruit die Holly's zus voor me had gekocht en hing ze in de kast. Ze zagen er bijna komisch uit naast die eenvoudige, goedkope en praktische kleren. Ik zette de bijpassende schoenen op de vloer van de kast en ging verder met uitpakken. Op het nachtkastje zette ik de Chinese waaier die Billy Maxwell voor me had gekocht. Ik beloofde mezelf dat ik hem en Holly gauw zou bellen om hen te bedanken voor alles wat ze voor me gedaan hadden.

Toen ik klaar was, ging ik even op bed zitten en staarde door de opening in de gordijnen naar de zee in de verte. De blauwe zee zag er uitnodigend, vredig, kalmerend uit. In ieder geval had ik dat uitzicht als ik het moeilijk had, en ik vermoedde dat dat vaak het geval zou zijn in dit huis.

Om me heen kijkend, vroeg ik me af hoe deze kamer eruit had gezien toen mijn moeder hier woonde. Grootma Olivia moest er als een orkaan doorheen zijn gegaan en alles hebben weggehaald wat ook maar enigszins aan mijn moeder zou doen denken. Het was een ruime kamer. Ik kon zien waar vroeger een paar planken aan de muur hadden gehangen. Daarop had mijn moeder waarschijnlijk haar poppen en knuffeldieren bewaard. Uit het weinige dat Cary me had verteld, had ik afgeleid dat grootpa Samuel haar had verwend en alles voor haar had gekocht wat haar hartje maar begeerde. Ik vroeg me af of het allemaal naar het souterrain was verwezen, samen met die foto's die Cary me eens had laten zien, of dat het allemaal was weggegeven, of zelfs verbrand. Grootma Olivia was heel goed tot zoiets in staat.

Ik ging op het bed liggen. De reis was vermoeiend geweest, ook al had ik in het vliegtuig en in de bus geslapen. Ik besefte dat wat ik voelde een intense, emotionele vermoeidheid was. Het soort vermoeidheid dat tot in mijn botten doordrong. Soezen in een vliegtuig of bus was niet voldoende om die te verjagen. Maar ik had honger. Ik dacht dat ik even mijn ogen dicht zou doen voor een korte rust en dan, zoals grootma Olivia had gezegd, naar beneden gaan om te eten.

Maar toen ik mijn ogen opende, was het zo donker dat ik de deur niet kon zien. De lucht was bewolkt, en er was geen ster te bekennen. Ik knipperde met mijn ogen, ging rechtop zitten en luisterde. Ik tastte naar het knopje van het lampje naast het bed en kneep mijn ogen samen tegen het licht. Toen keek ik op de klok. Twee uur. Ik had niet alleen tijdens het hele diner geslapen, maar tot in de nacht!

Paniek liep als een stroompje ijswater over mijn rug. Ik had Cary vlak voor of na het eten willen bellen en hem laten weten dat ik terug was. Hij zou van streek zijn dat ik hem niet als eerste had gebeld of was komen opzoeken. En ik wilde ook zo gauw mogelijk naar Kenneth. Er was zoveel te doen, en ik had kostbare tijd verslapen.

Na zo met zoveel schrik wakker te zijn geworden, kon ik natuurlijk niet meer slapen. De beroemde jetlag waarvoor iedereen me waarschuwde, eiste zijn tol. Mijn lichaam wist niet hoe laat het was en mijn maag, kwaad omdat ik die vergeten was, gromde en knorde. Ik stond op, liep naar de deur en keek de gang in. Ik zag een vaag licht in de gang en boven de trap. De deur kraakte toen ik hem wat verder opendeed. Toen sloop ik op mijn tenen de kamer uit en de trap af. Elke stap op de treden verried me met een gekreun toen ik

185

omlaagliep. Ik wilde niemand storen, maar ik moest iets eten, wat melk, een boterham, wat dan ook.

Op weg door de gang naar de keuken zag ik een licht uit de salon komen. Toen ik bij de deur kwam, bleef ik staan en keek naar binnen. Grootpa Samuel zat onderuitgezakt in een fauteuil, met zijn handen op zijn buik. Hij sliep met open mond. Op de tafel naast hem stond een karaf cognac en een half gevuld glas. Ik liep verder naar de keuken, waar ik een kalkoensandwich maakte, die ik snel opat. Ik voelde me een dievegge.

Plotseling hoorde ik een zachte kreet en keek naar de keukendeur. Grootpa Samuel stond op de drempel.

'Mijn God,' zei hij. Hij kwam wankelend naar voren en bleef toen met wijdopen ogen staan. 'Haille?'

'Nee, grootpa. Melody,' zei ik. 'Het spijt me dat ik u wakker heb gemaakt, maar...'

'Melody?' Hij wreef met zijn handpalmen over zijn gezicht en keek weer naar me met een versufte blik in zijn ogen. 'Melody?'

'Ja, grootpa. Ik had honger. Ik was in slaap gevallen en heb het diner gemist en...'

'O. O, ja. Olivia heeft het me verteld. Ze had Loretta naar je toegestuurd om te zien hoe het met je ging.' Hij schudde zijn hoofd. 'Even dacht ik... je moeder kwam altijd laat thuis en ging naar de keuken om iets te eten. Vaak had ze te veel gedronken,' ging hij fluisterend verder, 'maar ik zei nooit iets tegen Olivia. Ik zorgde ervoor dat ze wat voedsel naar binnen kreeg en dan stuurde ik haar naar bed.

'Wel, het is al laat. Ik moet naar boven. Olivia heeft me waarschijnlijk alweer opgegeven.' Hij keek me met een schuine blik aan. Het was of hij me nog steeds niet vertrouwde, de werkelijkheid niet vertrouwde. 'Ik heb je niet horen binnenkomen, Haille,' zei hij na een tijdje. Hij schudde zijn hoofd. 'Ik ga maar slapen. Ik zal de voordeur weer op slot doen. Olivia heeft hem op slot gedaan toen je niet op tijd thuis was en zei dat we je op straat moesten laten slapen, maar zoals gewoonlijk heb ik hem weer van het slot gedaan toen ze naar boven ging.'

'Wat? Grootpa... ik ben het, Melody,' zei ik zacht, verbaasd door zijn gedrag. Misschien slaapwandelde hij. En praatte in zijn slaap.

Hij glimlachte.

'Het blijft een van onze geheimpjes, oké? Verslaap je nu niet morgenochtend,' waarschuwde hij, en schudde zijn wijsvinger naar me. Toen glimlachte hij. 'Welterusten.'

Hij draaide zich om en liep langzaam naar de trap. Zoals hij wegschuifelde leek hij ouder dan ooit. Ik waste mijn bord en bestek af en veegde de tafel schoon, zorgvuldig alle sporen van mijn middernachtelijk hapje verwijderend. Maar toen ik bij de trap kwam, hees grootpa Samuel zich net de laatste treden op en begaf zich naar de slaapkamer van hem en grootma Olivia.

Snel ging ik naar mijn kamer en deed de deur dicht. Toen kleedde ik me uit, trok een van de nieuwe nachthemden aan die in de la lagen en kroop in bed. Eindelijk kwam mijn maag tot rust, maar mijn gedachten tolden door mijn hoofd toen ik probeerde uit te puzzelen wat grootpa Samuels vreemde gedrag te betekenen had. Zoveel leek ik toch niet op mijn moeder? En toen ik hem had verteld wie ik was en hij het zich scheen te herinneren, waarom was hij het toen weer vergeten en praatte hij tegen me alsof ik Haille was, alsof hij twintig jaar geleden leefde?

'Nou, zie je? Het is Melody, onze kleindochter. Melody, niet Haille,' zei grootma Olivia nadrukkelijk toen ik de volgende ochtend de eetkamer binnenkwam om te ontbijten. Ik lag nog in bed toen ik hen beiden eerder op de ochtend langs mijn kamer had horen lopen, en ik was zo snel mogelijk uit bed gestapt, en had me gedoucht en aangekleed. Grootpa Samuel keek op van zijn bord havermout en knikte glimlachend naar me toen ik aan tafel plaatsnam.

Hij droeg een sportjasje met een das, maar had zich slecht geschoren. Op zijn kin en kaken zag ik plukjes grijze stoppels.

'Hij hallucineerde gisteravond,' zei grootma Olivia. 'Hij vertelde onzin, zei dat Haille terug was.'

'Goedemorgen, grootpa Samuel,' zei ik, bang dat hij mijn nachtelijke tochtje naar de keuken zou verraden. Maar zijn ogen waren glazig en afstandelijk. Ik keek vragend naar grootma Olivia.

'Hij is aan het dementeren,' mompelde ze.

'Wat zei je, Olivia?' vroeg hij. 'Wat is er te redeneren?'

'Ik zei niets over redeneren, idioot,' snauwde ze. 'Ik wil dat je morgen naar de dokter gaat voor dat gehoorapparaat. Ik heb tegen

Raymond gezegd dat hij je erheen moet brengen.'

'O. Goed, goed. Ik heb tijd vandaag,' zei hij, en ze lachte.

'Hoor je? Hij kan de tijd ervoor vinden in zijn drukke programma vandaag.'

Ik staarde naar hem. Hij was zo veranderd en het was zo snel in zijn werk gegaan, dacht ik. Ik keek weer naar grootma Olivia, die de verwarring op mijn gezicht zag.

'Zo is hij al sinds Jacob is overleden,' legde ze uit. 'Het trof hem als een mokerslag en heeft hem in enkele minuten jaren ouder gemaakt.'

Grootpa Samuel blies op zijn lepel havermout en staarde verstrooid voor zich uit, keek dwars door me heen.

'O, wat triest,' zei ik.

'Zoals zoveel in het leven,' merkte grootma Olivia op. 'Daarom is het belangrijk dat we leren omgaan met onaangename dingen, leren accepteren wat we niet kunnen veranderen en doorgaan naar wat we wél kunnen. Verspil nooit meer je tijd aan een verloren zaak. De tijd is te kostbaar. Je bent nu jong, dus je denkt dat je eeuwig jong zult blijven, maar op een dag word je wakker en merk je dat je de rimpels en de grijze haren niet meer kunt tellen en dat je pijn hebt waar je die nooit eerder gehad hebt.'

Ze richtte zich weer tot grootpa Samuel.

'Als je op die lepel blijft blazen, Samuel, verandert je pap in ijs. Eet.'

'Wat? O, ja, ik heb tijd vandaag. Ik heb tijd,' mompelde hij.

'Ik begrijp niet dat ik de moeite nog neem,' zei grootma Olivia. 'Straks zit hij in de kamer naast mijn zuster. Je zult het zien.'

'Misschien dat hij mettertijd...' begon ik.

'Mettertijd zal het erger worden. Het heeft geen zin er tranen aan te verspillen. Wat heb je voor plannen vandaag? Heb je alles wat je nodig hebt voor school? Ik geloof dat die volgende week weer begint, als ik me niet vergis.'

'Ja. Ik heb alles wat ik nodig heb. Ik had Cary en tante Sara en May willen opzoeken,' zei ik.

'Die zielige vrouw. Het enige wat ze dag en nacht doet is huilen. Haar ogen zijn zo rood dat het een wonder is dat ze er nog mee kan zien.'

'Het moet erg moeilijk voor ze zijn,' zei ik. Ik herinnerde me hoe verschrikkelijk ik me voelde toen mijn stiefvader Chester was overleden.

'Jacob had een goede levensverzekering. Er is voldoende geld voor de manier waarop ze leven, en ik heb ervoor gezorgd dat ze nog een beetje meer kregen. Ze zullen niet verhongeren of gebrek hebben aan de eerste levensbehoeften,' zei ze kortaf.

'Ik bedoel meer dan geld,' zei ik. Het verbaasde me dat ze geen enkele emotie toonde als ze sprak over de dood van haar zoon.

Ze lachte alsof ik iets erg grappigs had gezegd.

'Ja, als je erachter komt wat dat is, laat het me dan weten.'

'Ik weet het al. Het is liefde, bezorgdheid, vriendschap...'

'Niemand houdt meer van een ander dan hij of zij van zichzelf houdt. Dat zul je nog wel ontdekken.'

'Ik hoop van niet,' zei ik.

'Dat heb je al gedaan,' antwoordde ze. 'Wat kan intenser zijn dan de liefde van een moeder voor haar eigen kind? En toch houdt je moeder meer van zichzelf. Denk maar niet dat romantische liefde anders is. Mannen en vrouwen begeren elkaar, beloven elkaar van alles als ze jong en verliefd zijn, en dan, met het verstrijken van de tijd, groeien ze uit elkaar. Hun eigen interesses krijgen weer voorrang. Voor je het weet,' zei ze, starend naar grootpa Samuel, die op een nieuwe lepel havermout zat te blazen, 'zijn er vijfendertig jaar voorbijgegaan en ken je nauwelijks de man met wie je je bed deelt. En als hij niet eindigt je bij een andere naam te noemen, bof je.

'Hecht niet te veel waarde aan romantische liefde, Melody.'

'Waar gelooft u wél in, grootma Olivia?'

'Dat heb ik je gezegd, familie, naam, reputatie, zelfrespect.' Ze bette haar lippen met haar servet en stond op. 'Vandaag, en alleen vandaag, zal ik Raymond toestaan je naar Sara te brengen voor hij met Samuel naar de oorarts gaat, maar ik ben niet van plan hem dat elke keer te laten doen dat jij het in je hoofd haalt erheen te gaan.

'Samuel,' snauwde ze. 'Ben je van plan de hele ochtend met je eten te blijven spelen?'

'Wat? O. Is het tijd om te gaan?'

'Het was lang geleden al tijd om te gaan,' zei ze weemoedig. Ik hoorde de trieste klank in haar stem en staarde haar even aan. Ze realiseerde zich snel dat ik naar haar keek en stond op van tafel. 'Eet je ontbijt, Melody. Ik zal Raymond voor de deur op je laten wachten.'

Zodra ik klaar was met mijn ontbijt, ging ik naast grootpa Samuel in de auto zitten. Toen Raymond me naar tante Sara had gebracht, verwachtte ik dat Cary al weg zou zijn met de kreeftenboot, maar toen ik uitstapte en op de deur klopte, deed hij open en staarde me aan, eerst verbaasd en toen vol blijdschap.

'Melody! Je bent terug!'

'Hallo, Cary,' zei ik lachend.

Hij liep naar me toe om me te omhelzen en zag toen grootma Olivia's auto wegrijden.

'Wat deed Raymond hier? Waar zijn je koffers? Hoe lang ben je al terug in Provincetown?' Hij vuurde vragen op me af.

'Gisteren. Maar ik was zo moe van de reis dat ik in slaap viel zodra ik even ging liggen en ik heb tot in de nacht doorgeslapen,' zei ik.

'Geslapen? Waar geslapen? Ben je eerst naar grootma Olivia's huis gegaan? Waarom?'

'Waar zijn tante Sara en May?' vroeg ik, in plaats van te antwoorden.

'Binnen. Wat is er aan de hand? Waarom ben je eerst naar grootma Olivia gegaan? Je gaat bij haar wonen, hè?' vroeg hij.

'Ja, Cary.'

'Waarom?'

'Je weet toch dat we deze discussie al hadden voor ik wegging, toen ik had gehoord dat rechter Childs mijn echte grootvader was en Kenneth mijn oom.'

'Ja, maar...'

'Daar is niets aan veranderd, Cary, en nu mijn moeder niet echt dood en begraven is...'

'Maar dat weet niemand en nu pa er niet meer is...'

'Dat is het nou juist. Ik... ik denk gewoon dat het voorlopig beter is zo. Je moeder heeft genoeg te doen en, en nou ja, vooral nu iedereen gelooft dat mijn moeder dood en begraven is, vindt grootma Olivia dit voor iedereen beter. Maar zoals ik je vóór mijn vertrek beloofd heb, zullen we elkaar iedere dag zien,' ging ik snel verder.

Zijn groene ogen leken dwars door me heen te kijken en zijn lippen vertrokken in een minachtend glimlachje.

'Ik dacht niet dat je het door zou zetten na je reis naar Californië, maar nu je geproefd hebt van de rijkdom en de glamour, wil je zeker liever in het grote huis wonen, hè?'

'Nee, dat is niet waar,' protesteerde ik.

'Het staat als een paal boven water dat zij meer voor je kan doen dan wij,' ging hij verder. Hij sloeg zijn armen over elkaar en trok zijn schouders naar achteren. 'Ik kan het je niet kwalijk nemen.'

'Praat niet zo tegen me, Cary. Je begrijpt het niet.'

'O, ik begrijp het best. Dat is juist het probleem. Ik begrijp te veel,' zei hij.

Deze keer liet ik de hete tranen over mijn wangen rollen.

'Het bezoek aan mijn moeder was een ramp. Eerst probeerde haar vriend, Archie, of Richard Marlin, of wie hij ook is, me in een pornofilm te krijgen en mamma vond het goed,' zei ik. Cary's kille grijns verzachtte iets. 'Toen probeerde hij... probeerde hij me te verkrachten en ze geloofde hem toen hij zei dat het mijn schuld was. Ze was blij dat ik wegging. Ze heeft iedereen in de waan gebracht dat ze niet veel ouder is dan ik. Ze vertelde dat ik haar zus was en ik moest net doen of het waar was.

'Ik heb geen ouders meer. Niemand die echt om me geeft!' riep ik uit.

'Je hebt mij, Melody, en May en mijn moeder... je weet dat ze iemand nodig heeft om Laura's plaats in haar hart in te nemen.'

'Dat is het juist... Laura's plaats. Ik waardeer het, maar ik moet mezelf worden, en ik ben bang, Cary. Ik ben bang dat je moeder nu meer dan ooit zal willen dat ik Laura ben,' bekende ik, terwijl ik mijn ogen afwendde. 'Het spijt me,' zei ik, en veegde nog meer tranen weg. Hij zweeg.

'Ik weet wat je bedoelt, maar... ik...'

'Denk je dat ik bij grootma Olivia wíl wonen? Ze is wreed op een manier die ik niet kan begrijpen, maar ze is sterk, Cary, en als ik ooit iemand nodig had die sterk is, dan is het nu.'

'Ik ben sterk,' verkondigde hij.

'Dat ben je, maar je moet in de eerste plaats sterk zijn voor je moeder en zus, vooral nu,' zei ik. 'Later, als de tijd rijp is, wil ik dat je ook voor mij sterk bent.'

Dat bracht een warme glimlach op zijn gezicht. Hij dacht even na en toen knikte hij, kwam dichter naar me toe en omhelsde me. Ik genoot ervan zijn sterke armen om me heen te voelen. Ik wou dat ik in hem weg kon zinken en me voor eeuwig en altijd veilig achter het bastion van zijn liefde verschuilen.

Hij kuste een traan weg en streek over mijn haar.

'Ik dacht dat ik je voorgoed verloren had,' zei hij. 'Ik dacht dat je verliefd zou worden op Hollywood.'

'Ik vond het er verschrikkelijk, Cary, in ieder geval het deel dat ik ervan heb gezien. Het is niet de stad voor mij en mijn moeder, maar ze beseft het gewoon nog niet. Ik ben bang dat als het eindelijk tot haar doordringt, het haar te gronde zal richten.'

'Grootma Olivia heeft gelijk, Melody. Je moet Haille vergeten. Je bent thuisgekomen bij ons. Je moet nu aan de toekomst denken.'

Hij keek me schaapachtig aan. 'Ik had nooit gedacht dat ik het ooit in één opzicht met haar eens zou zijn.'

'Dat weet ik. Ik zeg het niet graag, maar ik geloof dat we allebei een hoop van haar kunnen leren.'

Hij lachte en werd toen weer ernstig.

'Je hebt zeker wel gezien hoe slecht het met grootpa Samuel gaat, veronderstel ik?'

'Ja. Het is of er iets geknapt is in zijn hoofd toen je vader stierf.'

Cary knikte. Er glinsterden tranen in zijn ogen. Hij slikte even en glimlachte toen weer.

'May zal heel erg blij zijn je te zien, en ma ook. Kom binnen,' ging hij verder, en deed een stap opzij. Hij gaf me weer een zoen op mijn wang en we gingen naar binnen.

May zat aan tante Sara's voeten te lezen en tante Sara deed wat naaiwerk. Haar handen bewogen automatisch, ze was kennelijk elders met haar gedachten. Langzaam sloeg ze haar ogen op en toen ze me zag verscheen er een liefdevolle, mooie glimlach op haar gezicht, de glimlach die ik op het gezicht van mijn moeder had willen zien, maar bij haar had gemist.

'Melody!' Ze legde haar naaiwerk neer en de beweging trok May's aandacht. Zodra May me zag, straalde haar gezicht van blijdschap, ze sprong op en sloeg haar armen om me heen. Ik hield haar stevig vast en toen maakte ze zich los en begon zo snel te seinen dat ik het niet kon bijhouden.

'Langzamer,' seinde Cary. 'Ze zit zo vol vragen dat ze je sneller zal uitputten dan een reis dwars door het land.'

192

Ik lachte en liep naar voren om tante Sara te omarmen.

'Het spijt me zo, tante Sara.'

'Ik weet het, lieverd. Hij heeft hard gevochten. De artsen zeiden dat hij zich tot het eind toe tegen de dood heeft verzet. Hij is niet zacht heengegaan.'

'Niet pa,' zei Cary trots. 'Hij was een echte Logan.'

Even dacht ik aan grootma Olivia's woorden over de waardigheid van de familie, en ik moest glimlachen om Cary's trots.

'Kom bij me zitten en vertel me alles over je reis. Waar zijn je koffers? Heeft Cary ze al boven gebracht?' vroeg ze, terwijl ze van mij naar hem keek. Cary zei niets.

'Ik blijf voorlopig bij grootma Olivia, tante Sara. Nu grootpa Samuel er zo slecht aan toe is en zo, denk ik dat ze mijn gezelschap wil,' legde ik uit. Het was niet zo'n grote leugen, een leugentje om bestwil, dacht ik. Eigenlijk hoopte ik dat het waar was.

'O, ik begrijp het,' zei ze. Ze deed haar best haar teleurstelling te verbergen. Ze forceerde een glimlach. 'Ze kan zoveel voor je doen. Natuurlijk moet je bij haar blijven. Dat is heel goed. Dus die vrouw was uiteindelijk toch niet Haille?'

'Nee, tante Sara, de vrouw die ik heb gevonden was niet de moeder die ik gehoopt had te vinden.'

'O, wat jammer.' Ze knikte met een flauw lachje. 'Maar in ieder geval ben je weer terug bij ons, thuis bij je familie. Je moet ons alles vertellen over Californië. Ik ben er nog nooit geweest.'

Ik ging naast haar zitten op de bank en vertelde over mijn reis. May zat aan mijn voeten en keek naar mijn handen, en Cary zat in wat altijd de stoel van zijn vader was geweest. Hij luisterde, met zijn ogen strak op me gericht.

We lunchten en daarna gingen Cary en ik met May wandelen op het strand, net als vroeger.

'Terwijl je weg was gingen May en ik hier vaak heen. Ik deed net of jij erbij was. Het was gemakkelijk, omdat ze niet kan horen, dus kon ik hardop over jou praten. Ik weet niet hoe vaak ik je heb verteld dat ik van je houd.'

'Ik heb je elke keer gehoord,' zei ik. Hij pakte mijn hand steviger vast.

'Kun je blijven eten?'

'Ik denk dat het beter is als ik terugga, want ik wil vanmiddag naar Kenneth, en ik hoopte dat jij me erheen zou rijden,' zei ik.

Hij draaide zich snel om.

'Wat is er?'

'Ik ben er gisteren geweest,' zei hij. 'Kenneth is... veranderd. Ik denk dat alles bij elkaar, de voltooiing van zijn beeld, de ontdekking van Haille door je vriendin, jouw vertrek... dat het allemaal pijnlijke herinneringen heeft wakker gemaakt, herinneringen die hij kon begraven in zijn werk.'

'Wat mankeert hem?'

'Hij dronk veel. Feitelijk vond ik hem slapend op het strand, terwijl Ulysses naast hem zat te janken. Ik heb hem naar huis gebracht. Hij was er kennelijk de hele nacht geweest.'

'O, nee, Cary.'

'Ik weet niet of je erheen moet.'

'Meer dan ooit, Cary. Ik moet er nu meer dan ooit naartoe,' zei ik.

Ik zei het zo vastberaden en ferm, dat ik er zelf verbaasd over stond.

'Met al je verdriet en al je eigen problemen vind je dat je iemand anders moet gaan helpen?' vroeg hij.

'Juist om dat alles,' antwoordde ik, denkend aan sommige dingen die grootma Olivia had gezegd. 'Het is belangrijk om te leren omgaan met onaangename dingen, te leren accepteren wat je niet kunt veranderen en verdergaan naar wat je wél kunt veranderen.'

'En denk je dat je Kenneths verdriet kunt veranderen?' vroeg hij sceptisch en verbaasd.

'Ja,' zei ik, terwijl ik staarde naar de golven die naar ons toe rolden. 'Ja, dat denk ik.'

12. De neergaande spiraal

Het begon harder te waaien toen we over de hobbelige kustweg naar Kenneths huis reden. Ik kon het sproeiwater van de zee tegen de rotsen zien spatten, en de zeemeeuwen leken moeite te hebben om op de juiste koers te blijven. De lucht was nog blauw, maar boven de horizon dreven lange, dreigende, grauwe wolken onze richting uit.

'Er is een noordooster op komst,' zei Cary. 'Het zal vanavond flink gaan regenen.'

We stopten naast Kenneths jeep en zagen dat hij het portier wijdopen had laten staan. Ik stapte langzaam uit de truck en liep naar de jeep. Ik staarde naar de lege bierflesjes en de lege zakken fast food op de grond, een paar oudbakken frieten en zakjes ketchup.

'Ik denk dat zijn accu leeg is,' zei Cary, die over mijn schouder mee keek. Hij knikte naar het dashboard. 'Hij heeft kennelijk zijn koplampen de hele nacht laten branden toen hij terugkwam uit een of andere bar.'

Ik schudde mijn hoofd, mijn hart bonsde van angstige verwachting toen we naar het huis liepen. De deur was zoals gewoonlijk niet op slot, maar stond ook half open. De rommel was nog veel erger dan toen ik pas voor Kenneth was gaan werken. Het leek of hij helemaal niets had afgewassen sinds ik was vertrokken. Voedsel zat aan de borden gekleefd. Overal stonden glazen met nog wat wijn, whisky, bier en cola erin, zelfs op de vensterbanken.

Ik klopte op de deur van de slaapkamer voor ik naar binnen keek, maar Kenneth was er niet. Ik begreep trouwens toch niet hoe hij in die kamer kon slapen. De dekens en de lakens slierden half op de grond, naast een kussen en verspreid liggende kleren en schoenen. Ik waadde door de rotzooi en bleef toen staan om de foto op te rapen van mamma en mij die ik eens onder het bed had gevonden.

'Wauw, wat stinkt het hier!' zei Cary. Ik zag bedorven voedsel en iets wat eruitzag als braaksel in een hoek. 'Walgelijk. Wat is dat?'

'Een foto van mijzelf en mamma. Heb je in de badkamer gekeken?'

'Ja. Hij is waarschijnlijk in de studio,' zei Cary. Hij schudde zijn hoofd toen hij in de kamer rondkeek. 'Ik zei dat het er slecht voorstond, maar ik had geen idee hóe slecht.'

'Oké. Laten we hem gaan zoeken,' zei ik, en we liepen naar buiten, dankbaar voor de frisse lucht. Ik keek naar de kleine vijver waar Kenneth Shell, de schildpad, en een paar vissen hield. Twee dode vissen dreven op het water en Shell was nergens te bekennen.

De deur van de studio stond wagenwijd open. Ik bleef in de deuropening staan en staarde naar de flessen, borden, papieren en blikjes. Een stoel was omgevallen en het kleine bankje leek een deel van het vulsel te missen.

Kenneth lag in foetushouding aan de voet van *Neptune's Daughter* en hield met één hand een bijna lege fles whisky vast. Zijn wangen waren ongeschoren, zijn baard was erg verward, zijn haar lang en niet geknipt. Hij droeg een vuile spijkerbroek, geen schoenen en een verschoten bruin T-shirt dat aan de rechterkant gescheurd was. Zijn ogen waren stijf dichtgeknepen en zijn mond was vertrokken in een grimas. Het leek of hij een afschuwelijke nachtmerrie had.

Ulysses, die naast hem sliep, stond met veel moeite op en kwam ons met krachtig kwispelende staart begroeten.

'O, Ulysses, arme jongen,' zei ik, toen hij mijn gezicht en handen likte. 'Wanneer heb je voor het laatst te eten gehad?'

'Hij heeft waarschijnlijk de restanten van de borden gegeten,' merkte Cary op.

We keken allebei weer naar Kenneth. Hij had zich niet verroerd.

'Misschien kunnen we hem beter niet wakker maken,' zei Cary. 'Ik heb je verteld dat ik dat al eens eerder gedaan heb, maar ik heb je er niet bij verteld dat hij niet zo vriendelijk reageerde.'

'We kunnen hem niet zo achterlaten,' zei ik. Ik haalde diep adem en ging naar hem toe. Hij stonk verschrikkelijk, maar ik knielde naast hem neer en wrikte voorzichtig de fles whisky uit zijn vingers. Cary kwam haastig dichterbij, pakte de fles uit mijn hand en zette hem op tafel. Toen schudde ik Kenneth zacht heen en weer aan zijn schouder. Zijn mond ging dicht en weer open, maar zijn ogen bleven gesloten. Ik schudde harder.

'Kenneth. Kenneth, word wakker. Ik ben het, Melody. Ik ben terug, Kenneth. Kenneth!' Ik rukte aan zijn arm en plotseling deed hij kreunend zijn ogen open. Hij kwam zo snel overeind dat ik bijna achterover viel om te voorkomen dat zijn zwaaiende linkerarm me raakte. Toen richtte hij zijn ogen op mij en wreef erin.

'Wat?'

'Ik ben terug, Kenneth. Ik ben Melody.'

'Je bent terug?' Hij wreef met zijn handpalmen over zijn gezicht, liet zijn hoofd voorover vallen alsof hij weer ging slapen, maar hief het toen weer langzaam op en keek me doordringend aan. 'Je bent geen visioen, geen droom? Je bent er echt,' zei hij glimlachend.

'Ja, Kenneth. Ik ben er echt. Wat is er aan de hand? Wat heb je met jezelf gedaan?'

'Met mezelf gedaan? Niets. Wat je ziet is mét mij, niet dóór mij gedaan,' antwoordde hij. 'Dus...' Eindelijk merkte hij Cary op, die een eindje van ons af stond. 'O, de strandreddingsbrigade is gearriveerd, hè?'

'Hoi, Kenneth. Ik geloof dat de accu in je jeep leeg is. Ik denk dat je gisteravond de lampen hebt laten branden.'

Hij glimlachte. 'Hoogstwaarschijnlijk.'

'Ik heb een paar startkabels in de truck. Ik zal zien dat ik hem weer aan de praat krijg.'

Kenneth bracht zijn hand naar zijn slaap en naar zijn mond, en boog toen.

'Mijn familie dankt je.'

Cary lachte, keek even naar mij en zag dat ik het allemaal niet zo grappig vond.

'Ik ben bezig met de jeep terwijl jullie praten,' zei hij, en liep haastig weg, op de hielen gevolgd door Ulysses.

'Praten? Gaan wij praten?'

'Wat is er met je gebeurd, Kenneth? Zo was je niet toen ik wegging.'

'Ik weet het niet,' zei hij snel en deed zijn best om op te staan. Ik wilde hem helpen, maar hij duwde me weg. 'Ik kan het wel alleen,' zei hij, maar hij wankelde toen hij stond en moest met zijn hand steun zoeken tegen het beeld. Hij deed zijn ogen open en glimlachte. 'Ik wist dat ik dit met een bepaalde reden had gemaakt.'

'Het heeft heel wat meer bestaansrecht dan dat, Kenneth. Het is schitterend,' zei ik, terwijl ik weer naar *Neptune's Daughter* keek. Ik hoefde niet te twijfelen, het was het gezicht van mijn moeder.

'Precies. Kunst ter wille van de kunst, om de schoonheid naar buiten te brengen die anders ongezien, ongehoord, onaangeraakt om ons heen is. Ik ben een profeet, een zanger, een...' Hij kreunde. '...een man met een ontstellende kater.'

Hij liep wankelend naar de bank, pakte een kussen en plofte neer, waarbij hij de bank bijna omvergooide.

'Waarom drink je zoveel? Je drinkt je dood op die manier,' zei ik.

'Nee, zo lijkt het maar. Ik kan tot in het oneindige zo doorgaan. Tja,' zei hij, toen hij weer een beetje tot zichzelf begon te komen, 'ik heb een paar keer van Holly gehoord.

'Blijkbaar heeft onze Miss Cape Cod een slimme truc met ons uitgehaald, hè? Een dood en een opstanding, precies zoals we allemaal vermoedden?'

'Ja, zij en haar zogenaamde agent profiteerden van een situatie om haar dood te fingeren. De vrouw die bij Richard Marlin in de auto zat had het identiteitsbewijs van mijn moeder geleend en werd eerst per vergissing voor mijn moeder gehouden en toen met opzet voor haar uitgegeven.'

'Olivia zal niets minder dan blauw bloed dulden in haar gewijde grond.'

'Waarom maakt iedereen zich toch zo bezorgd over wat grootma Olivia ervan zal vinden?' vroeg ik geprikkeld.

'Ik maak me niet bezorgd. Eerlijk gezegd amuseert het me. Haille vond het altijd prachtig zich voor iemand anders uit te geven, vooral voor filmactrices. Als ze een vreemde ontmoette, gaf ze een fictieve naam op, verzon een heel verleden voor zichzelf, en nog heel overtuigend ook.'

'Dan is ze op de juiste plaats,' zei ik, en begon het atelier op te ruimen.

'Niet doen. Het kan me niet meer schelen of het atelier schoon en opgeruimd is. Je kijkt naar mijn laatste kunstwerk,' zei hij, starend naar *Neptune's Daughter*.

'Hou op, Kenneth. Dit is niet je laatste werk, denk eraan. Je bent te jong om met pensioen te gaan.'

'Met pensioen gaan?' Hij lachte. 'Ja, met pensioen gaan is een mooie uitdrukking ervoor. Kenneth Childs, de beroemde beeldhouwer uit New England, heeft aangekondigd dat hij met pensioen gaat. Klinkt goed.'

'Ik vind het vreselijk, want het smaakt naar zelfmedelijden,' zei ik. Hij sperde zijn ogen open.

'Wauw. Et-tu, Melody?'

'Ik begrijp het, Kenneth, want ik heb me er ook in gewenteld.' Ik legde nog een kussen terug op de bank en ging naast hem zitten. Toen vertelde ik hem wat er gebeurd was in Californië en waarom ik was weggegaan. Terwijl hij luisterde, verscheen er weer wat bezieling in zijn ogen, vooral toen ik mijn moeder beschreef en hoe jong ze eruitzag.

'Dus ze is nog steeds heel mooi?'

'Ja, maar er zijn veel mooie vrouwen in Hollywood, de meesten met meer talent en allemaal waarschijnlijk met fatsoenlijkere en betrouwbaardere agenten. Richard Marlin is een schooier die haar gestrikt heeft.'

Hij knikte.

'Ik heb medelijden met haar. Zij was net zo'n slachtoffer als ik was. Ik heb met jou ook medelijden,' voegde hij er snel aan toe.

'Ik wil je medelijden niet. Ik wil er niet meer aan denken en ik wil ook niet meer proberen iets te forceren dat onmogelijk is.'

Hij keek me met hernieuwde belangstelling aan.

'Ik begrijp het. Je leert het glimlachend te verdragen, hè?'

'Ja, en ik wil dat jij dat ook doet.' Ik zweeg even en ging toen verder. 'Feitelijk heb je geluk gehad dat je niet aan mijn moeder vast bent blijven zitten. Grootma Olivia heeft gelijk dat de mensen altijd excuses voor haar zochten. Ze is niet zo geworden door wat er tussen jullie beiden gebeurd is, maar omdat ze het altijd in zich heeft gehad. Ze is altijd egoïstisch geweest, Kenneth. Je weet dat het zo is.'

Hij lachte. 'Waar haal je al die wijsheid en kennis vandaan?'

'Het was een lange reis,' antwoordde ik ironisch, 'door een regenwoud van tranen. Alleen omdat ze jou verloor als minnaar, wilde toch niet zeggen dat ze mij moest afwijzen, me verloochenen als haar dochter. Wanneer houd je eens op je vader de schuld te geven van elke fout die je maakt en zoek je die schuld eens bij jezelf?'

Hij sperde zijn ogen open.

'Je begrijpt het niet,' zei hij fluisterend en hoofdschuddend.

'Ik begrijp het wél. Denk je niet dat ik ook van haar wilde houden? Denk je niet dat ik graag een moeder wilde hebben? Denk je niet dat ik, toen ik opgroeide en ik zoveel vragen en vrouwelijke problemen had, dolgraag uren en uren met haar zou hebben doorgebracht, zonder dat ze voortdurend over zichzelf praatte, over haar puistjes of het grammetje extra vet? Denk je dat je haar had kunnen veranderen als je met haar getrouwd was?'

'Ik weet het niet,' gaf hij toe. 'Het enige wat ik weet is dat ik graag de kans zou hebben gehad.' Hij zuchtte diep. 'Oké, Melody, oké, maar wat mijn werk betreft, ik weet het niet.' Hij keek naar *Neptune's Daughter*. 'Dit project lijkt me te hebben uitgeput. Ik heb het alles gegeven wat ik had.'

'Dat betwijfel ik,' zei ik. We hoorden de claxon van de jeep en keken naar de deuropening. Cary stak zijn duimen omhoog.

'Hij is een goeie jongen. Jammer van zijn vader. Er komt nu veel op zijn schouders terecht. Ga je weer bij hen wonen nu je terug bent?'

'Nee. Ik ga bij grootma Olivia wonen. Je weet toch dat dat al geregeld was voordat ik naar Californië ging?'

'Ja, ik herinner het me, en ik herinner me ook dat het me een goed idee leek. Je zult veel van haar leren.'

'Dat vertelt ze me voortdurend,' zei ik ironisch. Hij lachte en streek over mijn haar.

'Het is prettig om je terug te hebben, al had ik ter wille van jou gehoopt dat het anders zou uitpakken.'

'Dank je, Kenneth. Hm, mag ik misschien een kleine suggestie doen?'

'Waarom niet?'

'Zou je binnen niet al te lange tijd een bad of een douche kunnen nemen?'

Hij bulderde van het lachen en trok zijn hand weg.

'Oké, dat verdien ik.'

'Intussen zal ik wat van de rommel opruimen.'

Hij schudde zuchtend zijn hoofd.

'Je hebt een slechte invloed op iemand die zich wil wentelen in zelfmedelijden, Melody.'

'Goed zo,' zei ik, wat weer een glimlach bij hem tevoorschijn bracht. Ik had zo'n idee dat hij niet vaak had gelachen sinds ik weg was gegaan.

'Je hebt wonderen met hem verricht,' zei Cary, toen we tweeën-half uur later wegreden. We hadden Kenneth achtergelaten terwijl hij wat warms at, en hij had beloofd te rusten en de whisky voorlopig te laten staan.

'Maar ik weet niet hoe lang het zal duren,' zei ik triest. 'Hij is op een punt gekomen waarop zijn kunst niet genoeg is. Hij heeft een mens nodig om van te houden en die van hem houdt.'

'Daar kan ik inkomen,' zei Cary en kneep zachtjes in mijn hand.

'Ja, ik ook.'

Terwijl we hotsend over de kustweg reden keek ik achterom naar Kenneths huis. Ulysses was naar het hek gekomen, maar hij volgde de truck niet luid blaffend over het grootste deel van de weg, zoals hij gewoonlijk deed. Cary keek in zijn zijspiegel.

'Ulysses begint oud te worden, hè?'

'Ja,' zei ik triest. 'En hij is Kenneths enige gezelschap.'

Tijdens de rit terug naar grootma Olivia zagen we de wolken uit het noorden komen binnendrijven en zich over de lucht verspreiden. Toen we over de oprit reden, regende het.

'Hoe doe je het met de kreeftenvisserij?' vroeg ik aan Cary, toen we voor het huis stilhielden.

'Roy zorgt ervoor. En Theresa helpt hem. Ze informeert vaak naar je.'

'Ze was het aardigste meisje van de hele school, tenminste wat mij betrof. Het kan me niet schelen hoe de snobs over de Brava's denken.'

Cary lachte. De Brava's, zoals de half zwarte en half Portugese bewoners van Provincetown werden genoemd, werden niet gemakkelijk geaccepteerd door de meisjes die volgens grootma Olivia van 'fatsoenlijke' afkomst waren.

'Ik moet me nu trouwens toch met de veenbessenoogst gaan bezighouden,' zei Cary. 'De meeste bessen zijn al helderrood. Meestal beginnen we pas in oktober te oogsten, maar ik denk dat we dit jaar al in de derde week in september kunnen beginnen.'

'Dit wordt mijn eerste veenbessenoogst. Wat moet ik weten om je te kunnen helpen?'

'Nou, deze bessen zijn allemaal bestemd voor sappen en sauzen, dus gaan we "nat oogsten" zoals het genoemd wordt. Eerst zetten we het terrein onder water tot de veenbessen volledig onder staan. Dan brengen we er trucks met dikke banden naartoe, de zogenaamde "water-reels" ofwel "eierkloppers". Ze worden over het terrein gereden en de draaiende bladen maken de bessen los van de planten en de bessen drijven naar de oppervlakte. Dan begint het zware werk.'

'Hoe bedoel je?'

'We verbinden planken met repen van canvas, leggen die om de veenbessen heen en trekken ze naar één kant van het terrein. Vlak onder het wateroppervlak wordt een buis geplaatst, en die buis leidt naar een pomp op de kust, die de bessen in een metalen kist zuigt, de zogenaamde "hopper". De hopper scheidt alles, en daarna worden de bessen in trucks geladen.'

'Je schijnt precies te weten wat je moet doen,' zei ik.

'Misschien, ja, maar ik heb het nog nooit zonder pa gedaan.'

'Het zal je best lukken, Cary, en ik zal je helpen.' Hij lachte.

'Jij zit op school,' zei hij.

'Ik neem een paar dagen vrij,' beloofde ik.

'Wil je spijbelen? Je maakt toch kans om de afscheidsrede voor je klas te houden tijdens de diploma-uitreiking?'

'Dat vind ik minder belangrijk,' zei ik, 'dan jou helpen.'

Hij bukte zich om me een zoen te geven. Het was een korte, tedere zoen, en toen hij zich terugtrok keek ik zo diep in zijn groene ogen, dat ik het gevoel had dat ik echt contact met hem had, met zijn ziel, met de man die hij was. Zijn ogen waren als magneten. Ik bewoog mijn lippen weer naar de zijne en we kusten elkaar opnieuw, maar nu langer, hartstochtelijker, en we omhelsden elkaar innig.

'Ik ben blij dat je terug bent,' fluisterde hij. 'Ik had nachtmerries dat ik je nooit meer zou zien.'

'Je moet alleen nog mooie dromen hebben, Cary. Ik ben terug en ik ga nooit meer bij je weg,' beloofde ik.

Hij was zo gelukkig dat de tranen in zijn ogen sprongen. We wilden elkaar weer kussen, maar toen ik achteromkeek naar het huis zag ik een gordijn bewegen op de tweede verdieping. Ik wist zeker dat grootma Olivia ons observeerde.

'Ik moet naar binnen, Cary, voordat het gaat stortregenen.'

'Ja. Hoe laat moet ik morgen langskomen?'

'Wacht tot ik bel. Ik wil grootmama Belinda graag opzoeken, als ik kan.'

'Natuurlijk, ik breng je wel,' zei hij.

'Je moet al je tijd met je moeder doorbrengen, Cary. Ze is zo bedroefd, en zo eenzaam.'

'Ik kan niet de hele dag daar zitten om haar te zien huilen, Melody. Het maakt me gek als ik zie hoe bedroefd ze is. Het beste wat ik kan doen is hard werken en haar laten zien dat alles in orde komt. Ik zal voor alles zorgen.'

'Dat weet ik,' zei ik, knikkend. 'Ik bel je morgen.'

Ik kuste hem snel en sprong de truck uit. Hij lachte naar me toen ik naar de voordeur liep. Hij startte de motor pas toen ik de deur opendeed en naar binnen ging. Ik zwaaide en toen reed hij weg.

Nu de lucht zo bewolkt was en de lampen uit waren of gedimd, was het somber en donker in huis. Ik voelde een rilling over mijn rug lopen en sloeg mijn armen over elkaar toen ik haastig de trap op liep. Toen ik op de eerste verdieping kwam, stond grootma Olivia op me te wachten bij de deur van mijn kamer. Zonder me te begroeten deed ze de deur open en wachtte.

'We moeten praten,' zei ze grimmig.

Met gebogen hoofd en met mijn armen nog steeds over elkaar geslagen, liep ik langs haar heen naar binnen. Ze deed de deur zachtjes achter zich dicht.

'Waar ben je de hele dag geweest?'

'Ik ben een tijd bij tante Sara en May geweest, en toen heeft Cary me naar Kenneth gebracht,' antwoordde ik.

'Misschien is het beter als je niet zo vaak meer naar dat strandhuis gaat,' zei ze.

'Waarom?'

'Er wordt al genoeg geroddeld. Dat zal het alleen maar verergeren.'

'Ik kan me niet verbergen voor elk gefluister in Provincetown,' zei ik.

Ze verstarde.

'Je zult hier een voorbeeldig leven leiden, zodat niemand enige reden zal hebben tot achterdocht, en er zal geen sprake zijn van roddels of indiscreties,' zei ze hooghartig, alsof ze de toekomst naar haar hand kon zetten.

'Ik blijf Kenneth bezoeken. Hij is mijn oom, mijn echte oom.'

'Zeg dat nooit tegen iemand, begrepen?' snauwde ze. Ze kwam vlak voor me staan. In haar ogen leek meer van haar eigen angst te spoken dan van woede op mij. Niets scheen haar meer vrees aan te jagen dan dat de mensen zouden horen dat rechter Childs mijn grootvader was en de minnaar van haar zus.

'Ik ben niet van plan de geheimen van onze familie op te rakelen, grootma Olivia. Het zou nergens toe dienen behalve mensen verdriet doen die al genoeg hebben geleden.'

Ze glimlachte opgelucht en knikte.

'Ja. Dat is goed gedacht.'

'Hoe gaat het mijn grootmoeder?' vroeg ik vastberaden.

'Belinda is... Belinda. Ze krijgt niet langer de medicijnen die een plant van haar maakten, als je dat soms bedoelt.'

'Mooi. Ik ga haar morgen opzoeken. Wees maar niet bang, het zal u geen extra benzine kosten. Cary brengt me,' zei ik snel.

'Dat is de voornaamste reden waarom ik met je wilde praten,' zei ze. 'Je wordt te intiem met Cary. Ik begrijp wel waarom,' ging ze verder, terwijl ze naar het raam liep. Het was harder gaan regenen. De grote, zware druppels kletterden op het dak en de wind joeg ze tegen het huis. 'Je was alleen, in een vreemde omgeving, maar je had een leeftijdgenoot met wie je kon praten en vriendschap sluiten. Maar nu je hier bent, moet je enige afstand scheppen tussen jullie beiden.'

'Waarom?' vroeg ik, en ze draaide snel rond.

'Cary is een goede, verantwoordelijke jongeman, maar te beperkt voor jou. Je mag niet dezelfde fout maken als ik,' waarschuwde ze. 'Het zou geen zin hebben je in huis te nemen als ik je dat niet zou leren.'

'Samen zijn met iemand van wie je houdt kan nooit een fout zijn,' antwoordde ik.

Ze schudde haar hoofd.

'Als je over die dwaze, romantische opvattingen heen bent gegroeid, zul je sterk genoeg zijn om de verantwoordelijkheden over te nemen die ik voor je in gedachten heb. Bovendien denk je niet aan je onmiddellijke toekomst. Je maakt dit schooljaar af en dan ga je naar een gerenommeerde voorbereidingsschool waar je wordt opgeleid voor de beste colleges. En daar zul je ongetwijfeld iemand leren kennen uit een gedistingeerde familie en een zinvolle relatie opbouwen.'

'U praat of u mijn hele leven voor me hebt uitgestippeld.'

'Ik doe mijn best, maar je moet meewerken en gehoorzamen,' ging ze verder, zonder zich blijkbaar om mijn gevoelens te bekommeren. 'Ik heb de hele dag over je nagedacht en ik ben tot de conclusie gekomen dat je onmiddellijk met je opleiding kunt beginnen. Voor dat doel heb ik een uitstekende privé-lerares aangenomen, miss Louise May Burton, een lerares van een instituut voor jongedames. Overmorgen begin je met je lessen, dus maak geen domme plannen om over het strand te slenteren, te zeilen of bezoeken af te leggen.'

'Lessen waarin?'

'Etiquette, manieren, gedragsregels. Je gaat naar scholen waar alleen de dochters van de beste families komen, mensen van aanzien, van goede afkomst, van zuiver bloed.'

'Er mankeert niets aan mijn manieren,' protesteerde ik.

Ze lachte.

'Hoe weet je dat? Ben je ooit met mensen omgegaan die het verschil zagen?'

Ik staarde haar even aan. Ik begon langzaam te koken van woede. Ja, mijn moeder was een grote teleurstelling, maar er waren veel mensen in mijn leven geweest die hartelijk en fatsoenlijk waren. Vergeleken bij pappa George en mamma Arlene zouden alle blauwbloedige kennissen van grootma Olivia barbaren lijken als het ging om echte en goede gevoelens en fatsoensnormen, dacht ik.

Maar pappa George was dood en mamma Arlene was verhuisd, bracht een zacht stemmetje me in herinnering.

'Dat is dan afgesproken,' ging grootma Olivia verder. 'Je zult je omgang met Kenneth Childs en met Cary beperken en je zult vlijtig alle goede manieren leren.'

'Ik wil mijn omgang met Cary niet beperken,' zei ik uitdagend.

'Als je het niet uit jezelf doet, zal ik het met Sara moeten bespreken. En,' zei ze glimlachend, 'je weet wat voor invloed ik heb op Sara. Afgezien van wat er binnendruppelt van die aflopende kreeftenvisserij en hun idiote veenbessen, zijn ze volledig op mijn liefdadigheid aangewezen. Zelfs dat armzalige huis is eigenlijk van mij,' onthulde ze. 'Mijn zoon heeft hun het geld moeten lenen voor de hypotheek.'

'U zou het niet wagen ze kwaad te doen,' zei ik.

Ze keek me met zo'n vastberaden, doordringende blik aan dat mijn bloed in ijswater leek te veranderen.

'Niet tenzij jij me ertoe dwingt.' Toen glimlachte ze. 'Natuurlijk kun je altijd weglopen en net zo leven als je dode moeder. Denk er maar eens over na. Ik weet zeker dat je tot de conclusie zult komen dat ik, en wat ik voor je zal doen, je beste kans is op een behoorlijk leven.'

'Waarom doet u dit wérkelijk allemaal voor me?' vroeg ik plotseling meer nieuwsgierig dan kwaad.

'Dat heb ik je al gezegd, ter wille van de familie,' zei ze.

Ik schudde mijn hoofd.

'Er is nog een andere reden.'

'Er is geen enkele andere reden... voor iets,' verklaarde ze. Met die woorden draaide ze zich om en liep de kamer uit.

De regen werd nog heviger en dreunde niet alleen op het huis, maar ook op mijn hart. Ik zag Cary's lieve glimlach en zijn groene ogen, die zijn behoefte aan mij en zijn grote vertrouwen verrieden. Hoe zou ik hem ooit teleur kunnen stellen? Grootma Olivia's dreigementen beangstigden me. Ik dacht aan de woede in haar gezicht.

Een tijdje geleden had ze haar hart toevertrouwd aan iemand die haar had verraden en uit dat verraad was mijn moeder geboren, een vrouw die ze niet kon beheersen of vormen. Ik was haar laatste kans op wraak.

Maar wraak op wie? Op wat?

Was het iemand, of was het slechts een wereld die ze was gaan verachten? Misschien allebei, dacht ik.

Ik wist zeker dat ik in de komende dagen alle antwoorden zou vinden, alleen was ik even bang om ze wél te ontdekken als niet.

Ik spartelde rond in een wereld van volwassen drijfzand. Wie zou me een touw toewerpen om me eruit te trekken? Kenneth? Rechter Childs? Mijn grootmoeder Belinda? Cary? Iedereen leek even hard rond te spartelen als ikzelf.

Alleen grootma Olivia, alleen zij leek vaste grond onder de voeten te hebben. Daarvoor moest ik haar bewonderen, en plotseling werd ik vervuld van een nieuwe angst.

Als ze eens haar zin kreeg en ik werd de vrouw die ze wilde dat ik werd?

Zou ik net zo worden als zij?

Dan zou ze inderdaad haar wraak hebben.

Grootpa Samuel kwam 's avonds niet aan tafel. Toen Loretta begon te serveren, informeerde ik naar hem.

'Samuel komt vanavond niet beneden voor het diner,' zei grootma Olivia en begon haar soep te eten.

'Heeft hij geen honger?'

'Hij herinnert zich niet wanneer hij heeft gegeten en wanneer niet,' merkte ze scherp op.

'Dat is afschuwelijk,' hield ik vol.

'Ja,' zei ze, en zweeg even. 'Ik ben het nog niet met mezelf eens of ik een verpleegster zal aannemen om me met hem te helpen of...'

'Of wat?'

'Hem in hetzelfde tehuis zal laten opnemen waar Belinda is. De dokter zal hem over een paar dagen weer onderzoeken en dan zullen we weten wat zijn mening is.'

'Maar hij wordt toch wel weer beter. Hij is alleen overmand door verdriet,' zei ik.

Ze bette met een precieus gebaar haar mond en wenkte Loretta dat ze haar kom kon weghalen.

'Melody, ik weet echt niet of we genoeg ruimte hebben op onze deur om het op te hangen.'

'Ophangen? Wat ophangen?'

'Het bordje met je medische diploma. Ik wist niet dat je er een had,' zei ze zonder enige humor.

'Ik zeg toch alleen maar dat het mogelijk is? Hij heeft gewoon wat tedere liefde en zorg nodig. Het is erg pijnlijk iemand te verliezen van wie je houdt,' snauwde ik terug. Het sarcasme droop van haar dunne, zelfvoldane lippen.

'Natuurlijk is het pijnlijk, maar tragedie en droefheid moeten worden onderdrukt, wil je voor iemand, inclusief jezelf, enige waarde hebben. Als je alleen maar de hele dag kunt zitten huilen, kun je net zo goed in het graf naast je geliefde gaan liggen. Je vindt me misschien ongevoelig, Melody, maar ik ben realistisch, pragmatisch. Alle succes, alles wat we hebben, is het resultaat van die kracht.

'En de ironie is,' ging ze verder, 'dat de zwakkere, gevoeligere leden van mijn naaste familie volkomen afhankelijk zijn van mijn kracht. Wat zouden ze zonder mij moeten beginnen? Wat zou er van Samuel terechtkomen, en van Belinda en Sara? Van allemaal. Zelfs van jou,' besloot ze.

Ze knikte naar Loretta die de entree begon te serveren, maar doodsbang leek het gesprek te onderbreken. Grootma Olivia ging verder.

'Ik verwacht geen dankbaarheid. Ik hoef niet voortdurend bedankjes te krijgen, maar ik wens ook niet te worden geminacht om wat ik doe. Is dat duidelijk?'

Ik keek even naar Loretta, die op mijn antwoord leek te wachten alvorens ook mij op te dienen.

'Ja, grootma,' zei ik.

'Mooi.' Ze begon te eten, terwijl ik wat zat rond te prikken in mijn bord. 'Morgen kun je naar Belinda. Dat moet je zelfs wel doen, nu ik erover nadenk. Vertel haar over Haille. Vertel haar alle bijzonderheden over haar dochter. Een goede dosis realiteit zal haar misschien goed doen,' zei ze, en knikte glimlachend.

We staarden elkaar even aan en aten toen zwijgend verder. We zeiden geen van beiden iets tot we klaar waren. Loretta haalde de borden weg en zei kalm dat ze direct het dessert zou brengen.

'Ik ben moe en ik heb genoeg gegeten. Eet jij rustig je dessert. Probeer de crème brûlée maar eens. Die is erg goed,' zei grootma Olivia, en trok zich terug in de salon.

Ik had ook geen honger meer en verliet de eetkamer kort na haar. Toen ik langs de salon liep, zag ik haar in haar diepe fauteuil zitten. Ze leek plotseling heel klein, uitgeput en alleen. Er lag een boek op haar schoot, maar ze las niet. Ze staarde uit het raam naar de traag vallende regen, naar de tranen die de lucht voor haar schreide, de tranen die ze zelf nooit had mogen vergieten.

Ik ging naar boven naar mijn kamer, maar toen ik op de eerste verdieping kwam, hoorde ik een deur open en dicht gaan en zag grootpa Samuel door de gang lopen. Zodra hij me in het oog kreeg, kwam hij haastig naar me toe. Hij droeg een pyjama onder een donkerblauwe, fluwelen ochtendjas, maar liep op blote voeten. Zijn haar zat in de war. Het leek of hij er urenlang met zijn vingers doorheen had gestreken.

'Haille,' fluisterde hij, 'ik ben blij dat je terug bent.'

'Nee, grootpa. Ik ben Melody,' zei ik zachtjes. 'Melody.'

Hij schudde zijn hoofd en keek achter zich alsof hij bang was dat hij werd afgeluisterd.

'Ze heeft het gedaan. Ik heb haar gezegd dat het verkeerd was, maar ze verbood me een woord te zeggen. Ze zei dat het een schande was voor de familie, en als ik me ook maar iets in het openbaar zou laten ontvallen, of iets tegen Jacob en Sara zeggen, ze me de deur uit zou gooien. Ze zou tegen iedereen zeggen dat ik achteraf toch verantwoordelijk bleek te zijn voor je zwangerschap. Kun je je zoiets voorstellen? Ik denk dat ze het meende.'

'Grootpa.'

'Ik zeg niet dat ze geen gelijk heeft. Misschien is ze beter af waar ze nu is, maar Haille, jij...'

'Grootpa, ik ben het, Melody,' zei ik. Ik pakte zijn hand vast. Hij draaide zich om en keek me recht in mijn gezicht.

'Wat?'

'Bekijk me eens goed. Ik ben mijn moeder niet.'

'Je moet niet tegen haar zeggen dat ik het je verteld heb,' zei hij. Hij keek angstig.

'Wát vertellen? Over wie hebt u het? Belinda?'

'Ik ben er niet voor verantwoordelijk,' zei hij, zijn hand lostrekkend en achteruitdeinzend. 'Je kunt het mij niet kwalijk nemen.'

'Grootpa.'

'Ik ga naar bed. Morgenochtend ziet alles er beter uit. Dat doet het altijd. Maar als je me niet gelooft, ga dan maar naar het souterrain. Kijk zelf maar. Je zult de papieren vinden. St,' zei hij, en legde zijn vinger tegen zijn lippen. 'Niets zeggen. Laat haar niet merken dat ik het je heb verteld. Doe net of je de papieren zelf gevonden hebt,' ging hij verder. Toen liep hij haastig weg en keek nog maar één keer achterom voor hij zijn slaapkamer binnenging en de deur zachtjes achter zich dichtdeed.

Wat voor papieren?

Was het alleen maar zijn waanzin? Was hij net als Ophelia in *Hamlet* tot waanzin gedreven door de dood van iemand van wie hij hield? Als hij deze toestand van verwarring niet te boven kwam, zou hij eindigen in een verpleeghuis, dacht ik triest.

Of waren er nog meer duistere geheimen die ik moest ontdekken? Was het niet alleen waanzin, maar waren pijnlijke herinneringen de oorzaak hiervan?

Ik hoorde voetstappen onder me. Grootma Olivia kwam de trap op. Voorlopig, dacht ik, zou ik grootpa Samuels woorden voor me houden.

In mijn kamer ging ik op bed liggen. De gedachten tolden door mijn hoofd en maakten slapen onmogelijk. Grootpa Samuels woorden weergalmden in mijn oren, en toen ik eindelijk in slaap viel, droomde ik van geheimen en leugens en gefluister uit het hiernamaals. Het grootste deel van de nacht lag ik te draaien en te woelen, tot ik eindelijk alle hoop opgaf om te slapen.

Heel lang bleef ik met wijdopen ogen liggen. De regen was opgehouden, maar de wind bleef om het huis gieren, krabde aan de ramen en fluisterde een naam. Mijn nachtmerries hadden een stem wakker gemaakt. Ik kon niet ontdekken hoe of wat, maar ik wist dat het een dieper geheim was dan ik ooit had kunnen vermoeden.

13. Hoe lief en aardig

Na het ontbijt de volgende dag kwam Cary langs om me naar groot-mama Belinda te brengen. Ik wachtte bij het raam van de salon, zodat ik meteen naar hem toe kon hollen, zodra hij voor de deur stopte. Ik wilde niet dat hij het afkeurende gezicht van grootma Olivia zou zien. Dan zou hij me er natuurlijk naar vragen en zou ik hem moeten vertellen hoe ze over ons dacht. En als ik op het ogenblik iets wilde vermijden, dan was het opschudding in de familie, vooral als die naar mij herleid kon worden.

De storm van gisteren was gaan liggen en er dreven slechts nog wat kleine wolkjes in de blauwe lucht. Zodra ik Cary's truck zag, rende ik naar buiten om hem te begroeten. Toen we grootma Olivia's sombere huis achter ons lieten, viel het ons op hoe heerlijk de zonneschijn was, hoe helder en fris de lucht, en hoe mooi het gras en de bloemen waren. Het vervulde me met nieuwe hoop en deed me denken aan de tijd toen ik jonger was en ik geloofde dat het leven één lange, perfecte zomerdag zou zijn, een dag net als deze.

Ik zou mijn naaste familielid weer zien. Ik hoopte dat ze wat helderder kon denken nu ze die medicijnen niet meer kreeg. Ik popelde van verlangen om haar te omhelzen en met haar over alles te praten, vooral al mijn dromen en plannen voor de toekomst. In ieder geval had Belinda tijd om te luisteren, dacht ik. Ik had tenminste iemand die mamma noch grootma Olivia me kon ontnemen.

Toen we naar het tehuis reden, vertelde Cary over de keren dat zijn tweelingzusje Laura mijn grootmoeder had bezocht, voordat oom Jacob elk verder bezoek had verboden. Cary had heel lang niet meer over Laura gesproken. Toen ik pas in Provincetown kwam, leek alleen al het uitspreken van haar naam hem verdriet te doen.

'Waarom bezocht Laura haar zo vaak, Cary?' vroeg ik. Hij dacht even na. De herinneringen deden zijn ogen schitteren.

'Belinda voelde zich de eerste keer dat ze Laura ontmoette, al tot haar aangetrokken. Het was of ze iets warms en liefs in elkaar ontdekten, een geheim dat ze beiden deelden. Wie er verder ook bij was, Belinda richtte zich altijd alleen tot Laura. Niemand wist het toen Laura haar de eerste keer hier bezocht. Ik herinner me zelfs dat mijn vader het pas na het derde of vierde bezoek ontdekte, en toen alleen nog omdat een of andere spion van grootma Olivia haar over de bezoeken vertelde. Ze belde pa, en hij gaf Laura een standje omdat ze erheen ging; per slot was Belinda het zwarte schaap van de familie. We mochten haar naam zelfs niet noemen, laat staan haar bezoeken.

'Maar pa vond het altijd moeilijk Laura iets te verbieden,' ging Cary verder. 'Altijd als Laura en ik iets deden wat pa niet goedkeurde, waren zijn standjes tot mij gericht en keek hij nauwelijks naar Laura, alsof zij er niets mee te maken had gehad. Hij dacht niet dat hij zijn zwakke plek ooit verried, maar het was duidelijk dat hij altijd vond dat het mijn schuld was, dat ík beter had moeten weten of me verantwoordelijker had moeten opstellen. Laura nam het natuurlijk onmiddellijk voor me op en nam zoveel mogelijk van de schuld op zich, maar pa wilde er niet van horen. Hij zei dat ze probeerde mij te beschermen.

'"Maar Pa," riep ze dan uit, "Cary was er niet eens bij!"

'"Doet er niet toe," bromde hij terug. "Hij had erbij moeten zijn om je tegen te houden of je te waarschuwen."

'Eén keer,' zei hij, zich naar me omdraaiend toen we over de zijweg naar het rusthuis reden, 'kreeg ík een pak slaag voor iets wat we allebei gedaan hadden. Hij sloeg me met een dikke, leren riem en ik had zoveel striemen op mijn achterste dat ik dagenlang niet kon zitten. Ik moest op mijn buik liggen. Laura kwam mijn kamer binnen en ging naast het bed zitten. Ze huilde alsof ze de pijn net zo erg voelde als ik zelf. En eerlijk, ik hield op met medelijden te hebben met mezelf en voelde de pijn een stuk minder. Eén traan van mij ontlokte haar er tien, zodat ik wel móest ophouden met huilen, anders had ze ons allebei verdronken,' zei hij lachend.

'In ieder geval fietste ze helemaal hiernaartoe om Belinda te bezoeken, en zoals ik hoorde, verheugde Belinda zich op haar bezoeken. Ik denk dat grootma Olivia jaloers was. Laura fietste nooit naar háár om haar te bezoeken.' Hij keek me lachend aan. 'Net als jij gaf Laura meer om anderen dan om zichzelf, vooral om mensen die minder fortuinlijk waren dan zij, of het nu door gebrek aan geld of gebrek aan liefde was.'

We parkeerden, stapten uit de truck en liepen naar de ingang. Een knappe zuster begroette ons in de hal. Op haar naamplaatje stond MRS. WILLIAMS. Ik had haar nog nooit gezien. Ze leek niet ouder dan achterin de twintig.

Er zaten minder bewoners in de foyer dan de vorige keer toen ik hier was, maar weer trok mijn verschijning, en vooral die van Cary, alle aandacht. De gesprekken stopten, en schaak- en kaartspelen werden onderbroken.

Ik legde uit wie we waren en voor wie we kwamen, maar voordat mevrouw Williams kon reageren, kwam mevrouw Greene haar kantoor uit. Haar hoge hakken klikten op de vloer toen ze naar ons toekwam.

'Hm, het is lang geleden sinds uw laatste bezoek,' zei ze. 'U had me in de waan gebracht dat u geregeld zou komen,' ging ze verder, alsof ze me op een leugen had betrapt.

'Ik was de stad uit,' legde ik uit. Ze lachte een beetje spottend en zei tegen de verpleegster: 'Ik breng ze wel, mevrouw Williams.'

'Ja, mevrouw,' zei de zuster en ging terug naar de andere bewoners.

'Uw grootmoeder is in de tuin,' zei ze, met een snelle blik op Cary. 'Ik mag aannemen dat dit een lid van de familie is?'

'Ja. Hoe gaat het met haar?'

'Heel goed. Ik moet u waarschuwen dat miss Gordon sinds u hier bent geweest vriendschap heeft gesloten met een van de andere inwoners, meneer Mandel. Ze brengen het grootste deel van hun tijd samen door.'

Cary glimlachte, maar mevrouw Greene bekeek hem zelfs niet.

'Het is natuurlijk gewone kameraadschap,' ging ze verder. Met een strak gezicht ging ze ons voor door de foyer en een gang naar een zijdeur, die toegang gaf tot de tuin en wandelpaden, 'maar we moedigen dit soort dingen aan. Het is goed voor hun geestelijke gezondheid als ze een relatie opbouwen met andere inwoners.'

'U praat over hen of ze tot een ander soort behoren,' merkte ik op. Cary sperde zijn ogen open, verbaasd over de toon waarop ik sprak en mijn agressieve houding. Maar ik herinnerde me het gedrag van deze vrouw nog van de andere keren dat ik hier geweest was, en ik wist zeker dat ze op grootma Olivia's loonlijst stond.

'Oude mensen zijn praktisch een ander soort,' antwoordde ze zonder aarzelen. 'Maar alleen iemand die dag in, dag uit, met ze moet werken zal dat begrijpen, vrees ik.'

Ze keek met het meest valse glimlachje naar ons dat ik ooit had gezien, en knikte toen naar grootmama Belinda en een kleine, kale man, die op een bank zaten. Zijn bril was van zijn neus gegleden en wiebelde op het puntje ervan. Hij droeg een blauw pak, maar de broek was van een lichtere kleur, bijna grijs. Zijn das was onhandig geknoopt, het ene eind ervan was veel langer dan het andere, en zijn sokken waren afgezakt rond zijn enkels.

Toen we dichterbij kwamen, hoopte ik dat grootmama Belinda me zou herkennen. Toen haar gezicht opklaarde, dacht ik dat ze dat deed.

'Kijk eens wie we daar hebben, Thomas, mijn achterneef en achternicht,' zei ze, en ik besefte dat ze, omdat ik samen met Cary was, dacht dat ik Laura was.

'Nee, grootmama,' zei ik. 'Het is Melody, niet Laura.'

'Melody?' Ze keek naar Cary. 'Ja, tante Belinda. Uw kleindochter Melody. Hoe maakt u het?'

Ze keek van hem naar mij en knipperde snel met haar ogen. Ook al leek ze moeite te hebben met haar geheugen, ze was lang zo bleek en weggetrokken niet als de laatste keer dat ik haar had bezocht. Ze zag er opgewekt uit, en ze had wangen. Ze had haar haar keurig geborsteld en zelfs een beetje lippenstift opgedaan. Ik zag dat ze meneer Mandels linkerhand vasthield. Hij keek glimlachend en knikkend naar ons op.

'O,' zei grootmama Belinda. 'Mag ik jullie voorstellen aan meneer Mandel. Hij was vroeger accountant, en kan nog steeds hopen getallen uit zijn hoofd optellen. Grote getallen!'

'Niet zo overdrijven, Belinda. Ik ben lang niet meer degene die ik vroeger was,' zei hij lachend. 'Ik zal je alleen laten met je familie, Belinda.' Hij stond op en klopte zacht op de rug van haar hand.

'U hoeft niet weg te gaan, meneer Mandel,' zei ik, toen ik de teleurstelling zag op het gezicht van grootmama Belinda.

'Nee, nee, ik moet met mevrouw Landeau over de belastingen praten in verband met haar investeringen. Dat heb ik haar beloofd.

Amuseer jij je maar. Hier, neemt u mijn plaats,' zei hij tegen mij. Grootmama Belinda keek hem triest na toen hij leunend op zijn stok weghobbelde. Toen werden haar ogen donker, haar gezicht werd kwaad en leek plotseling op het gezicht van grootma Olivia. 'Ik weet niet wat ze in haar schild voert. Hem om advies vragen, het mocht wat!' mompelde ze. 'Ze had haar oog op hem laten vallen zodra hij bij me kwam zitten in de eetkamer. Groen van jaloezie. Ik wed dat ze geen cent meer had geïnvesteerd in wat dan ook. Ze liegt om zijn aandacht te trekken. Ik ken dat type. Ze kunnen het niet uitstaan als een ander gelukkig is.'

Cary lachte. Ik schudde mijn hoofd naar hem om hem te doen ophouden. Ik wilde niet dat grootmama Belinda zou denken dat hij haar uitlachte. Toen ging ik naast haar zitten en nam haar hand in de mijne.

'Grootmama, herinnert u zich niet meer dat ik u ben komen opzoeken? Herinnert u zich onze gesprekken niet meer?'

Ze keek naar Cary en toen glimlachend naar mij.

'Natuurlijk herinner ik het me. Hoe gaat het met je ouders?'

Cary en ik wisselden een blik van teleurstelling. Moesten we grootmama Belinda confronteren met de werkelijkheid of was het beter de rol aan te nemen die haar verwarde geest ons toedichtte?

'Kijk naar me, grootmama Belinda. Ik ben Melody, Hailles dochter, je kleindochter. Ik ben Laura niet. Ik kom u vertellen over Haille. Ik heb haar opgezocht in Californië.'

Ze staarde me aan en perste haar lippen opeen. Toen verhardde haar gezicht en haar ogen werden kil.

'Ik heb geen dochter,' zei ze. 'Ze moeten ophouden met dat te zeggen.' Ze keek Mandel weer achterna en ging met woedende stem verder. 'Nu heb je meneer Mandel weggejaagd en slaat die Corina Landeau haar klauwen in hem. Altijd als ik iemand vind, probeert iemand anders hem van me af te nemen. Mijn zus is geen uitzondering.' Ze keek weer naar ons en haar gezicht verzachtte plotseling tot een vriendelijke glimlach. 'Hoe gaat het met je moeder? Zeg tegen haar dat ik de koekjes erg lekker vond en dat ik er geen enkel bezwaar tegen heb als ze er nog wat meer wil bakken.'

'Grootmama,' zei ik wanhopig, 'alstublieft, probeert u zich mijn vorige bezoeken te herinneren. Ik ben Melody. Melody, Hailles dochter.'

215

Ze bleef Mandel nakijken en ik kon zien dat ze niet naar me luisterde. Ik zuchtte diep en Cary legde zijn hand op mijn schouder. 'Grootma Olivia wilde dat ik hierheen zou gaan en haar met de werkelijkheid confronteren. Ik denk dat ze wist wat ik zou aantreffen,' zei ik verbitterd.

'Ze is hier geweest,' zei grootmama Belinda, haar blik nog steeds van ons afgewend. 'Ze heeft me een bezoek gebracht. Ik veronderstel dat ik me vereerd moet voelen.'

'Wie is hier geweest, grootmama?' vroeg ik.

'Hare majesteit, wie anders?' zei ze, zich weer naar ons omdraaiend. 'Ze vertelde me dat Haille dood was, omgekomen bij een auto-ongeluk. Dus je ziet, ik kan geen kleindochter hebben. Ik heb niemand. Ik had meneer Mandel, maar nu...'

'Het is niet waar, grootmama. Ze loog. U hebt mij, grootmama,' zei ik. 'Alstublieft, kijk naar me, herinner u wie ik ben. Ik heb u al eerder bezocht. Weet u dat echt niet meer?' riep ik uit, bijna smekend. Ze staarde me met lege ogen aan.

Ik draaide me om naar Cary en grootmama Belinda ook.

'Hoe gaat het met je moeder, Cary?' vroeg ze. 'Kan ze nog steeds zo mooi borduren?'

'Ja, tante Belinda.' Ze glimlachte en knikte.

'Ik heb vroeger ook geborduurd, maar mijn vingers willen niet meer. Dat krijg je. Je wordt ouder en je kunt niks meer beginnen met je vingers.' Ze schudde triest haar hoofd en keerde toen meneer Mandel haar rug toe en perste haar lippen zo stevig op elkaar dat zich harde, witte lijntjes van woede vormden.

'Moet je haar zien zitten stralen daar,' mompelde ze. 'Hij zit te praten en zij straalt. Ze heeft geen cent geïnvesteerd. Ik heb het hem gezegd, maar mannen luisteren niet. Een andere vrouw knippert even met haar ogen, en ze jagen erachter aan. Jij begrijpt het, hè?' vroeg ze. Ze draaide zich weer om naar mij, alsof ze nu pas besefte dat ik naast haar zat. Ze glimlachte. 'Kijk toch eens. Je ziet er zo volwassen uit, Laura. Zo volwassen. Word niet te gauw verliefd,' waarschuwde ze, terwijl ze weer naar Mandel keek. 'Misschien kunnen we naar hem toegaan, en dan doe ik net of ik ook zijn hulp nodig heb om me te helpen met mijn geld. Ja,' zei ze, voldaan dat ze een oplossing voor haar probleem had gevonden.

'Grootmama...'

Ze bleef naar Mandel staren.

'Het heeft geen zin, Melody,' zei Cary. 'Ze herinnert het zich niet meer. Je verspilt je tijd en je wordt alleen maar nog meer teleurgesteld.'

'Maar zij is de enige die ik nog over heb, Cary. Ik heb verder geen familie meer,' kermde ik.

'Je hebt mij,' zei hij nadrukkelijk.

'Ik dacht dat ze het zich zou herinneren,' zei ik, terwijl ik haar verslagen aankeek. 'Ik dacht dat we wat tijd met elkaar zouden kunnen doorbrengen, maar grootma Olivia heeft er kennelijk voor gezorgd dat dat niet mogelijk is. Ze is hier geweest en heeft haar in de war gebracht. Ze heeft het met opzet gedaan.'

'Laten we gaan, Melody.'

'Ze is jaloers op alles, zelfs op de broze relatie die ik bezig was op te bouwen met mijn grootmoeder. Ze is hier naar binnen gestormd en heeft alles kapotgemaakt.'

'Melody, je maakt je helemaal van streek. Kom mee,' drong hij aan.

'Doe me een plezier,' zei grootmama Belinda toen ik opstond. 'Ga daarheen en vraag meneer Mandel of hij terugkomt. Zeg hem dat ik hem meteen nodig heb.'

'Hij komt bij u terug, grootmama,' zei ik. 'U bent veel mooier dan zij.'

'Heus?' Ze keek weer opgewekt en knikte. 'Ja, ik ben veel mooier, hè?' Met haar handen streek ze langs haar haar. 'Dat zal hij wel zien. Zij heeft een moedervlek op haar kin, met kleine haartjes. Ik heb niet eens veel rimpels, hè?' Ze keek naar ons, hief met gesloten ogen haar gezicht op naar de zon, haar lippen getuit als een jonge flirt.

'Nee, grootmama, die hebt u niet,' zei ik, en raakte even haar wang aan. Ze deed haar ogen open en staarde naar me.

'Je ziet eruit als een engel,' zei ze. 'Je moeder moet wel erg trots op je zijn.'

'Dat is ze,' zei Cary snel. 'Heel erg trots.'

'Mooi. Zo hoort het ook.'

Ze keek weer kwaad in Mandels richting. Cary trok aan mijn hand en ik stond op.

'Met haar komt het wel in orde,' zei hij.

'Je hebt gelijk,' antwoordde ik. Ik boog me voorover en gaf haar een zoen op haar wang, maar ze merkte het niet. Haar blik was strak gericht op meneer Mandel. 'Dag, grootmama. Ik kom terug. Ik beloof het u.'

'Vergeet de koekjes niet,' riep ze, toen we wegliepen. Ik keek nog één keer naar haar om voor we de duin verlieten. Meneer Mandel had de andere vrouw alleen gelaten en strompelde weer naar haar toe, en ze keek heel tevreden, heel gelukkig.

'Misschien wordt het tijd dat je eens wat meer aan jezelf gaat denken, aan ons,' zei Cary, toen we weer buiten stonden. 'Misschien wordt het tijd dat we allebei naar de toekomst kijken en niet naar het verleden.'

'Misschien,' gaf ik toe, maar ik was er minder van overtuigd dan hij dat het verleden dat zou toelaten.

Ik zei niets tegen grootma Olivia over mijn bezoek aan het verpleeghuis. Ik zou haar niet de voldoening gunnen te weten dat ze wéér haar zin had gekregen. Toen ze informeerde naar mijn bezoek, zei ik goed, en daar liet ik het bij. Als ik wilde overleven in haar wereld, moest ik leren het spel op haar manier te spelen. Voorlopig zou ik net doen of ik de jonge vrouw was die ze wilde dat ik was.

De volgende dag kwam miss Burton, zoals grootma Olivia had gezegd, en begon met mijn opleiding in de etiquette. Van begin af aan gaf ze me het gevoel dat ik niet veel beter was dan een boerenmeid die net was gearriveerd op de nobele kust van Cape Cod. Ik wist zeker dat grootma Olivia me zo had beschreven.

Ze riep me in de salon en stelde me voor.

'Miss Burton, mag ik mijn kleindochter, Melody, aan u voorstellen,' zei grootma Olivia. Ik keek naar de lange, magere vrouw, die zo kaarsrecht stond, dat ik dacht dat ze een stalen pin als ruggengraat had. Ze had heel smalle schouders en de botten drukten scherp tegen de donkerblauwe, katoenen jurk die in een rechte lijn over haar lichaam viel. De zoom hing op haar enkels en hij was bij de kraag dichtgeknoopt.

Miss Burton zei niets, maar stak haar hand uit.

'Hoi,' zei ik en schudde snel haar hand. Toen ging ik achteruit en keek naar grootma Olivia, die een nauwelijks merkbaar goedkeurend knikje gaf.

218

'Tot je weer naar school gaat, zal miss Burton de ochtend van elke werkdag precies om negen uur met de les beginnen. Als de school weer begint zullen de lessen daarnaar geregeld worden.'

'Voor hoe lang?' vroeg ik.

'Voor zo lang het nodig is om een dame van je te maken,' antwoordde grootma Olivia kortaf.

'Ik vind dat ik een dame ben,' kaatste ik terug. Grootma Olivia grijnsde koel en keek naar miss Burton.

'Zoals je ziet, sta je voor een uitdaging, Louise.'

'We zullen doen wat we kunnen,' zei miss Burton, terwijl ze me onderzoekend aankeek.

'Dan laat ik jullie alleen, zodat jullie kunnen beginnen. Ik weet dat je alle tijd nodig zult hebben die voor je les is uitgetrokken. En meer,' zei grootma, en liep de kamer uit. Even namen miss Burton en ik elkaar taxerend op, als twee tegenstanders. Toen schraapte ze haar keel en deed een stap naar me toe, alsof iemand haar van achteren een duw had gegeven.

'Ik kan je alleen maar helpen als je geholpen wilt worden,' zei ze grimmig.

'Ik geloof niet dat ik geholpen hoef te worden,' antwoordde ik eerlijk, omdat ze openhartig wilde zijn.

'Toch wel,' zei ze glimlachend en schudde haar hoofd. 'Je hebt absoluut hulp nodig.'

'O, ja?' vroeg ik sarcastisch. 'En hoe kunt u dat zo snel beoordelen, of baseert u alles op wat mijn grootmoeder u over me heeft verteld?'

'Ik beoordeel mensen zelf. Laten we gewoon beginnen met je binnenkomst vanmorgen. Mevrouw Logan stelde je behoorlijk aan me voor. Jongere mensen worden altijd voorgesteld áán oudere mensen. Maar je zegt geen 'hoi'. Het minste wat je kunt zeggen is gewoon 'hallo'. Dat is in elke situatie aanvaardbaar, behalve natuurlijk na een heel formele, introductie. Wij werden nogal formeel aan elkaar voorgesteld. Je had moeten zeggen: "Hallo, miss Burton, hoe maakt u het?" Of alleen: "Hoe maakt u het, miss Burton?" Bovendien moet een formele, mondelinge begroeting gepaard gaan met rechtstreeks oogcontact, wat bewijst dat je werkelijk aandacht hebt voor degene aan wie je wordt voorgesteld. Jij liet je ogen afdwalen naar mevrouw Logan, de kamer, mij, mevrouw Logan, en

219

weer naar mij,' preekte ze. 'Moet ik doorgaan?'

'Voor mijn part,' zei ik. Het was of er een steen op mijn maag lag. 'Een oudere persoon steekt zijn of haar hand als eerste uit naar een jongere, zoals ik deed, maar je pakt iemands hand niet slap aan alsof er geen botten zitten in die van jou, of dat je een lege handschoen aanpakt. Natuurlijk druk je niet te hard, maar wel stevig, en je kijkt de ander recht in de ogen als je dat doet.

'En dan,' ging ze zonder te pauzeren verder, 'je afgrijselijke houding. Iemand die recht staat en recht zit maakt de beste indruk, ziet er zelfverzekerd uit, iemand die de moeite waard is. Afzakkende schouders, onderuit zakken, je armen over elkaar geslagen, zoals jij nu doet... dat alles is slordig, slonzig, en wijst onmiddellijk op je gebrek aan verfijning. Je moet je schouders naar achteren trekken, buik en maag inhouden, rug recht en knieën ontspannen. Je kunt je armen ook losjes langs je zij laten hangen. Laat me nu eens zien hoe je gaat zitten,' zei ze, en knikte naar de diepe fauteuil links van me.

Ik bekeek hem als enorme uitdaging, ervan overtuigd dat wat ik ook deed verkeerd zou zijn. Niettemin liep ik naar de stoel, draaide me om, keek haar recht aan en ging zitten. Ze lachte.

'Wat is er voor grappigs?'

'Zo ga je niet zitten. Nooit zo stijf, en evenmin plof je neer in een stoel. Ga rustig zitten en houd je knieën bij elkaar,' ging ze verder, met een knikje naar mijn benen. 'De enige mensen die een glimp willen opvangen van je ondergoed, zijn ontaarden. Een tikje zijwaarts, om te voorkomen dat je met uitgespreide benen komt te zitten.'

'Deze kussens zijn zo zacht dat ik...'

'Reden temeer om aandacht te besteden aan je houding en hoe je overkomt op anderen in de kamer.'

'Ik geloof niet dat ik een opvallend slonzige indruk maak,' protesteerde ik.

'Je maakt geen slonzige indruk, maar je ziet er ook niet uit als een beschaafde, jonge vrouw, een vrouw van standing, van formaat, een vrouw die iemand van dezelfde soort zal aantrekken,' hield ze vol.

'Je behoort nu tot een heel gedistingeerde familie. Je hebt de verantwoordelijkheid om zelf ook gedistingeerd te zijn. En als je in een stoel zit met je knieën wijd genoeg uiteen om een vrachtwagen ertussen te besturen, als je ineenzakt als je staat, je rukkerig beweegt, met open mond staat te staren, wekt dat de indruk dat je bent grootgebracht door onontwikkelde, onopgevoede mensen van laag allooi.'

'Dat is niet waar! Ik ben grootgebracht door goede, fatsoenlijke mensen, die van andere mensen hielden en...'

'Waarom probeer je ze dan niet trots op je te laten zijn, trots op wat je bent geworden, trots op wie je nu bent?' antwoordde ze, voor ik mijn protest kon afmaken.

Ik slikte mijn trots en verontwaardiging in.

'Ik kan slechts zo'n goede lerares zijn als jij me wilt laten zijn, en jij kunt slechts zo'n goede leerlinge zijn als jij jezelf wilt laten zijn. Zullen we beginnen of wil je het komende uur liever erover debatteren of je al dan niet mijn hulp nodig hebt?' vroeg ze op de man af. Ze ontspande geen moment haar rechte houding en liet geen glimp van warmte toe in haar kille, bruine ogen.

'Ik zal het proberen,' zei ik tenslotte. Ik haalde diep adem, vastbesloten niet te huilen.

'Goed. Laten we dan beginnen. Loop naar buiten en kom weer binnen en doe net alsof we elkaar voor het eerst ontmoeten. Blijf denken aan je houding als je de kamer binnenkomt.'

Ik stond op en liep de salon uit. Even kwam ik in de verleiding door de voordeur naar buiten te hollen. Toen keek ik de gang in en zag dat grootma Olivia me gadesloeg. Ik wist hoe voldaan ze zich zou voelen als ze me zag wegvluchten. Ze zou alleen maar knikken en zeggen dat ze wel geweten had dat ik het niet in me had om haar niveau te bereiken. Woedend bij de gedachte aan haar spot, trok ik mijn schouders naar achteren, hield mijn hoofd hoog en ging terug naar de salon.

Miss Burton bood haar hand aan en ik schudde die stevig en zei: 'Hallo, miss Burton, hoe maakt u het?'

Ze glimlachte en knikte naar de stoel. Ik ging zitten zoals ze had gezegd en legde mijn handen in mijn schoot.

'Heel goed,' zei ze. 'We maken nog wel een dame van je.'

'Ik geloof dat een dame zijn met meer dingen te maken heeft dan te weten hoe je hallo moet zeggen,' merkte ik op.

'Natuurlijk. Het leidend principe van de etiquette is attent zijn. Er zijn tien geboden voor het dagelijks gedrag. Praat nooit alleen over jezelf,' begon ze, met haar lange, magere, knokige wijsvinger naar me prikkend, 'roddel nooit, stel nooit persoonlijke vragen of leg enige nieuwsgierigheid aan de dag, breng nooit iemand met opzet in verlegenheid, staar of wijs nooit naar iemand, kauw nooit met open mond, toon nooit genegenheid in het openbaar,' zei ze, terwijl ze even stopte om adem te halen. 'Ik heb begrepen dat jonge mensen dat laatste gebod tegenwoordig vaak overtreden.'

'Ik niet,' protesteerde ik.

Ze schudde haar hoofd.

'Je moet een goede zelfkritiek hebben, en dan mag je niet liegen, vooral niet tegen jezelf. Dat gebeurt als je liegt tegen anderen; je eindigt met liegen tegen jezelf.'

'Maar...'

'Heb je onlangs niet iemand hier op de oprit voor het huis gekust?' vroeg ze.

Ik bleef met open mond zitten. Had grootma Olivia haar verteld dat ik Cary had gezoend?

'Zit of sta nooit op die manier met open mond. Het is niet alleen onbeleefd, het is onflatteus.'

'Ik...'

'Kussen in het openbaar is genegenheid tonen, vind je niet? Laten we verdergaan,' zei ze, terwijl ze opstond. 'Vandaag zullen we ons concentreren op eten.'

'Eten?'

'Tafelmanieren, kindlief. Wees zo vriendelijk me naar de eetkamer te volgen.'

Ik stond op en liep naar de deur.

'Je moet iemand die ouder is dan jij altijd voor laten gaan,' zei ze. Verlegen bleef ik staan en liet haar als eerste de deur uitgaan. 'Kom mee, alsjeblieft. Zo lang hoef je niet achter me te wachten.'

Ik schudde mijn hoofd en volgde haar naar de eetkamer. Ik voelde me als een pup die zindelijk wordt gemaakt. Toen we langs de trap kwamen, zag ik Loretta in de schaduw staan en naar me kijken. Haar gezicht was onzichtbaar in het donker. Ik vroeg me af of Loretta mijn enige vriendin zou blijken te zijn in dit koude, harteloze huis. Of zou zij ook een van grootma Olivia's slaafse volgelingen zijn, te bang om iets anders te doen dan haar gezegd werd?

Wist ik maar of ik Loretta kon vertrouwen, dan zou ik naar haar toegaan en zeggen dat ze goed moest uitkijken. Ik was van plan grootma Olivia met haar eigen wapens te verslaan.

Mijn eerste kans kwam die avond tijdens het eten. Toen ik naar de eetkamer liep, hoorde ik stemmen in de salon. Ik bleef bij de deur staan en hoorde grootma Olivia zeggen: 'Hij is onmogelijk geworden, een bazelende idioot. Ik kan niet langer dulden dat hij zich in het openbaar vertoont. Ik wil dat je hier en daar om een wederdienst vraagt en hem bovenaan de lijst laat plaatsen, Nelson.'

'Maar ik dacht dat de dokter had gezegd dat het zijn toestand alleen maar zou verergeren,' zei rechter Childs.

'En mijn toestand dan? Denk je dat het niet meer dan erg is geweest voor mij?'

Ik kwam naar voren en de rechter zag me.

'O, Melody,' riep hij uit, en stond op om me te begroeten.

Ik stak mijn hand uit zoals miss Burton me geleerd had, stond kaarsrecht en hield mijn arm nogal stijf, om te voorkomen dat hij me zou omhelzen. Ik durfde hem geen genegenheid te tonen waar grootma Olivia bij was. Ik wist dat als ze enig vermoeden had van de band die ik met mijn grootvader begon te krijgen, ze die even snel zou verbreken als mijn broze relatie met grootmama Belinda.

'Goedenavond, rechter Childs,' zei ik. 'Prettig u weer te zien.'

Hij bleef even als met stomheid geslagen staan. Toen glimlachte hij en pakte mijn hand vast voor een snelle begroeting, tegelijk naar grootma Olivia kijkend. Ze knikte goedkeurend.

'Ik ben blij dat je weer terug bent.'

'Dank u,' zei ik met een stijf glimlachje, in de hoop dat hij het met me zou meespelen.

'Eh... we zaten even... rustig bijeen voor het eten,' legde hij een beetje verlegen uit. Hij zag er knap als altijd uit, zij het dat hij een tikje ouder, grijzer was geworden en zijn gezicht wat dikker. Hij droeg een marineblauw sportjasje op een kakibroek, met een gestreepte das losjes om zijn hals.

'Komt grootpa Samuel niet eten?' vroeg ik. 'Ik heb hem de hele dag nog niet gezien.'

'Nee,' zei grootma Olivia scherp. 'Zijn toestand is erger geworden. De dokter komt vanmorgen.'

223

'Kan ik iets doen om te helpen?' vroeg ik. Ik wilde dat ik groot-pa Samuel weer gezond kon wensen.

'We kunnen geen van allen iets doen,' antwoordde ze op droge toon. Op dat moment verscheen Loretta op de drempel en kondig-de met een knixje aan dat het diner gereed was.

'Eindelijk,' zei grootma, terwijl ze opstond. Rechter Childs bood haar zijn arm aan, die ze snel accepteerde. Samen liepen ze naar de deur. Ik deed een stap opzij om hen voor te laten gaan en volgde hen toen snel de gang door.

'Je moet me alles vertellen over je reis naar de westkust,' zei rechter Childs, toen we aan tafel zaten. 'Misschien kun je eens een keer op bezoek komen,' ging hij verder, met een nerveuze blik op grootma Olivia.

'Dat zou ik heel prettig vinden, rechter Childs,' zei ik. Ik vouw-de mijn servet open en legde het op mijn schoot. Grootma Olivia bestudeerde mijn houding toen ik rechtop ging zitten, mijn rug ste-vig tegen de leuning van de stoel.

Zodra de soep was opgediend en grootma Olivia haar lepel pakte, begonnen de rechter en ik te eten. Behalve in grootma Olivia's huis, had ik nog nooit ergens gegeten waar zoveel bestek naast het bord lag. Miss Burton had uitgelegd dat we altijd moesten beginnen met het bestek dat het verst van het bord lag. We zaten een tijdlang rus-tig te eten, waarbij grootma Olivia en ik elkaar aandachtig opna-men. Toen het bord te leeg raakte voor de lepel, schraapte grootma Olivia over de bodem van haar soepbord, luid genoeg om te worden gehoord.

Ik tilde het mijne iets op aan de dichtstbijzijnde rand.

'Ik geloof dat dit de juiste manier is, grootma,' zei ik verrukt toen ik haar zag blozen. De rechter begon te lachen, maar hij stopte zodra hij de woede in grootma Olivia's ogen zag.

'Ik weet hoe het moet. Ik was nog niet zover,' antwoordde ze.

'Uw lepel klonk anders alsof u dat wél was,' zei ik. Hoewel ik vastbesloten was mijn plan door te zetten, begon ik te denken dat ik het misschien wat langzamer aan zou moeten doen.

Ze perste haar lippen op elkaar, hief haar bord op de juiste manier op, maar nam nog maar één hap. Toen we klaar waren, lieten we onze lepels op het soepbord liggen, vrijwel tegelijk, alsof we twee concurrenten waren die streden om een prijs voor tafelmanieren. Ik zag het vraagteken in de ogen van de rechter.

Loretta probeerde een grijns te onderdrukken, haalde de borden weg, en kwam met het voorgerecht, mosselen in de halve schelp.

'Ik neem aan dat je bij Sara en de kinderen bent geweest na je terugkomst,' zei de rechter. 'Hoe gaat het met ze?'

'Zo goed als verwacht kan worden. Cary en May missen hun vader. En tante Sara is natuurlijk erg bedroefd,' antwoordde ik.

'Wens Sara het beste van me als je haar weer ziet,' zei hij. 'Ik zal iets moeten doen om dat arme gezin te helpen,' ging hij verder, terwijl hij triest zijn hoofd schudde.

Toen grootma Olivia haar mosselen begon te eten, begonnen wij aan de onze. De mosselen werden geserveerd op fijngehakt ijs en geschikt rond schaaltjes met cocktailsaus. We prikten de mosselen op met onze speciale vorkjes, doopten ze in de saus en aten ze in één hap op.

'Lekker,' zei de rechter en klopte voldaan op zijn buik.

Daarna volgde de salade en toen de entree. Vanavond waren het lamskoteletten. Ik verslikte me bijna toen de rechter een kotelet bij het been pakte en op het vlees kauwde. Ik kon me voorstellen wat miss Burton daarvan zou zeggen! Grootma en ik sneden ons vlees keurig en aten het in kleine stukjes. Toen ik klaar was, legde ik mijn mes en vork op het bord en leunde achterover. Loretta haalde mijn bord en bestek weg, en toen dat van grootma Olivia. De rechter stond zijn bord pas af toen het laatste hapje verdwenen was. Toen smakte hij met zijn lippen en maakte een opmerking over de smaak van het vlees.

'Dit is een van de beste restaurants in Provincetown,' schertste hij.

'En goedkoop,' mompelde grootma Olivia. De rechter bulderde van het lachen en boog zich naar voren. Hij leunde met zijn ellebogen op tafel en sloeg zijn handen ineen.

'Zo, Melody, je begint dus aan je laatste schooljaar,' zei hij. 'Opwindend, hè?'

'Ja,' antwoordde ik eerlijk.

'Ik denk over Rosewood als voorbereidingsschool,' zei grootma Olivia, die altijd de leiding wilde geven aan een gesprek.

'O, ja, een goeie school. Ik geloof dat de dochter van congreslid Dunlap er dit jaar is, als ik me niet vergis.'

'Je vergist je niet,' zei grootma Olivia.

Loretta bracht onze koffie en citroentaart, waar de rechter begerig naar keek. Toen grootma Olivia haar kopje opnam, morste ze wat koffie op het schoteltje. Het was of een solist op een concert een valse noot had laten horen. Even verstarde ze, toen nam ze een slok van haar koffie, zette het kopje weer neer en richtte haar aandacht op de citroentaart.

'Zou u niet een ander schoteltje nemen, grootma?' vroeg ik. Ze keek me fel aan en leunde toen achterover.

'Loretta,' riep ze. Loretta kwam. 'Een ander schoteltje, alsjeblieft.'

'Onmiddellijk, mevrouw Logan,' zei Loretta, en ging haastig terug naar de keuken. De rechter glimlachte. Grootma Olivia stak haar hand uit naar de citroentaart. Ze sneed een stuk af voor zichzelf en schoof de schaal toen naar rechter Childs.

'Ze hebben me verteld dat de schaal tegen de klok in moet worden doorgegeven, grootma. Was dat verkeerd?' vroeg ik. Ik probeerde het zo onschuldig mogelijk te zeggen, maar mijn knieën knikten. Haar gezicht werd zo snel zo paarsrood, dat ik bang was dat ze zichzelf iets aan zou doen. Ze nam de schaal zo snel terug en haar hand trilde zo erg, dat de taart naar de rand schoof. In een poging hem weer in evenwicht te brengen, overcompenseerde ze en de taart viel voor de rechter neer, die achteruitging om te voorkomen dat hij ondergespat werd.

'Hopla,' zei hij met een lachje. Loretta liep snel naar de tafel.

Grootma Olivia, die zo rood zag als een door de zon verbrande toerist, schoof haar stoel met een ruk van de tafel om Loretta vrij toegang te geven tot de puinhoop.

'Niets aan de hand,' zei de rechter. 'Ik eet hem toch wel, Loretta.'

Ze glimlachte naar hem, maar keek toen naar grootma, alsof ze het gevoel had dat ze op de een of andere manier verantwoordelijk zou worden gesteld.

'Onzin,' zei grootma Olivia. 'Loretta, neem die taart mee naar de keuken en maak hem weer presentabel.'

'Ja, mevrouw,' zei ze, en liep haastig weg met de verkreukelde taart.

'Ik zou hem zo van de tafel hebben gegeten,' zei de rechter, om de spanning te verbreken, maar grootma Olivia was des duivels en keek hem zo grimmig aan dat hij als een gehoorzaam jongetje zijn mond hield. Toen keek ze langzaam naar mij.

'Als jij me niet op die manier had onderbroken...'

'Ik probeerde in praktijk te brengen wat ik geleerd heb, grootma. Het spijt me, maar miss Burton zei dat we goede manieren niet moeten reserveren voor de buitenwereld. Ze zegt dat de mensen met wie we omgaan onze beste manieren nog meer verdienen.'

'Miss Burton?' vroeg de rechter.

'Iemand die ik heb aangenomen om haar goede manieren te leren,' antwoordde grootma snel.

Loretta kwam met de gehavende, maar weer enigszins in vorm gebrachte taart terug, maar deze keer ging ze de tafel rond en serveerde ons allemaal een stuk ervan.

'Ziet er heerlijk uit,' zei de rechter.

'Ja,' zei ik en sneed mijn taartpunt met mijn vorkje. Grootma Olivia nam slechts een paar muizenhapjes en liet het grootste deel op haar bord liggen.

Juist toen Loretta terugkwam om onze borden weg te halen, ging de deurbel. Ze wachtte op instructies.

'Ga eerst naar de deur, Loretta,' zei grootma.

'Verwacht je iemand?' vroeg de rechter.

'Absoluut niet,' zei ze, kennelijk geërgerd dat ze gestoord werd. Even later kwam Loretta terug, gevolgd door Cary. Hij droeg een afgedekte taartschotel.

'O, het spijt me dat ik te laat kom, grootma,' zei hij, 'maar ma heeft me hierheen gestuurd met een eigengebakken veenbessentaart. Ik heb een paar vroege bessen geplukt, en ze heeft de taart vanmiddag gebakken.'

'Hm... ik hou niet zo erg van veenbessentaart,' zei grootma Olivia hooghartig.

'Ik ben er dol op,' zei de rechter, met een knipoog naar mij.

'Neem jij hem dan maar,' zei ze met een gebaar van haar hand.

'Dank je. En, Cary, bedank je moeder uit mijn naam,' zei hij, toen Cary naar voren kwam met de taart.

'Pak hem in een doos voor rechter Childs, Loretta,' beval grootma Olivia. 'Je had hem eerder moeten brengen als je verwachtte dat we die vanavond zouden eten,' zei ze tegen Cary.

'Ik moest nog een paar dingen doen bij de steiger en...'

'O, maak je maar geen zorgen,' zei de rechter. 'Ik zal die taart niet laten bederven, dat verzeker ik je.'

Cary bleef verlegen staan, wachtend op een uitnodiging om bij ons aan tafel te komen zitten, maar grootma Olivia zweeg. Hij keek even naar mij en glimlachte toen naar de rechter.

'Mag ik me excuseren?' vroeg ik. 'Ik wil graag een wandeling op het strand maken.'

Ze keek me met een ijzige blik aan.

'Het is al laat,' zei ze streng.

'Laat?' vroeg de rechter en keek op zijn horloge, alsof hij degene was die zich vergiste in de tijd.

'Voor een wandeling op het strand,' antwoordde ze. 'Ik dacht dat je problemen had bij de steiger, Cary.'

'Die zijn opgelost, grootma. Ik kan wel even blijven,' zei hij op bijna smekende toon. Ze knikte met tegenzin.

Ik stond op.

'Dank u, grootma. Rechter Childs, ik vond het erg prettig vanavond met u te hebben gegeten. Ik hoop dat ik u gauw weer zal zien.'

'Wanneer je maar wilt, kindlief. Je komt maar,' zei hij met een stralende lach. Gelukkig was grootma Olivia te veel bezig met zichzelf om de uitnodiging van de rechter vreemd te vinden.

Ik stond op van tafel en liep met Cary mee naar de achterdeur. Toen we buiten stonden, had ik het gevoel of ik ketenen had afgegooid. Ik had de avondlucht nog nooit zo verfrissend gevonden.

'Wat is er aan de hand daarbinnen?' vroeg Cary. 'De spanning was te snijden.'

'Grootma en ik oefenen ons in goede tafelmanieren,' zei ik lachend. 'Het blijkt dat ze minder perfect is dan ze denkt. Ik denk dat ik nog een hoop plezier kan hebben met al dat "zo hoort het".'

Cary gaf me een hand en zo liepen we naar het strand. De zee was kalm, de golven kabbelden zachtjes op het strand. In de verte zag ik de lichtjes van een tanker. De sterren fonkelden vlak boven het water en leken op snoeren glinsterende diamanten. Er was geen maan, maar het was helder genoeg.

'Weet je zeker dat je bij haar wilt blijven wonen?' vroeg Cary. 'Ze zag er vanavond gemener uit dan ooit. Waar was mijn grootvader? Na dat gezeur met die taart, durfde ik het niet te vragen.'

'Ze heeft hem in zijn kamer opgesloten. Ik hoorde haar praten met de rechter. Ik geloof dat ze grootpa Samuel in hetzelfde tehuis wil laten opnemen als waar mijn grootmoeder nu is.'

'Gaat het zo slecht met hem?' vroeg Cary met bevende stem.

'Hij spreekt wartaal, hij zegt dingen die ik niet begrijp en hij verzorgt zich niet, Cary. Helaas geloof ik dat ze gelijk heeft. Hij heeft hulp nodig.'

'Het lijkt wel of de hele wereld om ons heen instort,' zei Cary triest. 'Ma komt niet over haar depressie heen. En May is zo ongelukkig.'

'Ik kom morgen langs,' beloofde ik, 'en dan zal ik een tijdje bij ze blijven.'

'Dank je. Ik weet dat ze je verschrikkelijk missen.'

We zwegen even en staarden naar het water. Hij sloeg zijn arm om mijn middel en ik leunde met mijn hoofd op zijn schouder. Ik voelde zijn lippen op mijn haar, mijn voorhoofd en mijn slapen. Ik hief mijn hoofd naar hem op en we kusten elkaar, een lange, tedere zoen. Toen omhelsde hij me en draaide me naar zich toe zodat hij me weer kon zoenen. Ik hoorde zijn ademhaling sneller gaan.

'Ik hou van je, Melody. Ik geloof dat er geen uur voorbij gaat dat ik niet aan je denk, zelfs niet als ik slaap,' zei hij.

'Cary. We hebben een probleem.' Ik trok hem mee en deed een paar passen het strand op.

'Wat?' vroeg hij, terwijl hij me langzaam volgde.

'Grootma Olivia wil niet dat we zoveel tijd met elkaar doorbrengen. Ze heeft het zo goed als verboden.'

'Wat? Waarom?'

'Ze is bezig mijn leven voor me uit te stippelen, het te ontwerpen, en in haar ontwerp is geen plaats voor jou,' zei ik.

Ik wist niet goed hoe ik de klap moest verzachten.

'Wat? Maar...'

'Dus lijkt het me het beste als we haar niet laten weten hoeveel tijd we samen zijn. Hoe minder ze weet, hoe beter. Ze zal alleen maar moeilijkheden maken voor ons, voor jou.'

'Hoe kan ze dat?' vroeg hij bezorgd.

'Op elke manier die ze maar wil. En op elke manier die jij níet wilt. Maar waarom zouden we moeilijkheden veroorzaken als dat niet nodig is? Hoe meer ik zie van de volwassen wereld, hoe meer ik besef dat hij is opgebouwd rond miljoenen leugentjes, die tot ketenen van illusies en bedrog worden geregen. Ik heb geen zin om me er nog langer tegen te verzetten, Cary. Als we ons geluk moeten stelen, dan stelen we het,' zei ik vastberaden.

Hij glimlachte.

'Zolang ik bij jou ben, kan het me niet schelen hoe we het doen,' zei hij.

'Voorlopig laat ik haar in de waan dat ik alles doe wat zij wil. Dat zal het voor ons allemaal gemakkelijker maken. Je moeder heeft op het ogenblik niet nog meer opschudding nodig in haar leven. Dat hebben we geen van allen.' Hij knikte.

'Je wordt een heel sterke vrouw, Melody.'

'Of ik wil of niet,' antwoordde ik. Hij lachte en omhelsde me toen weer voor een lange, intieme kus. Zijn handen streken over mijn armen en middel, gingen omhoog naar mijn borsten. Ik kreunde en leunde tegen hem aan. Mijn benen werden slap.

'Cary.'

'Ik heb je zo vreselijk gemist,' zei hij. 'Wanneer kunnen we weer samen zijn zoals eerst?'

'Gauw,' beloofde ik. 'Gauw. Maar nu kunnen we beter teruggaan.'

Hij knikte met tegenzin. Toen we bij de achterkant van het huis kwamen, keek ik naar de trap naar het souterrain. Ik herinnerde me de keer dat Cary me voor het eerst foto's had laten zien van mijn moeder en me had onthuld dat ze bij grootpa Samuel en grootma Olivia had gewoond, en met mijn stiefvader en oom Jacob was opgegroeid alsof ze hun zus was.

'Grootpa Samuel mompelde iets over een paar andere geheimen die in het souterrain verborgen zijn, Cary. Denk je dat dat waar is? Of is het wartaal?'

'Ik weet zeker dat het dat was,' zei Cary. Maar toen we langs de trap liepen, voelde ik de schaduwen wenken, me naar zich toe trekken, me onthullingen beloven die me tot op het bot zouden verkillen.

Op een dag zou ik de moed hebben mezelf ermee te confronteren. Maar voorlopig had ik al mijn moed nodig om de dag door te komen.

14. Geheiligde momenten

Behalve voor Theresa Patterson, wier vader voor Cary's vader had gewerkt en nu voor Cary werkte, had ik weinig vrienden gemaakt op school. Toen ik tijdens de variété-voorstelling aan het eind van het schooljaar viool had gespeeld en gezongen, namen de mensen meer notitie van me, maar sinds mijn terugkomst uit Californië had ik in de zomer niet veel tijd doorgebracht met een van de andere meisjes. Een paar waren nieuwsgierig waar ik geweest was, en toen ik vertelde dat ik in Hollywood was geweest, op bezoek bij vrienden, waren ze meer dan geïnteresseerd. Daar ik de bijzonderheden van mijn reis moeilijk kon vertellen, begon het ze algauw te vervelen en stopten ze met het zoeken van excuses om bij mijn kleedkast langs te komen en een babbeltje te maken.

Elke dinsdag na schooltijd bracht ik een uur door met mevrouw Burton. Sinds onze eerste ontmoeting voelde ik me minder in het defensief gedreven en begon ik haar zelfs aardig te vinden. Haar man was vijf jaar geleden gestorven en haar beide kinderen woonden in Florida. In veel opzichten was ze even eenzaam als ik.

'Etiquette,' legde ze uit tijdens onze tweede afspraak, 'is in feite niets meer dan het toepassen van de Gouden Regel. Je ontwikkelt gewoon manieren, gedrag, om mensen met evenveel consideratie te behandelen als je wilt dat ze tegenover jou doen. Je toont ze respect en verwacht dat zij jou respect tonen. Je behandelt oudere mensen met eerbied en hoopt dat als jij ouder bent je ook zo wordt behandeld. Je brengt de etiquette in de praktijk bij de maaltijd, zodat je niets onappetijtelijks doet. Je wilt ook niet dat een ander dat in jouw bijzijn doet. En je krijgt altijd de problemen als je je afvraagt hoe je je bij speciale gelegenheden moet gedragen, hoe je je gedraagt ten opzichte van leden van vorstenhuizen, hoge regeringsambtenaren, enzovoort. Etiquette geeft ons de richtlijnen die ons in die omgeving op ons gemak stellen.

'Is het niet prettig om te weten hoe je iemand moet voorstellen aan een ander wiens naam je bent vergeten? Waarom zou je die man of vrouw in verlegenheid brengen of kwetsen? Is het niet geruststellend om te weten hoe je mensen behoorlijk moet bedanken, mensen moet uitnodigen, troosten, wat je moet doen op een huwelijk, een begrafenis en een verjaardag? Dat alles zal je goed van pas komen als je in de zakenwereld verkeert of carrière wilt maken,' legde ze uit.

Ik stribbelde niet langer tegen en luisterde en leerde. Wanneer ik maar kon wees ik grootma Olivia op haar falen en fouten, al deed ik het nu een voor een. Ik deed het vooral graag in aanwezigheid van een van haar gedistingeerde gasten. Uiteindelijk zei ze een keer aan tafel toen we samen aten: 'Ik weet waarom je mijn tafelmanieren bekritiseert of mijn uitnodigingen voor een diner, maar ik moet je zeggen dat het me niet meer zo stoort als je waarschijnlijk hoopt. Verder ben ik blij dat je die dingen leert en ondanks jezelf iemand wordt met uitstekende manieren. Als je eindelijk geen onbehouwen kind meer bent, zul je bij me komen om me te bedanken,' voorspelde ze. Diep in mijn hart vroeg ik me onwillekeurig af of ze gelijk had, en vanaf die dag hield ik op met haar te corrigeren.

Ik moest echt mijn best doen om de vrede te bewaren, want we waren nu nog maar met ons tweeën in huis. Aan het eind van de eerste schoolweek kwam ik thuis en hoorde dat grootpa Samuel naar het rusthuis was gebracht. Het drong pas tot me door toen grootma Olivia en ik die avond aan de eettafel zaten. Toen Loretta ons voorgerecht had geserveerd, kondigde grootma Olivia het lot van grootpa Samuel aan zonder een trilling in haar stem of een traan in haar oog.

'Ik heb grootpa Samuel naar het tehuis moeten laten gaan,' zei ze. 'Hij is onmogelijk geworden.'

'Blijft hij daar voorgoed?' vroeg ik.

'Zolang voorgoed duurt, ja,' antwoordde ze.

Ik knikte.

'Ik zal hem opzoeken als ik op bezoek ga bij grootma Belinda,' verklaarde ik.

'Verbaas je niet als hij totaal vergeten is wie je bent. Volgens de dokter wordt het alleen maar erger,' zei ze.

'Het spijt me verschrikkelijk. Ik wou dat ik iets kon doen om hem te helpen.'

232

'Het is de leeftijd. De last van verdriet, teleurstelling, een leven-lang vechten, weegt bij de een zwaarder en eist eerder zijn tol dan bij de ander. Het zal jouw lot zijn en het mijne. Je kunt je er beter op voorbereiden dan het ontkennen. Alleen zwakkelingen leven in een illusie. Ik verwacht niet dat je me aardig vindt, maar ik hoop dat je zult gaan waarderen wat ik met en voor jou probeer te doen,' ging ze verder.

'Mijn beide zoons zijn gestorven. Mijn schoondochter blijft een broos, meelijwekkend schepsel. Ik heb een doofstomme kleindoch-ter en een kleinzoon die blijft hopen dat zijn luchtkastelen werke-lijkheid zullen worden. Ja,' zei ze met een glimlach, 'ik ken Cary's dwaze dromen om boten te bouwen.'

'Die zijn niet dwaas.'

'Het is dwaas vanuit een zakelijk standpunt bekeken. Hij zal altijd een ploeteraar blijven, niet echt een leerling, niet echt een zakenman, en zeker niet in staat het familievermogen te beheren. Jij daarentegen bent dat wel. Het is een grote verantwoordelijkheid... familie. Elke grote familie is als een op zichzelf staand koninkrijk. Of dit koninkrijk het overleeft of niet, zal op een dag uitsluitend van jou afhangen. Dat betekent dat jij ook beslissingen zult moeten nemen die niet in trek zijn, maar het beste voor alle betrokkenen. Je zult de kracht en de wil hebben om het te doen, of niet.

'Elk besluit dat je nu neemt, elke keus, heeft een impact op het lot van deze familie. Denk daaraan en je zult het goed doen,' advi-seerde ze. 'Het was niet gemakkelijk om mijn man in een tehuis te laten plaatsen, maar het moest gebeuren en het is gebeurd. Erover jammeren helpt hem niet en mij niet.' Ze klonk of ze zichzelf meer ervan moest overtuigen dan mij.

'Ik zal hem opzoeken,' herhaalde ik.

'Doe dat, maar kom niet bij mij bedelen om hem thuis te bren-gen, als hij je dat vraagt,' waarschuwde ze. 'Dat sta ik niet toe.'

Ze zag eruit als een albasten beeld in haar stoel. Haar besluit stond onherroepelijk vast. Ik knikte, at zwijgend verder en ging naar mijn kamer om mijn huiswerk te maken en de lange, eenzame schaduwen te ontvluchten die ze in huis wierp.

Dagen en weken gingen voorbij. Ik besteedde de meeste tijd aan mijn huiswerk, niet alleen omdat grootma Olivia dat wilde, maar omdat ik het graag deed. De theaterdocent probeerde me over te halen om mee te doen aan de herfstproductie, maar ik weigerde. Ik wilde al mijn vrije tijd doorbrengen met Cary en May. Ik was erbij toen Cary begon met het oogsten van de veenbessen, en al spijbelde ik niet, ik ging onmiddellijk na school naar hem toe, en soms bracht ik May naar huis, zodat hij vrij was om het werk te controleren.

Tante Sara overwon haar verdriet zo goed mogelijk. Ze had in haar volwassen leven zo lang voor oom Jacob gezorgd, zo zeer ingespeeld op zijn behoeften en wensen dat het moeilijk voor haar was om daarmee te stoppen en zich niet langer af te vragen welk lievelingsgerecht ze elke avond voor hem zou klaarmaken. Een tijdlang bleef ze zijn kleren wassen en strijken, onder het mom dat Cary ze zou kunnen dragen. Cary probeerde een paar kledingstukken van zijn vader aan te trekken, maar het kostte hem moeite. Zich Jacobs bezittingen toeëigenen, al waren het er nog zo weinig, betekende dat hij telkens weer moest toegeven dat zijn vader er echt niet meer was.

Als ik thuiskwam van tante Sara, schreef ik brieven aan Alice Morgan in Sewell en vertelde haar alles over mijn moeder. Ik vond dat Alice het recht had het te weten, omdat zij degene was die mamma's foto had ontdekt. Alice belde me toen ze mijn eerste brief had gelezen. Ze troostte me en beloofde me dat ze naar Provincetown zou komen zodra ze de kans had. Ik hoorde natuurlijk nooit iets van mamma, maar ik belde een paar keer met Holly en Billy. Holly was erg bezorgd over Kenneth en ik beloofde hem zo vaak ik kon op te zoeken en haar verslag uit te brengen.

Kenneth was een stuk beter dan toen ik pas uit Californië was teruggekomen, maar hij was nog steeds niet aan iets nieuws begonnen. Hij bracht meer tijd dan gewoonlijk door in zijn geliefde pub, en sommige dagen ging hij vissen of op bezoek bij een vriend in Boston. Ik voelde me net een spionne, maar een goede spionne, want ik bracht mijn rapporten uit aan Holly.

Een andere ergernis in mijn nieuwe thuis was dat grootma Olivia weigerde me mijn rijbewijs te laten halen of ook maar enige kennis van de motor op te doen. Ze zei dat de auto de ondergang betekende van de jonge mensen tegenwoordig en dat ik, als ontluikende debutante, me door een man moest laten rijden of door onze chauffeur. Ik mocht wel een fiets van haar hebben en ik fietste algauw regelmatig door de straten van Provincetown. Al was het een heel eind, van tijd tot tijd fietste ik in de weekends naar Kenneth.

Op een zaterdag zag ik hem in zijn eentje op het strand lopen. Hij droeg zijn haveloze jeans en T-shirt en liep op blote voeten. Ik haalde hem in, maar het duurde lang voor hij op mijn gezelschap reageerde. Hij staarde naar de zee, en toen hij zich eindelijk naar me omdraaide, zag ik dat zijn ogen bloeddoorlopen waren, alsof hij gehuild had. Of het weer op een zuipen had gezet.

'Wat is er, Kenneth?' vroeg ik met ingehouden adem.

'Heb je het verschil niet gezien?' vroeg hij. Hij spreidde zijn armen en gebaarde over het strand naar zijn huis.

'Verschil?' vroeg ik. Ik keek om me heen en toen drong het plotseling tot me door. 'Ulysses,' zei ik.

'Ik heb hem vanmorgen begraven.'

'O, Kenneth, nee!'

'Ik werd vanmorgen wakker, maar hij niet. Net iets voor hem om stilletjes dood te gaan. Die hond heeft me nooit enige last bezorgd, zelfs niet als pup. Hij was geduldig, niet veeleisend, gevoelig voor mijn stemmingen.' Hij glimlachte. 'Beter dan enige vrouw die ik ooit heb gekend. Geen wonder dat de hond de beste vriend van de mens wordt genoemd. We vormden een team,' zei hij met een hapering in zijn stem. 'Ik zal hem missen.'

'Het spijt me, Kenneth. Ik zal hem ook missen.'

'Dat weet ik. Het klikte onmiddellijk tussen jullie, als ik me goed herinner.' Hij probeerde weer dapper te glimlachen. Hij haalde diep adem, en samen liepen we verder over het strand; de intense stilte van de droefheid verbond ons in onze trieste gedachten. Ten slotte bleef hij staan en keek naar me met een oprechte glimlach.

'Zo, dus je leeft je uit op het academische speelterrein. Ik heb gehoord dat je genomineerd bent voor de afscheidsrede.'

'Wie heeft dat gezegd?'

'Cary,' antwoordde hij.

'Is hij hier geweest?'

'Hij komt vaak de laatste tijd. Ik heb besloten hem aan te nemen om die zeilboot voor me te bouwen,' zei hij.

'Echt waar, Kenneth?'

'Echt waar.'

'Dat is fantastisch! Wat zal hij opgewonden zijn!'

'Hij heeft een paar goede ideeën. Op zijn manier is hij heel creatief. En hij is gek op jou.'

'Dat weet ik,' zei ik blozend.

'Wat vindt Hare Hoogheid daarvan?'

'Verbiedt zelfs de gedachte eraan.'

'Hm. Wat ga je doen? Ze regeert met ijzeren vuist,' waarschuwde hij. 'En als ze die vuist neer laat komen, verplettert ze haar slachtoffer meestal als een mier.'

'Ze is hard, maar we hebben op het ogenblik een soort wapenstilstand gesloten. Ze heeft niet veel te klagen gehad. Ik doe het goed op school. Ik ben het lievelingetje van miss Burton, en 's avonds luister ik aandachtig naar grootma Olivia's preken over mensen, verantwoordelijkheid, het belang van familie, familie, familie,' besloot ik op voorgewend ernstige toon. Kenneth lachte.

'Je bent een kleine duivelin. Je ontziet haar tot de dood erop volgt, hè?' vroeg hij.

'Ik ben... diplomatiek,' zei ik, en hij lachte nog harder. We hoorden een claxon, en toen we ons omdraaiden zagen we Cary in zijn truck over de kustweg rijden.

'Daar komt mijn botenbouwer,' zei Kenneth. 'Ik vraag me af of hij me in verband daarmee komt opzoeken of dat er wat diplomatiek gemanoeuvreer heeft plaatsgevonden voor een rendez-vous,' zei hij plagend. Ik werd vuurrood. Hij lachte en we liepen naar het huis.

'Cary Logan,' riep ik, toen we dichterbij kwamen, 'waarom heb je me niets verteld over de zeilboot die je voor Kenneth bouwt?' Ik bleef met mijn handen op mijn heupen staan. Cary keek naar Kenneth, die naar hem grijnsde.

'Ik wilde dat het een verrassing zou zijn,' zei hij en verschoof de opgerolde papieren die hij onder zijn arm hield. 'De plannen zijn klaar, Kenneth,' zei hij.

'Mooi. We zullen ze uitspreiden op de tafel in het atelier en ze bestuderen. Ik heb wat Portugees brood gekocht vanmorgen en je lievelingskaas, Melody,' zei hij tegen mij.

'Is dat een hint om sandwiches te maken voor iedereen?' vroeg ik achterdochtig.

'Ik merk dat ze net zo pienter is als jij zegt,' zei Kenneth tegen Cary. Cary bulderde van het lachen, en gezamenlijk liepen ze naar het atelier. Een kwartier later kwam ik bij hen met sandwiches en frisdrank. Cary's plannen voor de zeilboot lagen op tafel. Ik vond ze er heel indrukwekkend en professioneel uitzien.

'Het lijkt me een gigantische boot,' merkte ik op.

'Eenendertighonderd kilo met een dek van tien meter. In de kajuit is gemakkelijk plaats voor zes mensen,' zei Cary. 'Je ziet dat ze een betrekkelijk lange waterlijn heeft, wat voor een optimale waterverplaatsing zorgt en de snelheid bevordert. De dubbele knik in de koel met een platte bodemplaat zorgt dat de boot stevig in het water ligt.'

'Cary, ze kan je niet meer volgen,' merkte Kenneth vriendelijk op.

'Wat? O, sorry,' zei hij.

'Ik geloof dat we veilig kunnen zeggen dat hij er een passie voor heeft,' merkte Kenneth op.

'Het lijkt allemaal... erg mooi,' zei ik slapjes.

'Nou, in ieder geval weet ik zeker dat je dit kunt begrijpen,' zei Cary. Hij weigerde het op te geven. 'De boot is heel ruim en heeft een hoop bergruimte. Te beginnen bij de boeg, hier is een kettingbak, gevolgd door een dubbele kooi. Er is een zoetwatertank van honderdvijftien liter, bergruimte onder de banken, en achter de banken zijn kasten en een boekenkast. Hier is de opvouwbare tafel, die met scharnieren is bevestigd aan een scheidingswand. De romp is ondersteboven gebouwd op een frame dat uit waterdichte schotten bestaat. Gietvormen waren niet nodig...'

'Verkocht,' zei Kenneth. 'Mogen we nu alsjeblieft gaan eten?'

'Natuurlijk,' zei hij, 'ik ga dood van de honger.'

Later, toen we alleen op het strand waren, deed ik net of ik nog van streek was omdat hij dat allemaal geheim had gehouden voor me.

'Ik wilde je alleen maar verrassen,' protesteerde hij. 'Bovendien,' ging hij zachtjes verder, 'kon ik niet zeker weten of Kenneth het serieus meende. Je weet hoe veranderlijk hij de laatste tijd is. Maar nu weet ik dat hij het inderdaad serieus meent. Hij heeft het geld betaald voor de plannen en geeft me groen licht om te beginnen. Ik ga de boot hier bouwen,' zei hij.

'En de kreeftenvisserij dan?'

'Ik maak een deal met Roy Patterson, geef hem meer verantwoordelijkheid en een groter percentage van het inkomen. Ik heb het met ma besproken, maar ze begrijpt niet goed wat ik probeer te doen, en natuurlijk is ze bang voor ons. Ik hoop dat ik het juiste besluit heb genomen,' ging hij verder. 'Ik heb gewoon het gevoel dat dit mijn grote kans is. Als ik eenmaal één boot gebouwd heb en anderen zien het resultaat...'

'Je zult succes hebben, Cary. Ik weet het zeker.'

Hij knikte met een flauw lachje.

'Ik hoop het. Ik weet dat pa woedend zou zijn als hij nog leefde.'

'Hij heeft nooit iets anders willen doen, Cary. Hij had het niet in zich om te veranderen, maar jij bent creatief en je hoorde wat Kenneth zei, dat je er een passie voor hebt. Als iemand weet wat het is om een passie te hebben voor iets creatiefs, dan is het Kenneth wel. Uiteindelijk zullen we allemaal erg trots op je zijn.'

'Ik hoop het, maar misschien is het voorlopig beter als je niets tegen grootma Olivia zegt.'

'Ik spreek nooit over jou in haar bijzijn en ze vraagt me nooit iets. Dat is een deel van de wapenstilstand die we op het ogenblik hebben gesloten.'

Hij knikte gerustgesteld.

'Nu ik het grootste deel van de tijd hier zal zijn, kunnen we elkaar misschien vaker zien en...'

'Ik zal zo vaak ik kan langskomen en May meebrengen.'

'Kenneth gaat dit weekend naar Boston,' zei Cary snel. 'Hij zei dat ik zijn huis mag gebruiken als ik wil.'

We staarden elkaar even aan.

'Ik kan geen nacht wegblijven, Cary, ze zou de honden op me afsturen,' zei ik.

'Het hoeft niet een hele nacht te zijn, maar we zouden hier kunnen eten en voor één dag misschien het gevoel hebben dat we, nou ja... je weet wel... samen zijn.'

Ik dacht erover na. Liegen tegen grootma Olivia leek me eigenlijk niet slecht.

'Ik heb een idee. Ik zal morgen met Theresa praten. Zij dekt me wel,' beloofde ik. Cary keek hoopvol en we kusten elkaar. De wind woei door ons haar en de zee spatte water op ons gezicht. Het gaf me een fris en opgewekt gevoel, de gewaarwording dat ik leefde.

Cary stond erop dat ik mijn fiets achterin zijn truck legde, zodat hij me het grootste deel van de weg naar huis kon rijden. Toen ik aankwam, zag ik dat rechter Childs op bezoek was bij grootma. Hij kwam vaker sinds grootpa Samuel in het tehuis was. Gewoonlijk dronken ze sherry in het prieel, en de rechter bleef vaak eten.

Ik had hem nog niet het bezoek gebracht dat hij verwachtte. Ik wilde niet over mamma praten. Het was te pijnlijk om aan haar te denken. Sinds ik terug was uit Californië had ze niet gebeld of geschreven. Het was nog steeds moeilijk te accepteren dat ze me voorgoed uit haar leven wilde bannen. Soms liep ik langs het kerkhof en zag de steen met haar naam erop. Eén keer bleef ik zelfs even staan om mijn respect te betuigen aan het arme, anonieme meisje dat gedwongen was in mamma's doodkist en graf te liggen. Diep in mijn hart treurde ik om haar op dezelfde manier als ik treurde om mezelf, verbeeldde me dat ze zou wensen bij haar eigen familie te liggen, wie en waar die ook mochten zijn.

Maar misschien was ze dat wel, dacht ik. Misschien was het niet belangrijk of je naast de beenderen lag van degenen van wie je hield. Misschien was er iets sterkers dat ons verbond na de dood, een band tussen zielen, zodat ik op een dag pappa George zou kunnen begroeten en mijn stiefvader en wie ik verder ook had liefgehad en die mij hadden liefgehad.

De week nadat ik Cary bij Kenneth had ontmoet, praatte ik tijdens de lunch met Theresa en plande een manier om het grootste deel van de komende zaterdag en zaterdagavond met Cary door te brengen in Kenneths huis. Nu we halverwege het semester waren, was het gemakkelijk om te zeggen dat we samen zouden studeren. Ik was echter niet voorbereid op grootma Olivia's reactie op de keuze van vriendin. Toen ze woedend naar me keek, dacht ik dat ze mijn smoesje had doorzien, maar haar irritatie kwam uit een onsmakelijkere bron.

'Patterson? Is dat dezelfde Patterson die voor Cary werkt? De Brava?'

'Ja, haar vader is Roy Patterson.'

'Is dat het beste wat je kunt opbrengen? De beste vriendschap die je op school kunt sluiten? Hoe zit het met de dochter van de Rudolphs of van Mark en Carol Parker? Zit Betty Hargate, de dochter van de accountant, niet ook in jouw klas?'

'Ik kan met die meisjes niet zo goed opschieten en ze zijn lang zulke goede leerlingen niet als Theresa, ook al is ze wat u een Brava noemt. Ik schaam me niet voor mijn vriendschap met haar; ik ben er trots op.'

'Ik zie al dat ik je hier niet gauw genoeg vandaan kan krijgen,' antwoordde ze.

'Ik neem niet mijn intrek bij de Pattersons, grootma Olivia. Ik studeer alleen maar met haar. U wilt toch dat ik de afscheidsrede mag houden?'

Ze trok nadenkend haar wenkbrauwen op.

'Er is geen moeder in dat huis.'

'Haar vader is thuis en u weet dat hij een keurige, hardwerkende man is.'

'Ben je van plan bij hen te blijven eten?' vroeg ze vol afschuw.

'Ik heb er verleden jaar vaak gegeten,' zei ik, 'voordat ik wist dat het zo belangrijk was.'

'Niet brutaal worden. Goed dan,' zei ze, toen ze nog even had nagedacht. 'Raymond zal je brengen en prompt om negen uur 's avonds weer komen halen.'

'Het is zaterdagavond!' protesteerde ik.

'Tien uur dan,' zei ze.

'Niemand in mijn klas moet zich aan zulke strenge regels houden,' klaagde ik.

'Niemand anders heeft jouw toekomstige verantwoordelijkheid,' antwoordde ze. 'Ik wens niet meer van deze dwaze discussies.'

Ik legde me erbij neer. Ik dacht dat ik voorlopig alles van haar had losgekregen wat ik kon. Toen ik het Cary vertelde was hij in de wolken.

'Ik zal een paar kreeften en mosselen meebrengen voor het eten,' zei hij. 'We zullen May een tijdje bij ons houden, maar ik breng haar 's middags naar huis.'

'Goed, Cary.'

'Ze vroeg of ze een keer samen met jou naar Kenneth kan fietsen. Ik heb haar uitgelegd hoe gevaarlijk het voor haar is om alleen op de weg te fietsen. Ze hoort de auto's en vrachtwagens niet.'

'Ik kom haar wel eens halen. Het zal best gaan.'

'Het zou een leuk uitje voor haar zijn,' zei hij. 'Ik heb de laatste tijd niet veel voor haar kunnen doen, en zoals ma nu is...'

'Geen probleem, Cary. Ik wil het graag doen,' verzekerde ik hem.

240

De volgende dag maakten Theresa en ik op school onze definitieve plannen. De eerste keer dat ik Theresa had ontmoet vond ik haar een heel serieus meisje, nogal zuur, kribbig zelfs. Omdat ik nieuw was op school, had het hoofd haar gevraagd me rond te leiden. We gingen op een verkeerde voet van start, omdat ze aannam dat ik op haar neer zou kijken, zoals de andere meisjes van goede familie deden.

Ik vond haar een van de mooiste meisjes op school, met haar caramelkleurige teint, haar ogen als zwarte parels en gitzwarte haar. Toen ze door begon te krijgen dat ik niet was zoals de anderen, liet ze me meer tot haar toe en algauw werden we goede vrienden.

Theresa vond het prachtig dat we samenspanden tegen mijn grootmoeder. Ze dacht net zo over haar als de meeste mensen: de IJzeren Dame, de koningin van Snob Hill.

'Als ze je belt, laat ik mijn broer zeggen dat we naar de bibliotheek zijn. Maak je geen zorgen over mijn vader. Hij zal niets vragen. Sinds mijn moeder is gestorven behandelt hij me als een volwassene. Ben je van plan de hele nacht bij Cary te blijven?' vroeg ze vol belangstelling.

'Nee, ik moet voor tien uur weer bij jou thuis zijn. Dan stuurt grootma Raymond om me op te halen.'

'Wat een pech,' beklaagde ze me. 'Maar in ieder geval kunnen jullie een tijdje bij elkaar zijn.'

'Theresa Patterson, je moest jezelf eens horen,' plaagde ik haar, en we lachten. Iedereen in de kantine keek jaloers naar ons, zich afvragend wat voor leuke geheimpjes we samen hadden. Maar onze lippen waren verzegeld en dat wakkerde hun nieuwsgierigheid nog meer aan.

Toen het zaterdag werd, was ik zo zenuwachtig dat ik ervan overtuigd was dat grootma achterdochtig zou worden, maar ze had het te druk met een diner dat ze gaf voor congreslid Dunlap en twee van zijn juristen. Het enige wat ze zei dat me vlinders in mijn buik gaf, was dat het haar speet dat ik niet bij het diner aanwezig zou zijn.

'Het is nu belangrijk voor je dat je vooraanstaande mensen ontmoet,' verklaarde ze. Ik dacht dat ze erop zou staan dat ik bij het diner zou zijn, maar ze aarzelde en ging verder. 'Maar de afscheidsrede houden is ook belangrijk. Je zou de eerste Logan zijn die dat doet.'

De toon waarop ze het zei was onmiskenbaar: Zorg ervoor!

Ik beefde toen ik in de limousine stapte. Ik haalde een paar keer diep adem en probeerde tijdens de hele rit naar Theresa's huis kalm te worden.

Zodra Raymond me had afgezet en wegging, gaf Theresa me haar fiets en ging ik op weg naar het strand. Cary en May waren er al. Cary werkte aan de boot. Hij zag eruit als een adonis, zonder hemd, zijn spieren glanzend in de zon.

'Ik was bang dat je niet zou komen,' zei hij, toen ik met Theresa's fiets aan de hand over het zanderige deel van de weg liep. May kwam naar me toegehold. We omarmden elkaar en ik keek naar Cary. Geen van tweeën zeiden we veel, alles was in onze ogen te lezen.

Het grootste deel van de middag bracht ik met May door, wandelend over het strand, schelpen zoekend, vertellend over school. Ze wilde meer weten over jongens. Als één meisje een grote zus nodig had, dan was het May wel. Tante Sara voelde zich niet erg op haar gemak als ze haar dingen moest uitleggen. Seks, liefde en romantiek brachten haar in verlegenheid. Ik was de enige die haar had uitgelegd wat menstruatie was, welke veranderingen er in haar lichaam zouden optreden, hoe haar gevoelens zouden zijn. Eén keer hadden we een heel lang gesprek over de betekenis van verliefd worden. Ze had me verteld over een klasgenootje dat ze aardig vond, een jongen die haar gezoend had. Blijkbaar had ze sinds mijn vertrek nog veel meer geleerd van haar vriendinnen op school, want als ze naar Cary en mij keek, zag hoe we tegen elkaar praatten, elkaar aanraakten en aankeken, glimlachte ze veelbetekenend naar ons.

Terwijl Cary May thuisbracht, maakte ik het eten klaar en dekte de tafel. We waren ons voortdurend bewust van de tijd en wilden genieten van de uren en minuten die we hadden. Ik wachtte bij het strandhuis, keek naar de roze lucht van de schemering bij het afscheid van de dag, naar de wolken die een vuurrode kleur kregen, doorstreept met paars en saffraan. Cary kwam al heel gauw terug; zijn truck hotste over de hobbelige kustweg.

'Alles is bijna klaar,' zei ik, toen hij uit zijn truck sprong en me volgde naar het huis.

'Ziet er fantastisch uit,' zei hij, maar zijn ogen lieten de mijne geen moment los. Telkens als ik me omdraaide, telkens als ik opkeek van de potten en pannen, zag ik dat hij hongerig naar me staarde. Ik voelde een pijn door mijn lichaam gaan, een hunkering naar zijn lippen en zijn aanraking. Misschien kwam het omdat we zo ver weg waren, alleen, in een huiselijke omgeving, dat we ons gedroegen als getrouwde mensen. Wat de reden ook was, ik had nog nooit zoveel verlangen en passie gevoeld als die avond. We konden nauwelijks eten, en waren allebei zwijgzaam.

Cary sprong op uit zijn stoel aan het eind van de maaltijd om me te helpen opruimen. Alles wat we deden leek bedoeld te zijn als een poging om ons te beheersen. Het was of we allebei begrepen dat we, zodra we niets meer hadden om ons af te leiden, gevaar liepen elkaar op te vreten. Ten slotte droogde ik het laatste bord af.

Hij deed een stap achteruit en keek me aan.

'Melody,' zei hij zacht, en stak zijn hand uit. Ik nam hem aan en liet me naar de logeerkamer brengen. Bij het bed kusten we elkaar en hielden elkaar stevig vast. 'Ik hou van je,' zei hij.

Ik haalde diep adem, sloot mijn ogen en knikte.

'Ik hou ook van jou, Cary. Heel veel.'

Ik hield mijn ogen gesloten terwijl zijn vingers de knoopjes van mijn blouse openmaakten. Ik bleef onbeweeglijk staan terwijl hij mijn blouse langs mijn armen omlaag stroopte, mijn rok losmaakte en over mijn knieën trok. Voorzichtig tilde hij een been na het andere op, zodat ik eruit kon stappen. Toen kuste hij mijn schouders, mijn hals, maakte mijn beha los en trok die uit, terwijl hij zijn lippen aan mijn tepels bracht en met zijn wangen langs mijn borsten streek. Mijn hart joeg het hete bloed door mijn lichaam. Als zijn handen mijn borsten of mijn schouders loslieten, verlangde ik naar hun terugkeer.

Voorzichtig, bijna centimeter voor centimeter, trok hij mijn slipje uit. Naakt stond ik voor hem, mijn ogen strak in de zijne.

'Kenneth kan jouw schoonheid onmogelijk eer aan doen,' zei hij. 'Zelfs al werkte hij elke dag gedurende de rest van zijn leven.'

Ik glimlachte en hij kleedde zich uit. Een paar ogenblikken later lagen we in bed, omhelsden elkaar, bewogen bij elke kus, elke aanraking armen en benen dichter naar elkaar toe.

'Ben je klaar, Cary?' vroeg ik. Mijn laatste voorzichtigheid verdween, mijn bonzende hart joeg alle gedachten op de vlucht, en ik

243

verlangde alleen nog maar dat hij in me kwam, ons tot een eenheid maakte.

'Ja,' zei hij met een glimlach. 'Veilig beschermd.'

Ik voelde me omhoog zweven, boven de aarde, verrukkelijk gekweld door het gevaar en het gevoel van overgave. Ons gekreun vermengde zich tot het niet meer van elkaar te onderscheiden was. Ik boorde mijn vingers in zijn schouder om me aan hem vast te klemmen en hem dicht bij me te houden. We kwamen bij elkaar als de naar liefde dorstende mensen die we waren, wanhopig verlangend naar een hartstochtelijke aanraking, een woord van liefde.

Toen het voorbij was bleven we verrukt en uitgeput liggen, hijgend naar adem, niet in staat iets te zeggen. Ik pakte zijn hand en legde die op mijn hart.

'Voel eens hoe het klopt,' zei ik beverig. 'Angstaanjagend, maar zo heerlijk.'

'Dat van mij klopt net zo hard.'

'Als we hier samen doodgingen zou grootma Olivia erg schrikken,' zei ik.

'Ze zou iedereen die erbij betrokken was laten zweren het geheim te houden en dan zou ze ons in zee laten begraven.'

'Maar ze zou haar diner die avond niet afzeggen.'

Hij lachte en omhelsde me. We bleven liggen, klampten ons aan elkaar vast, fluisterden zoete beloften, droomden, verzonnen de prachtigste fantasieën, weefden een cocon van dromen om ons heen. Na een tijdje dommelden we in, wat bijna fataal bleek te zijn, want toen ik mijn ogen opende, was het bijna half tien.

'Cary!'

Ik ging rechtop zitten en schudde hem wakker.

'Waa...'

'Schiet op, kleed je aan. Raymond zal bij Theresa zijn voor je me teruggebracht hebt!'

We sprongen uit bed en trokken haastig onze kleren aan. We stapten in de truck en een paar wanhopige seconden lang wilde hij niet starten. De motor ronkte en ronkte

'Oké. Eén seconde,' zei hij. Hij sprong er weer uit en opende de kap en sleutelde aan de motor.

'Schiet op, Cary. Ze zal zoveel moeilijkheden veroorzaken voor jou en je moeder als ze het ontdekt.'

Hij morrelde aan de kabels bij de accu, en goddank sloeg de motor aan. Toen schoten we weg, hotsten zo hevig over de kustweg, dat ik bijna met mijn hoofd tegen het dak botste. Eenmaal op de snelweg reed hij in vliegende vaart naar Theresa's huis, waar we een paar minuten eerder aankwamen dan Raymond en de limousine. Ik kreeg niet de kans Cary een afscheidszoen te geven. Ik sprong uit de truck en holde naar het huis, waar Theresa ongerust zat te wachten.

'Dat is wel op het nippertje, hè?' zei ze glimlachend.

'We zijn in slaap gevallen,' fluisterde ik.

'In ieder geval is er niet gebeld.'

Een paar ogenblikken later stopte de limousine voor de deur. Ik bedankte haar en liep haastig naar buiten, haar belovend de volgende ochtend te zullen bellen.

Grootma Olivia's diner was nog in volle gang toen ik arriveerde. Haar gasten zaten in de salon te praten. Ik was bang voor mijn uiterlijk, want ik had geen tijd gehad mijn haar te doen of mijn kleren recht te trekken. Maar ik wist dat als ik niet binnenkwam om hallo te zeggen, ze woedend zou zijn. Op de drempel bleef ik staan.

'Goedenavond, grootma.'

'En, heb je hard gestudeerd?'

'Ja, grootma.'

'Mooi. Mijn kleindochter is de voornaamste kandidaat voor het houden van de afscheidsrede.'

Iedereen knikte waarderend.

'Melody, je kent congreslid Dunlap en zijn vrouw.'

'Ja. Hoe maakt u het, meneer, mevrouw Dunlap?' zei ik, terwijl ik naar voren liep. Ze knikten glimlachend, en grootma Olivia keek tevreden.

'Dit zijn de heer en mevrouw Steiner en de heer en mevrouw Becker,' ging ze verder. Ik glimlachte en begroette de andere echtparen. Toen excuseerde ik me snel en liep de trap op.

Ik waste me en ging naar bed. De vermoeidheid deed zich nu gelden. Maar desondanks voelde ik me geweldig. Als ik mijn ogen dichtdeed, zag ik Cary's liefdevolle gezicht voor me en voelde steeds opnieuw zijn lippen op de mijne. Aan de andere kant van de duinen was hij ongetwijfeld in zijn schuilplaats op de vliering, denkend aan mij, starend naar dezelfde zee die ik door mijn raam zag.

Het water glinsterde in het licht van de sterren, het schuim van de golven leek als een snoer parels dat op de kust werd geworpen.

Onder me klonken de stemmen zachter, tot ik ze niet meer hoorde en ik achterbleef met mijn eigen gedachten, beloften fluisterend, dromen tellend die me zacht in slaap zouden wiegen.

In de daaropvolgende maand slaagden Cary en ik erin elkaar nog twee keer in het geheim te ontmoeten, en elke keer was even verrukkelijk als de vorige. Hij vorderde met Kenneths boot, die langzamerhand vorm begon aan te nemen. Kenneth bracht een paar vrienden mee om Cary's werk te laten zien, en een van hen dacht er serieus over zelf ook een zeilboot te bestellen.

Op een vroege lentemiddag, nadat ik May had afgehaald en we naar Kenneths huis peddelden, hoorde ik een zacht geblaf en zag dat een prachtige golden retriever-pup zijn kop om de deur van het strandhuis stak. May en ik holden erheen om hem op te pakken.

'Ik noem hem Prometheus,' kondigde Kenneth aan. 'Ik denk dat ik het bij mythologische namen zal houden.'

'Hij is mooi, Kenneth. En lief.'

'Ik dacht wel dat je hem aardig zou vinden.'

May tilde hem op en hij likte haar gezicht en bracht haar aan het lachen.

'Ze groeit op,' zei Kenneth. 'Ze wordt al een hele jongedame.'

'Ik weet het.'

'Ze zal je vaker nodig hebben,' waarschuwde Kenneth. 'Als haar oudere zus!'

'Dat ben ik al,' zei ik. Hij sperde zijn ogen open.

'O? Hm, het is geweldig dat ze jou heeft om in vertrouwen te nemen,' verklaarde hij, blijkbaar verlangend om van onderwerp te veranderen. 'Ik heb nóg een verrassing voor je. Ik ga *Neptune's Daughter* tentoonstellen. Eindelijk. We krijgen een opening in de galerie met een groot feest erna.'

'Waar?'

'Ik denk dat dat de derde verrassing is,' zei hij. Mijn hart begon te bonzen. 'Het huis van je grootvader.'

'Het huis van rechter Childs? Echt waar? Kenneth, dat is fantastisch!'

'Hij bood ons zijn huis aan toen hij hoorde over de opening in de

246

galerie en ik dacht, waarom niet? Hij heeft heel wat goed te maken. Hij is me veel schuldig. Als ik niet neem wat ik kan, doen mijn broer en zus dat wel voor me,' zei hij.

Zijn cynisme beviel me niet en hij zag het aan mijn gezicht.

'Ik hoef toch niet van hem te houden om hem dingen voor me te laten doen?'

'Ja, dat moet je wel, Kenneth. Je moet van hem houden. Hij is je vader, hoe dan ook.'

'Mijn vader... is lang geleden gestorven als gevolg van een bekentenis. Deze vreemde met dezelfde naam, die op hem lijkt, is gewoon een oude, rijke man,' hield hij vol. 'Trouwens, ik doe het niet voor mezelf. Ik doe het voor *Neptune's Daughter*. Het heeft iets ironisch, vind je niet? Natuurlijk vind je dat,' ging hij verder voor ik kon antwoorden. 'Je bent een van de intelligentste vrouwen die ik ken, Melody. Je begrijpt veel meer dan je voorwendt te begrijpen.'

'Maar, Kenneth...'

'Laat het, Melody,' zei hij. 'Laat het gewoon.'

Hij keek lachend naar May die Prometheus knuffelde. Toen keek hij naar de boot en naar Cary.

'Over een maand maken we met z'n allen de eerste reis en vieren de geboorte van iets heel moois. Oké?' vroeg hij.

'Natuurlijk, Kenneth,' zei ik. 'Misschien kun je Holly uitnodigen voor de opening,' stelde ik voor. Ik wilde dat hij iemand naast zich had.

'Dat heb ik al gedaan,' zei hij.

'En ze komt? Geweldig! Ik verlang ernaar haar weer te zien.'

'Ik heb niet gezegd dat ze komt. Ze moet eerst haar horoscoop raadplegen en zeker weten dat het veilig is,' zei hij plagend, met een ondeugende twinkeling in zijn ogen.

We zagen May met Prometheus naar buiten lopen om hem aan Cary te laten zien, en toen keek Kenneth me met een vreemde blik aan. Ik hield mijn hoofd schuin toen ik een vluchtige, weemoedige trek over zijn gezicht zag gaan.

'Wat is er, Kenneth?'

'Een secondelang, met die lieve glimlach op je gezicht, je ogen glinsterend in de zon, deed je me denken aan Haille toen ze niet veel ouder was dan jij. Het was of... of de tijd was teruggedraaid, alsof er nog niets verschrikkelijks was gebeurd.

247

'Hou deze momenten vast, Melody. Klamp je er wanhopig aan vast zo lang je kunt.

'Maar al te gauw,' zei hij, terwijl zijn ogen versomberden, 'maar al te gauw zal de wind van de jaloezie opsteken en alles naar de zee jagen.

'Ik hoop,' besloot hij, starend naar Cary en May, 'dat het lot jou beter gezind zal zijn dan mij.'

Hij draaide zich om en ging weer naar binnen, mij huiverend van ongerustheid achterlatend. Kenneth had me bang gemaakt om zelfs maar verder dan morgen te denken. Ik werd geplaagd door zoveel emoties, dat ik dacht dat ik zou exploderen en wegvliegen met die wind waarvoor hij me gewaarschuwd had.

Als een lezer die bang is de volgende pagina om te slaan, liep ik weg van het huis naar Cary om hem het nieuws te vertellen.

15. De onthulling

Naarmate de dag van de opening van Kenneths expositie van *Neptune's Daughter* naderde, steeg de opwinding in Provincetown. Kunsttijdschriften stuurden schrijvers en fotografen. Verslaggevers van kranten uit New York City, Boston, en zelfs helemaal uit Washington D.C. en Chicago kwamen voor interviews en foto's. Een uitnodiging voor het galafeest na de opening in de Mariner's Gallery was een exclusiviteit. Kenneth vertelde me dat ik, nu ik een expert was in etiquette en formaliteiten, hem zou moeten helpen met het ontwerp en de tekst van de uitnodigingen. De eigenaar van de galerie gaf ons een geselecteerde lijst mensen die moesten worden uitgenodigd, met de opmerking dat deze mensen hadden geïnvesteerd in kunst en invloed hadden in de gemeenschap.

Twee dagen voor de opening en het feest belde Kenneth en vroeg me hem te vergezellen naar het huis van de rechter, waar we een afspraak hadden met de cateraars.

'Ik ben niet goed in die dingen,' beweerde hij. 'Ik heb een vrouwelijk standpunt nodig.'

Ik wist dat hij er gewoon tegenop zag om naar het huis van zijn vader te gaan. Ik had begrepen dat hij er in jaren niet meer was geweest. De rechter was ook nerveus. Dat vertelde grootma Olivia me.

'Het heeft alles in zich om een geweldig evenement te worden,' zei ze, 'maar we moeten ervoor zorgen dat er zich geen onaangenaamheden voordoen en zeker niets dat de onlesbare dorst van het roddelcircuit kan lessen. Ik weet dat je een oneindig lange tijd in Kenneths huis hebt doorgebracht, en al heb ik de sculptuur nog niet gezien, ik weet, net als alle anderen zullen weten, dat jij er model voor hebt gestaan.

'Ik reken op jou om te helpen eventuele moeilijke gevoelens te verzachten. Met andere woorden,' zei ze met een wrange grijns, 'zorg ervoor dat Kenneth zich behoorlijk gedraagt. Doe je best dat hij zich fatsoenlijk aankleedt en doe iets met dat mos op zijn gezicht dat hij een baard noemt en die zwabber op zijn hoofd die voor haar door moet gaan.'

'Artiesten zijn geen zakenmensen, grootma Olivia. Het publiek begrijpt Kenneth.'

'Niet dit publiek,' verzekerde ze me. 'Eigenlijk,' onthulde ze me in een zeldzaam mild moment, 'maak ik me ongeruster over de rechter. Hij heeft geen nacht geslapen sinds hij heeft aangeboden zijn huis beschikbaar te stellen voor het galafeest. Ik heb hem gezegd dat het een dwaas gebaar was, maar hij wilde het met alle geweld doen.'

'Alles komt op zijn pootjes terecht,' zei ik.

Ze knikte en nam me aandachtig op.

'Je bent gegroeid en volwassener geworden sinds je hier woont. Ik kan je overigens zeggen dat ik van de docenten op school alleen maar goede dingen over je gehoord heb. En de mensen bewonderen de manier waarop je voor mijn gehandicapte kleindochter zorgt. Ik voel dat mijn vertrouwen in jou en in je mogelijkheden terecht is geweest. Doe niets om dat vertrouwen te verbreken,' voegde ze er op haar gebruikelijke, dreigende toon aan toe.

'Dank u, denk ik,' antwoordde ik, en ze glimlachte bijna.

'Ben je deze week bij mijn zuster geweest en heb je Samuel bezocht?' vroeg ze.

'Ja.' Ik vroeg me af of ze ook wist dat Cary me daarheen had gereden. Als ze het wist, liet ze dat niet merken. 'Ze zijn allebei ongeveer hetzelfde gebleven. Geen verbetering. Grootpa Samuel zit het grootste deel van de tijd domweg voor zich uit te staren en schijnt nauwelijks te merken dat ik er ben.'

'Er komt geen verbetering,' voorspelde ze. 'Het is geen instituut waar je naartoe gaat om beter te worden. Je wacht er alleen maar. Gods wachtkamer,' mompelde ze. 'Ik denk dat jij me er op een dag ook naartoe zult sturen. Als dat nodig is, aarzel dan niet,' adviseerde ze me. 'Hopelijk zal dat nog wel even duren, maar als mijn tijd gekomen is, het zij zo.'

Voor het gala stelde grootma Olivia voor dat ik de jurk zou dragen die Dorothy Livingston in Beverly Hills voor me had gekocht. Al die maanden had ze geen woord gezegd over de twee dure outfits die in mijn kast hingen, maar ik wist dat ze ervan op de hoogte was.

'Het heeft geen zin zoiets ongebruikt te laten hangen. Als iemand dom genoeg is zoveel geld uit te geven, nou ja... dan moet je ervan profiteren. Ik wil je natuurlijk eerst erin zien,' voegde ze eraan toe. Ik knikte en holde naar boven om hem aan te trekken. Ze bekeek me een paar ogenblikken aandachtig en knikte toen.

'Geschikt,' verklaarde ze toen, 'voor een dergelijke gelegenheid. Je bekleedt nu een bepaalde positie in deze gemeenschap. Daar moet je je uiterlijk bij aanpassen. Er zal ook een aantal jongemannen uit vooraanstaande families op het feest zijn. Ik hoop dat je met een paar van hen kennismaakt. Natuurlijk zal ik ervoor zorgen dat je behoorlijk wordt voorgesteld. Wat doe je met je haar?'

'Mijn haar?'

'Ik kan mijn kapper voor je laten komen, als je wilt.'

'Nee, ik denk dat ik het gewoon los laat hangen. Misschien mijn pony wat bijknippen, maar dat kan ik zelf.'

'Zoals je wilt. Ik heb een ketting met robijnen en saffieren die bij die jurk past,' ging ze verder. 'Hij was van mijn moeder.'

'Heus? Dank u.' Ik voelde me vereerd dat ze me zoiets toevertrouwde, al was het maar voor één avond.

Ik vertelde Kenneth over grootma Olivia's nieuwe en verbeterde imago. Ik dacht dat hij zou lachen en een spottende opmerking maken over de vorstelijke dame of zoiets, maar hij werd te veel afgeleid door zijn eigen gedachten en ongerustheid. Ik praatte voornamelijk om te voorkomen dat we in een dodelijk stilzwijgen verder zouden rijden.

Toen we op de oprit naar het huis van de rechter kwamen, was Kenneth bijna omgedraaid.

'Dit is verkeerd,' mompelde hij. 'Ik had nooit moeten toestemmen. Een receptie in de galerie was meer dan voldoende geweest.'

'Kenneth, alsjeblieft. Je weet dat iedereen zich verheugt op een groot feest. We zullen ervoor zorgen dat het leuk wordt.'

'Leuk,' herhaalde hij alsof het een smerig woord was.

Het huis van de rechter kwam in zicht. Ik herinnerde me nog de eerste keer dat ik het had gezien, hoeveel mooier ik het had gevonden dan het huis van grootma Olivia. Het Adam Colonial-huis van drie verdiepingen van de rechter was gerestaureerd in een

Wedgwood blauwe coating en had een halfronde veranda aan de voorkant. Wat het nog unieker maakte was de grote, achthoekige koepel. Boven alle ramen aan de voorkant was een prachtig bewerkte fries.

De oprit bracht ons bij een cirkel waar een enorme activiteit heerste. Een leger tuinlieden was aan het snoeien en trimmen, maakte fonteinen en wandelpaden schoon, lapte ramen, plantte nieuwe bloemen in de rotstuinen. Toen we op de halfronde oprijlaan kwamen, kon ik de reusachtige feesttent zien, waar de cateraars hun plannen bespraken met rechter Childs. Naast hem stond zijn butler, Morton. Iedereen draaide zich naar ons om.

Kenneth bleef roerloos in de jeep zitten en staarde naar de ingang van het huis.

'Het moet erg prettig geweest zijn hier op te groeien, Kenneth.'

'Ja, dat was het,' zei hij, en stapte uit.

Morton kwam snel naar ons toe om ons te begroeten.

'Hallo, meneer Kenneth. Goed u weer te zien, goed u te zien,' zei hij en stak zijn hand naar Kenneth uit nog voordat Kenneth zich had bewogen. Hij schudde hem krachtig de hand en keek toen naar mij. Zijn gezicht straalde van blijdschap. 'En u ook, miss Melody. U ziet er goed uit. Wat een feest zal dit worden. De rechter was een uur vroeger op dan normaal. Niemand kon slapen met de gedachte aan alle festiviteiten. O, het is zo goed dat u hier bent, meneer Kenneth. Het is een prachtige dag, vindt u niet?'

Hij bleef staan, in afwachting van een vriendelijkere uitdrukking op Kenneths gezicht, een teken dat de oorlog tussen vader en zoon voorbij was.

'Hallo, Morton. Goed om ook jou weer te zien.' Eindelijk lachte Kenneth naar hem. 'Weet je, Morton was net zo verantwoordelijk voor mijn opvoeding als mijn vader en moeder,' zei Kenneth.

'O, kom nou, meneer Kenneth. Zoveel heb ik niet gedaan.'

'Nee, je bent alleen maar overal met ons kinderen naar toe gesjouwd, je hebt de wacht over ons gehouden, met ons gespeeld. Jij hebt me geleerd hoe ik een baseballbat moest hanteren, weet je nog, Morton? Morton had een prof kunnen zijn,' zei hij tegen mij.

'O, nee, miss Melody, dat is niet waar. Zo goed was ik niet.'

'Hij was fantastisch.'

'De rechter is vreselijk opgewonden,' zei Morton. 'Kan ik iets voor u beiden halen? Limonade of koffie of...'

'Nee, niets, Morton. Ik wil dit zo snel mogelijk afhandelen,' zei Kenneth. Morton knikte.

'Goed. Ik ben in de buurt als u iets nodig hebt.'

'Dat was je altijd,' zei Kenneth. 'Het is goed je te zien, Morton,' ging Kenneth op warmere toon verder. Mortons ogen werden vochtig.

'En goed om u te zien. Hij heeft het voortdurend over u, meneer Kenneth. Er gaat geen dag voorbij zonder dat hij over u praat.'

'Oké,' zei Kenneth, zich naar mij omdraaiend. 'Laten we het afwerken.'

Ik volgde hem over het grasveld naar de cateraars en rechter Childs.

'Hallo,' zei de rechter, zijn blik strak op Kenneth gericht. Kenneth begroette hem met een nauwelijks merkbaar knikje.

'Ik heb niet veel tijd,' zei hij snel.

'Goed, laten we dan meteen beginnen. James zal ons alles vertellen over het menu en hoe hij de buffetten wil opstellen. Hij stelt voor dat we tafels in en buiten de tent plaatsen, maar al het voedsel binnen. Nietwaar, James?'

De kleine, keurig uitziende man glimlachte.

'Ja, rechter Childs. Ik denk dat het zo wel zal functioneren. Ik heb drie buffetten voor de entrees: kreeft, garnalen, gebraden rosbief en eendenborst, heilbot en baars. We krijgen twee lange tafels voor de salades en groenten, en natuurlijk drie dessertbuffetten. Ik stel voor dat we de bar buiten de tent zetten. Het maakt het altijd minder gecompliceerd als de drank gescheiden wordt gehouden van het voedsel,' ging hij verder, 'maar het personeel zal glazen champagne rondbrengen.'

'Lijkt dat menu je wat?' vroeg de rechter. Kenneth staarde naar de steiger met een verstrooide uitdrukking op zijn gezicht.

'Mij best,' mompelde hij.

'Wat de decoraties betreft,' ging James verder, 'dacht ik aan een boeket van onze mooiste tulpen, anjers en narcissen op alle tafels. Ik zou een rozenpoort willen voorstellen bij de ingang van de tent en...'

'Het is geen huwelijk,' snauwde Kenneth. Hij keek hulpzoekend naar mij.

'Ik denk dat gewoon wat bloemen op de tafels voldoende is,' zei ik. James knikte teleurgesteld.

'Ik wist niet wat voor muziek ik moest kiezen,' zei de rechter. 'James stelde een trio voor. Ik dacht dat we een klein podium voor ze konden bouwen.' Hij wees naar een plaats rechts van de tent. 'Ik zal een van die draagbare dansvloeren laten komen en...'

'De mensen hoeven niet te dansen,' zei Kenneth.

'Nee? Oké. Alleen wat muziek dan. Ik dacht alleen... maar als je vindt dat het een beetje teveel van het goede is.'

'Het hele gedoe is teveel,' zei Kenneth en liep weg naar de steiger.

Iedereen keek hem zwijgend na.

'Hij is alleen wat zenuwachtig over de expositie,' legde ik uit.

'Natuurlijk,' zei de rechter. 'James kan ons de kleuren laten zien die hij heeft gekozen voor de tafelkleden en servetten.'

'Hierin,' zei hij, en wees naar de tent. Ik volgde en bekeek zijn suggesties voor de decoraties binnen met crêpepapier, ballons en klatergoud. Ik vond het erg spectaculair, en de rechter keek verheugd.

'En er moeten natuurlijk mensen zijn om de auto's van de gasten te parkeren. Laten we hopen dat we goed weer hebben. Nou, wat valt er verder nog te doen?' vroeg hij, terwijl hij Kenneth nakeek.

De cateraar ratelde een stuk of zes dingen op, maar de rechter had zijn belangstelling verloren.

'Het is misschien niet zo'n slecht idee als u en Kenneth met elkaar praten voordat het zover is,' opperde ik zachtjes. Hij keek naar me en knikte.

'Ja, ik denk dat je gelijk hebt.'

Hij zag er vermoeid, oud en onzeker van zichzelf uit. Kenneth stond op de steiger en staarde naar de zee.

'Laat mij eerst even met hem spreken,' zei ik. De rechter keek opgelucht. Haastig liep ik over het grasveld naar Kenneth.

'Dit is stom,' zei hij. 'De helft van de mensen die hier komt heeft geen bal verstand van kunst.'

Ik lachte.

'Het wordt leuk, Kenneth. Laat hem toch zijn gang gaan. Hij doet het omdat hij zich trots op je voelt.'

'Schuldig,' verbeterde hij.

'Ja, misschien ook schuldig, maar in ieder geval trekt hij het zich aan, voelt hij berouw. Mijn moeder schudt alle gewetenswroeging van zich af alsof je een vlieg wegjaagt.'

Hij keek naar me en glimlachte.

'Je hebt medelijden met hem, hè?'

'Ja,' zei ik.

Hij schudde zijn hoofd.

'Begrijp je dan niet dat Haille zo is geworden door wat hij heeft gedaan?'

'Nee. Kijk wat ze mij heeft aangedaan,' antwoordde ik. 'Je ziet mij niet in mijn moeder veranderen.'

Zijn glimlach werd milder.

'Praat met hem, Kenneth. Probeer vrede met hem te sluiten. Het zal voor jou net zo goed zijn als voor hem.'

Hij grijnsde sceptisch.

'Je zei dat *Neptune's Daughter* je belangrijkste werk was, het werk waar je het meest trots op bent. Laat het dan een gelukkige tijd zijn, van begin tot eind.'

'Melody, Melody, wat moet ik met je beginnen? Ondanks alles blijf je de grauwe wolken verjagen en zoek je naar de regenboog.'

'Help me die te vinden, Kenneth, ' antwoordde ik. Ik keek hem recht in de ogen. Hij knikte, zuchtte, staarde naar het water en liep toen weer terug naar het huis. 'Kom mee,' zei hij.

'Moet ik mee?'

'Je bent zijn kleindochter. Je hoort nu bij elke familiediscussie. Geen valse schijn meer. Dat is het enige wat ik verlang,' zei hij. Samen liepen we naar het huis, zijn thuis, waar hij in jaren niet geweest was, naar een huis dat al zijn herinneringen bevatte aan zijn kindertijd en aan zijn moeder.

We gingen naar binnen en hij leidde me rond.

'Hij heeft het ongeveer zo in stand gehouden als ik het me herinner,' zei Kenneth. Hij lachte. 'Mijn moeder en haar antiek. Maar sommige van die dingen zijn een hoop geld waard.'

We gingen naar boven en hij liet me zijn vroegere kamer zien. Hij bleef lange tijd staan met een trieste glimlach om zijn mond. Toen we weer naar beneden gingen stond de rechter in de deuropening van zijn kantoor.

'Tja,' zei hij, terwijl hij van Kenneth naar mij keek. 'Het ziet ernaar uit dat dit de gebeurtenis van het jaar gaat worden, hè? Ik heb je sculptuur nog niet gezien, Kenneth, maar Laurence Baker vertelde me dat het prachtig is. Heeft iemand al een voorlopig bod gedaan? Anders wil ik graag een bod erop uitbrengen.'

'Het is niet te koop,' zei Kenneth.

'Wat?'

'Ik denk erover het aan het museum cadeau te doen na de expositie.'

De mond van de rechter viel open. 'Dat is een heel mooi idee, Kenneth. Een heel mooie gedachte,' zei hij, toen hij over zijn verbazing heen was.

'Nou, áls je het zou verkopen, zou ik het zelf willen kopen,' zei ik. Ik wilde dat Kenneth geld zou accepteren voor zijn creatie.

Ze keken me allebei aan, en Kenneth lachte. De rechter lachte ook.

'Ik durf te wedden dat ze het zou doen,' zei hij.

'Ja, dat zou ze,' gaf Kenneth toe. In ieder geval waren ze het eindelijk over íets eens.

'Ik ben blij dat we het feest hier geven, Ken. Je moeder zou erg trots zijn,' zei de rechter. 'O, dat doet me eraan denken,' ging hij snel verder. 'Ik heb laatst iets gevonden en ik dacht dat jij het misschien zou willen hebben.' Hij draaide zich om en liep zijn kantoor in. We volgden hem. Hij overhandigde Kenneth een leren fotolijst met een foto van zijn moeder en hemzelf toen hij vijf of zes was.

'Hij had toen al die serieuze, artistieke blik, vind je niet?' vroeg de rechter.

'Hij lijkt inderdaad in gedachten verdiept,' antwoordde ik.

'Ik herinner me nog dat Louise die lijst gekocht had. Ze vond het een prachtvondst. Hij is helemaal met de hand bewerkt,' ging hij verder toen Kenneth bleef staren naar de foto van hemzelf en zijn moeder. De rechter scheen zich gedwongen te voelen om te blijven praten. 'Ik geloof dat het ergens in Buzzard's Bay was. Ze liep die kleine winkeltjes binnen en zocht daar zoals een gouddelver naar goud zoekt, en kwam dan soms met de krankzinnigste dingen naar buiten. Toen ze die lijst had gekocht, zei ze dat ze precies de foto had om erin te zetten.'

'Dank je,' zei Kenneth.

'O, ja, ja. En hoe staat het leven verder?' vroeg de rechter.

'Verder?' Kenneths mondhoeken gingen omlaag.

'Ik bedoel...' De rechter keek naar mij.

'Alles wat je te zeggen hebt kan zij ook horen. Ze is je kleindochter,' zei Kenneth.

'Ja, dat is ze,' zei de rechter, knikkend. 'En ik moet zeggen dat ik trots op haar ben.'

'Zelfs al is het een diep, duister geheim?' zei Kenneth sarcastisch. De rechter kneep zijn ogen samen. Langzaam ging hij op de leren bank zitten en staarde naar de vloer als een man die zojuist heel slecht nieuws heeft gehoord.

'Het heeft geen zin om me tegen je te verontschuldigen, Kenneth. Dat heb ik al honderd keer gedaan, maar je luistert toch niet. Bovendien kan ik van jou geen vergiffenis verwachten voor iets dat ik mezelf niet kan vergeven. Maar,' zei hij, terwijl hij zijn ogen naar Kenneth opsloeg, 'maar ondanks alles ben ik altijd van je blijven houden, jongen. Ik ben trots op je en op wat je gedaan hebt. Het enige wat ik kan hopen is dat je me wat minder zult gaan haten. Dat is alles,' eindigde hij met een diepe zucht.

Kenneth wendde zich even af.

'Je hebt ons verraden, weet je, ons allemaal.'

'Ja,' bekende de rechter. 'Ik was een zwakke man, en zij was een heel mooie en begeerlijke vrouw. Het is geen excuus, alleen een verklaring,' ging hij snel verder.

'Het grootste deel van je leven heb je vonnissen geveld over anderen. Wie heeft jou gevonnist?'

'Jij, jongen, en de prijs die ik betaald heb was te hoog. Als ik de dingen kon veranderen, zou ik dat doen.'

Kenneth keek niet erg overtuigd.

'Echt waar. Ik zou liever doodgaan dan jou verdriet doen. Ik wilde alleen het beste voor je. Niets van dit alles hier heeft enige betekenis voor me gehad sinds de dood van je moeder en... sinds al mijn kinderen uit huis zijn.' Hij keek naar mij. 'Het is min of meer een wonder dat Melody bij ons is teruggekomen.'

Kenneth keek even naar mij en knikte.

'Ja, dat is het.'

'En ik ben zo blij dat jullie elkaar zo graag mogen.'

'Ze is een lastpak,' plaagde Kenneth.

Ik glimlachte door mijn tranen heen.

'Talentvol, en ze speelt prachtig viool. Je gaat toch iets voor ons spelen op het feest hè, Melody?'

'Wat? Nee, ik...'

'Natuurlijk doet ze dat,' zei Kenneth met een blik op mij. 'Dat is een deel van onze afspraak.'

'Is het dat?' vroeg ik bezorgd.

'Goed dus,' zei de rechter, en stond weer op. Hij scheen moeite te hebben om overeind te komen, onderdrukte een gekreun en forceerde een glimlach. 'Ik denk dat ik maar weer eens naar dat fatterige mannetje ga om te zien wat hij nog meer voor me in gedachten heeft. Straks wil hij de oprijlaan nog versieren met roze rozen,' zei hij, en Kenneth lachte, maar leek zichzelf tot de orde te roepen en draaide zich snel om naar de deur. Even bleef hij staan, keek naar de foto van hemzelf en zijn moeder en toen achterom naar de rechter.

'Bedankt hiervoor.'

'Graag gedaan.'

'We moeten gaan,' zei hij.

'Ja, het ziet ernaar uit dat ik onverwacht wat zal moeten oefenen,' zei ik spits, en Kenneth lachte weer.

De rechter volgde ons naar de voordeur.

'Ik hoef je geen succes te wensen. Ik weet dat iedereen onder de indruk zal zijn,' zei hij. Kenneth knikte, en ik wist dat hij wilde zeggen 'Dank je.'

Toen ik naar de rechter keek zag ik dat zijn ogen vol tranen stonden. Hij beet op zijn lip, glimlachte naar me en ging weer naar binnen.

'Ik geloof dat hij echt spijt heeft, Kenneth.'

'Misschien,' gaf hij toe. We stapten in de jeep en hij bleef even zitten, keek naar zijn vader die uit huis kwam, naar ons zwaaide en langzaam naar de cateraars liep.

'Hij was een heel knappe man, altijd gedistingeerd, een echte gentleman. Hij zag er precies uit zoals een rechter eruit hoort te zien. Toen ik nog klein was, dacht ik dat hij de macht had om te beslissen over leven en dood. Stel in niemand je volledige vertrouwen, Melody. Blijf een beetje sceptisch. Het is een goede verzekering. Oké,' ging hij lachend verder. 'We zullen er een mooi feest van maken en een hoop plezier hebben. Als de koningin je verlof geeft, ben je vanavond uitgenodigd voor het eten. Holly kan elk moment hier zijn.'

'Heus? O, geweldig! Natuurlijk kan ik komen. Grootma Olivia wil dat ik een goede invloed op je uitoefen, je er meer uit laten zien als...'

'Een zakenman, ik weet het. Misschien trek ik een schone broek en sokken aan,' zei hij, en we moesten allebei lachen.

Holly, dacht ik. Ik verlangde ernaar haar weer te zien.

Holly kwam beladen met geschenken: amuletten en kristallen, astrologische kaarten, nieuwe oorbellen voor mij en een armband voor Kenneth. Na het eten gingen zij en ik een lange wandeling maken op het strand, en we praatten over mijn reis naar Californië.

'Natuurlijk draaide mijn zus alles om, ze nam het me kwalijk dat ik zo'n jong, beïnvloedbaar meisje naar Los Angeles had gestuurd. Philip zei dat het hem niets verbaasde,' merkte ze met een kort lachje op.

'O, ik hoop dat ik geen moeilijkheden voor je heb veroorzaakt,' zei ik.

'Dit is geen nieuw punt van discussie. Mijn zus en haar man hebben lang geleden al definitief hun mening over mij gevormd. In ieder geval moest ik je van Billy het allerbeste wensen en heel veel lieve groeten overbrengen. Hij was erg onder de indruk van je.'

'En ik van hem. Ik heb tijdens mijn verblijf in Hollywood vaak aan hem gedacht en aan de dingen die hij zei.'

'Je moeder had geen...'

'Ze is als gehypnotiseerd, Holly. Als ik dat alles van tevoren had geweten, was ik nooit gegaan. Soms ga ik naar haar graf en doe net of zij daar is begraven. Het maakt weinig verschil of ze het is of niet.'

Ze glimlachte en bleef staan en ademde diep de frisse zeelucht in.

'Veeg mijn hersens schoon,' zei ze. 'Cary heeft Kenneth blijkbaar voor zich ingenomen met het bouwen van die boot.' Ze knikte naar de voltooide romp. 'Het ziet ernaar uit dat het een heel mooie boot gaat worden.'

'Hij legt zijn hart en ziel erin,' zei ik, terwijl mijn eigen hart zwol van trots.

'Niet zijn hele hart. Een groot deel ervan zit hier,' zei ze, wijzend op mijn borst. Ik lachte.

'Vertel eens over Kenneth,' zei ze na een ogenblik.

'Hij schijnt zich in een soort overgangstoestand te bevinden. Zijn horoscoop wijst uit dat hij op het punt staat van richting te veranderen.'

Ik vertelde haar over de ontmoeting met zijn vader en de schijnbare wapenstilstand.

'Ze worden allebei ouder. Het wordt tijd dat ze de zaak bijleggen,' zei ze. Toen ging ze peinzend verder. 'Praat hij vaak over mij?'

'O, jij bent altijd in zijn gedachten,' zei ik. 'Hij zegt vaak: "Dat is iets wat Holly je in je hoofd heeft geprent", of "Daar zou Holly wel iets over op te merken hebben."'

'Heus?' Ze glimlachte. 'Ik vind het hier prettig. Ik denk erover uit New York weg te gaan.'

'En Billy?'

'Ik wil hem de winkel geven. Hij zou er niet over piekeren New York te verlaten.'

'Waar wil je gaan wonen?'

'Ik zie wel,' zei ze lachend. 'Ik sta op het punt te ontdekken of ik mijn eigen toekomst kan voorspellen. Ik heb een paar sterke indicaties.' Stralend keek ze achterom naar het huis.

'Ik moet naar huis,' zei ik, onzeker of ik haar verder uit moest horen. 'Morgen is een belangrijke dag, en dankzij Kenneth moet ik vioolspelen.'

'Dat is goed. Ja, het wordt een belangrijke dag.' Ze pakte mijn hand en lachend holden we op blote voeten over het duin. De sterren fonkelden boven ons, de zee was glad en rustig en vol beloften. Het was goed om weer gelukkig en hoopvol te zijn.

De volgende dag kwamen er een halfuur vóór de opening al mensen om de eersten te zijn die de galerie binnenkwamen. Grootma Olivia trok een van haar mooiste jurken aan en droeg haar parelketting, haar diamanten armbanden en gouden ringen. Toen ze beneden in de hal verscheen zag ze eruit als een echte koningin. Rechter Childs kwam ons halen, en in zijn donkerblauwe pak was hij knapper dan ik hem ooit had gezien.

'Ik heb geprobeerd Grant en Lillian mee te krijgen,' zei hij, doelend op zijn andere kinderen, 'maar ze hadden het allebei te druk met hun eigen leven. Het is triest als familieleden uit elkaar groeien,' zei hij, een opmerking waar grootma Olivia het van harte mee eens was.

'Als je de banden kwijtraakt die je bijeenhouden, zweef je weg in de wind,' zei ze. Ze keek naar mij, zoals na haar meeste diepzinnige uitspraken tegenwoordig, om zeker te weten dat ik het goed gehoord had.

Cary, tante Sara en May stonden in hun mooiste kleren bij de galerie te wachten toen we de parkeerplaats opreden. Cary zag er heel knap uit in zijn pak, en May, die groeide als kool, was al langer dan één meter vijfenvijftig. Zelfs tante Sara had iets lichts en vrolijks aangetrokken en wat make-up en lippenstift opgedaan.

'Ze staan op het punt de deuren te openen,' zei Cary, toen ik uit de auto van de rechter stapte. 'Die mensen daar zijn journalisten,' ging hij verder, met een knikje naar een kleine groep die op het trottoir bijeen stond.

'Is Ken er al?' vroeg de rechter.

'Nee, meneer. Ik heb hem nog niet gezien.'

'Het zou net iets voor hem zijn om niet te komen opdagen,' mompelde grootma zacht. 'En, Sara, hoe gaat het?'

'Redelijk, Olivia. Het is of het gisteren pas gebeurd is,' antwoordde ze met trillende lippen.

'Het is níet gisteren gebeurd en we moeten allemaal verder met ons leven. Dit is een heel blije, fantastische dag voor de rechter. Je hoort hier niet te komen als je er niet tegenop kunt,' zei ze scherp.

Sara forceerde een glimlach.

'O, het gaat heel goed. En May is enthousiast,' zei ze, knikkend naar grootma Olivia's kleindochter, die ze nog steeds niet begroet had.

'Zeg goedendag,' beval ze en glimlachte naar May, die op haar beurt glimlachte en gebaarde. Grootma Olivia wachtte niet om te zien wat ze zei. Ze liep naar voren, met de rechter naast zich. De deuren van de galerie gingen open en de mensen stroomden naar binnen. De meesten van hen begroetten grootma Olivia en de rechter voordat ze ruim baan voor hen maakten. Cary, tante Sara, May en ik volgden.

Neptune's Daughter stond in het midden van het zaaltje, bedekt met een laken. De eigenaar van de galerie, Laurence Baker, was een lange, magere man met een somber gezicht. De manier waarop hij zich door het vertrek bewoog en zijn milde stem deden me denken aan een begrafenisondernemer. Zijn assistent, een man van een jaar of vier-, vijfentwintig en een vrouw van midden dertig, waren er ook bij om de mensen te begroeten. Op lange tafels stond de champagne al ingeschonken met wat koude hors d'oeuvres ernaast. De mensen stevenden onmiddellijk op de gratis verversingen af en slenterden door de galerie om de andere kunstwerken te bewonderen, in afwachting van de onthulling.

'Goedemiddag, rechter Childs, goedemiddag,' zei Laurence Baker. 'En mevrouw Logan, bedankt voor uw aller komst.'

'Waarom zouden we niet komen?' snauwde grootma Olivia.

'O, ik wilde alleen maar zeggen... blij u te zien,' zei hij, en liep haastig naar een ander paar.

De galerie was al bijna vol en Kenneth was er nog steeds niet. Ik begon me ongerust te maken. Ik was bang dat hij besloten had niet te komen. Wat moesten we dan doen? Hoe zou de rechter reageren, en hoe moest het met dat grote feest, het eten, de muziek? Ik keek naar Cary.

'Toen je hem de laatste keer zag, zei hij toen iets dat hij niet zou komen?' vroeg ik.

'Hij zei niet dat hij niet zou komen, maar hij voelde zich niet erg gelukkig met al dit gedoe.'

'Je denkt toch niet... heeft hij gedronken vandaag?'

'Nee, Holly was bij hem, en ze hebben het grootste deel van de dag op het strand gewandeld en gepraat. Nou ja,' zei hij met een onderdrukt lachje, 'misschien niet alleen gepraat.'

'Je hebt ze toch niet bespioneerd, Cary Logan?'

'Nee,' zei hij verontwaardigd. 'Ik kon alleen zien aan de manier waarop ze zich gedroegen dat alles heel goed gaat tussen die twee.'

Ik stond al op het punt om Kenneth tegenover de aanwezigen te verontschuldigen, toen er een luid gemompel opging. Ik draaide me om en zag Kenneth en Holly voorrijden in haar beschilderde auto. Kenneth had een sportjasje aangetrokken, maar droeg verder een oude spijkerbroek en een paar mocassins zonder sokken. De kraag van zijn hemd stond open.

Holly droeg een van haar lange jurken, sandalen, kralen tot op haar middel, kristallen oorbellen en een tiara van kristallen en andere mineralen.

'Artiesten,' mompelde grootma Olivia.

Ondanks Kenneths kleding kreeg hij een ovatie toen hij de galerie binnenkwam. Hij glimlachte en knikte en begeleidde Holly naar *Neptune's Daughter*.

Laurence Baker kwam naast Kenneth staan en kondigde aan: 'Nu de kunstenaar gearriveerd is kunnen we overgaan tot de onthulling van zijn schepping. Zoals u weet, heeft meneer Childs zijn werk *Neptune's Daughter* genoemd. In uw programma beschrijft hij zijn werk als een beeld van Neptunus' dochter die uit de zee omhoog rijst en metamorfoseert in een mooie vrouw. Het werk tracht die metamorfose vast te leggen op een climactisch moment. Zonder verdere omhaal van woorden wil ik nu meneer Childs verzoeken *Neptune's Daughter* te onthullen.'

Kenneth bleef een ogenblik bewegingloos staan. Zijn ogen zochten in de menigte tot ze op mij bleven rusten. Hij zag er kwajongensachtig en gelukkig uit. Iedereen hield zijn adem in toen Kenneth aan het koord trok om *Neptune's Daughter* te onthullen. Het laken viel omlaag en de omstanders slaakten een onderdrukte kreet, gevolgd door een luid applaus.

Grootma Olivia opende wijd haar ogen. Haar mond viel open en de huid over haar jukbeenderen trok strak. Toen keek ze naar mij en we staarden elkaar even aan. Ze wist dat ik Kenneths model was geweest, maar ze had niet verwacht een jonge vrouw met blote borsten uit het water omhoog te zien komen. Ze keek weer naar het beeld.

'Wel... wel... wel,' mompelde rechter Childs. 'Ik zei je toch dat dit zijn beste werk is. Wat vind je ervan, Olivia?'

'Ik vind het shockerend,' verklaarde ze. 'Ik had nooit verwacht zo'n realistisch uitgebeelde vrouw te zien.' Ze deed een stap naar voren en bestudeerde het gezicht. Toen keek ze naar de rechter.

'Ik weet het,' hoorde ik hem zeggen.

'Ik heb nog een glas champagne nodig,' zei grootma Olivia, en de rechter begeleidde haar naar de tafel.

'Wat vindt u ervan, tante Sara?' vroeg ik.

'Het lijkt op Haille,' fluisterde ze. 'Ze is het precies.'

'Ja.'

'Jacob zou het niet hebben goedgekeurd,' merkte ze op. 'O, nee.'
'Pa had geen verstand van kunst,' zei Cary.
Tante Sara's gezicht klaarde op.
'Nee,' zei ze. 'Dat is zo.'
Ik lachte en sprak in gebarentaal met May, die erg enthousiast was en het beeld prachtig vond. We luisterden naar andere mensen die de sculptuur prezen en Kenneth complimentjes maken, die zich even weinig op zijn gemak leek te voelen met al die ophemeling als een man op schoenen die hem twee maten te klein zijn.

Cary en ik stonden op het punt met May naar buiten te gaan voor wat frisse lucht, toen Teddy Jackson, zijn vrouw Ann, zijn dochter Michelle en zijn zoon Adam de galerie binnenkwamen. Een kille huivering liep over mijn rug. Ik had de man die mijn echte vader was niet meer gezien sinds mijn terugkomst, en ik was doodsbang voor het moment dat ik hem weer zou zien. Michelle, die een intense hekel aan me had, was in feite mijn halfzus. Onwillekeurig bestudeerde ik haar gezicht en dat van Adam om te zien of ik enige gelijkenis kon ontdekken.

Gelukkig werden de Jacksons snel in beslag genomen door de galerie-eigenaar en andere mensen.

'Laten we gaan,' drong ik aan, en we glipten naar buiten.

'Het was vreselijk warm binnen,' zei Cary. 'Ma komt niet op het feest. Ze wil dat ik haar eerst thuisbreng. Ik zal May brengen en dan zie ik je daar later.'

'Oké,' zei ik, nog steeds verward door het zien van Teddy Jackson.

'Ga je met Kenneth en Holly?'

'Ja,' zei ik. 'Ik ben min of meer aan hem toegewezen om ervoor te zorgen dat hij komt,' zei ik, en Cary lachte.

Nog geen uur later begonnen de gasten de galerie te verlaten en begaven zich naar het huis van rechter Childs. Kenneth en Holly kwamen tevoorschijn als twee kinderen die lange tijd hadden moeten schoolblijven. Haastig en lachend kwamen ze naar me toe.

'Laten we zorgen dat we iets te drinken krijgen, en gauw,' riep Kenneth. Ik pakte mijn viool uit de auto van de rechter en stapte in de jeep. We reden weg met een hard rijdende Kenneth. De wind maakte mijn haar hopeloos in de war, maar er werd niet geluisterd naar mijn protest.

'Jij hebt me hierin meegesleept,' schreeuwde Kenneth. 'Je zult het grijnzend moeten verdragen.'

We boften. Het was een prachtige voorjaarsdag, er stond een warme, zachte bries en de lucht was blauw met kleine, donzige wolkjes. Toen we aankwamen speelde het trio, parkeerwachters zetten de auto's weg, ballonnen wiegden in de wind. Kenneth en Holly gingen rechtstreeks op de bar af. Mensen verdrongen zich om hem heen, schudden zijn hand, klopten op zijn rug. Holly en ik aten wat hors d'oeuvres en slenterden door de tuin.

'Wat een schitterend huis,' merkte ze op. Ik liet haar ook wat van het interieur zien. Toen we weer naar buiten kwamen, waren de rechter en grootma Olivia gearriveerd en in gesprek gewikkeld met de gasten. Ik keek om me heen, maar nergens zag ik Cary of May. Ik zag wél de Jacksons weer, en ik voelde me van binnen verschrompelen.

De cateraars begonnen met het uitserveren van het eten. Ik wilde wachten op Cary, maar hij was er nog steeds niet. Ik begreep niet waar hij bleef. Ten slotte ging ik bij Kenneth en Holly zitten en at iets, ondanks mijn nervositeit. Toen we klaar waren, kwamen Teddy Jackson en zijn vrouw naar onze tafel om Kenneth geluk te wensen. Hij keek naar mij, maar ik wendde snel mijn blik af. Achter hem stond Adam te grinniken, even arrogant en knap als altijd. Zoals gewoonlijk keek Michelle of ze zich een ongeluk verveelde.

Mijn blik ging naar de ingang van de tent, in de hoop Cary te zien, maar hij was er nog steeds niet. Ik stond op het punt naar binnen te gaan om hem te bellen, toen de rechter langskwam en Kenneth iets in het oor fluisterde. Beiden keken naar mij.

'Het wordt tijd dat ik uit de schijnwerpers kan treden,' zei Kenneth opgewekt. Ik kreunde. Ze wilden dat ik optrad. Er werd een aankondiging gedaan, terwijl ik naar het kleine podium liep, waar ik mijn viool had neergelegd. De meeste mensen kwamen dichterbij om me te horen spelen. Kenneth en Holly stonden met een brede grijns achteraan. Ik kreeg Teddy Jackson in het oog, die vertederd glimlachte, wat mijn hart zo hevig deed bonzen dat ik bang was dat ik in bijzijn van al die mensen flauw zou vallen. Eindelijk vond ik de kracht om mijn strijkstok op te heffen en te beginnen.

Het was een liedje over de vrouw van een mijnwerker, die weigerde te accepteren dat hij om het leven was gekomen bij een mijn-ongeluk, en dag en nacht bij de ingang van de mijn de wacht hield, weigerend iets te eten of te drinken. En toen kwam op een avond de mijnwerker tevoorschijn en werd er een groot feest gevierd. Eén of twee keer dacht ik dat mijn stem het zou begeven, maar ik hield mijn ogen gesloten en haalde me pappa George voor de geest die me het liedje leerde. Toen ik uitgezongen was, kreeg ik een hart-verwarmende ovatie en geroep om een encore. Ik speelde nog twee melodietjes en stapte toen van het podium af. Grootma Olivia keek erg verheugd toen ze zag dat sommige jongemannen wedijverden om mijn aandacht te trekken. Ik zag Cary nog steeds niet, dus excu-seerde ik me en liep haastig naar binnen om hem te bellen. Hij nam op na de eerste bel.

'Het spijt me,' zei hij. 'Ik ga net weg. Ma huilde zo erg en was zo verdrietig dat ik haar niet alleen kon laten. Ze bleef maar aan pa denken. Maar ze is eindelijk in slaap gevallen. Heb je al gespeeld?'

'Ja.'

'O, verdomme.'

'Maar ik zal nog heel vaak voor jou spelen, Cary. Kom zo gauw je kunt.'

'Ik ben al weg,' zei hij, en ik hing op. Ik dacht aan die arme tante Sara. Ik was zo in gedachten verdiept, dat ik Adam niet hoorde tot hij iets in mijn oor fluisterde en het waagde me in mijn hals te zoe-nen. Ik maakte bijna een luchtsprong.

'Kalm,' zei hij, alsof ik een paard was dat hij probeerde te tem-men. 'Ik zag je naar binnen gaan en dacht dat we even een gesprek onder vier ogen konden hebben. Je wordt steeds mooier, weet je. Ik hoopte,' ging hij verder, voor ik iets kon zeggen, 'dat je misschien zou inzien hoe goed we het samen kunnen hebben. Ik ben nu al belangrijk in het corps van de universiteit en er zijn hopen meisjes-studenten om afspraakjes mee te maken, maar ik kan jou niet uit mijn hoofd zetten, Melody. Wil je ons niet nog een kans geven?' vroeg hij.

Ik deinsde achteruit en schudde mijn hoofd.

'Ga weg, Adam. Ik snap niet waar je het lef vandaan haalt.' Hij lachte.

'Dat bevalt me wel. Ik hou van een meisje dat niet zo gemakke-lijk toegeeft.'

'Ik zal jou nooit toegeven. Blijf uit mijn buurt.'

'Waarom probeer je niet ons een kans te geven. We zijn nu allebei wat ouder en...'

'Ik heb gezegd dat je bij me vandaan moet blijven. Ga weg en blijf weg!' schreeuwde ik, toen hij zijn handen weer naar me uitstak. Hij hield zijn hand middenin de lucht stil en trok een lelijk gezicht.

'Wat bezielt je in godsnaam? Waarom denk je dat je de prinses van Provincetown bent, alleen omdat je viool kunt spelen en een beetje zingen? Ben ik niet goed genoeg meer voor je?'

'Nee. Het gaat er niet om wie goed genoeg is voor wie.'

'Wat is er dan? Zeg op.' Hij keek kwaad genoeg om me te slaan.

'Vraag dat maar aan je vader,' schreeuwde ik naar hem. Het was eruit voor ik het terug kon nemen. Hij schudde verward zijn hoofd.

'Wat?'

'Vraag het hem maar. Vraag hem maar waarom het nooit iets tussen ons kan worden,' riep ik, terwijl de tranen over mijn wangen rolden. Ik draaide me om en holde de kamer uit, hem vol verwarring achterlatend.

Eerst schaamde ik me over wat ik had gezegd, maar toen gaf het me een goed en zelfs een opgelucht gevoel. Het was of ik de vloek had doorgegeven, de last van mijn eigen schouders had genomen en op die van de ware zondaar gelegd.

16. Ons laatste afscheid

Ondanks alles wat Kenneth had gezegd over zijn verlies aan enthousiasme voor zijn kunst, was hij slechts dagen na de onthulling van *Neptune's Daughter* alweer bezig met het creëren van iets nieuws. De kunstcritici hadden *Neptune's Daughter* de hemel in geprezen en er werd in diverse kranten en tijdschriften over geschreven. *Neptune's Daughter* werd aan het museum geschonken, zoals Kenneth beloofd had, en later ontdekte ik dat hij rechter Childs had toegestaan het te kopen en aan het museum te schenken.

Holly bleef ook nog na de festiviteiten. In de volgende tien dagen ging ik twee keer bij hen eten, en één keer ging ik met May op de fiets naar het strand en lunchten we samen met Holly. Ik zag dat Cary gelijk had. Zij en Kenneth waren dichter naar elkaar toegegroeid. Ze leken allebei erg gelukkig.

Cary werkte aan Kenneths zeilboot. De apparatuur was gearriveerd en hij installeerde alles zelf. Er werd een eerste vaart gepland; we zouden met ons vieren een dag gaan zeilen. De boot lag nu in het water en mensen uit de stad, die het van Kenneth gehoord hadden, kwamen de boot bezichtigen. Longthorpe, een bankier, had voldoende belangstelling voor Cary's werk om een discussie te beginnen over de bouw van een boot voor hemzelf. Cary begon een nieuwe boot te ontwerpen, en we waren allemaal erg enthousiast. Ik vertelde het grootma Olivia, maar ze zei slechts dat het iets was dat alleen mannen die geld en tijd teveel hadden interessant zouden vinden. Niets wat te maken had met recreatie vond ze belangrijk. Ze beschouwde entertainers, sportlui en dergelijke als frivole mensen die nooit volwassen waren geworden. Toen ik er verder met haar over praatte, begreep ik dat ze die ideeën had overgenomen van haar nogal puriteinse vader, maar ze klampte zich eraan vast om haar door de beproevingen en ellende heen te helpen, die in haar gedachtegang de realiteit van het leven waren. Ze geloofde heilig dat de Schepper ons alleen op de aarde had gezet om te worden beproefd, om te lijden en te verdragen. Dat was het dichtst wat ze bij een religieuze overtuiging kwam, al nodigde ze de dominee geregeld uit en gaf ze bijdragen aan de plaatselijke kerk. Ze eindigde nooit een voordracht of een verklaring zonder erop te zinspelen hoe belangrijk het was om de familie te beschermen, hun reputatie te bewaken. Dat was het enige verweer dat we hadden tegen het onfortuinlijk lot.

Ik begon te denken dat ze misschien niet helemáál ongelijk had. Er was een wederzijds respect en een soort wapenstilstand tussen ons ontstaan, vooral nu het bijna zeker leek dat ik bij het verlaten van de school de afscheidsrede zou houden. Ze had een gesprek geregeld tussen mij en de directrice van een van de voorbereidingsscholen in New England. Ze geloofde dat ik haar recept voor een perfect leven volgde en bereidde me erop voor in haar voetsporen te treden.

Toen het laatste kwartaal van het schooljaar aanbrak, werden er plannen gemaakt voor de jaarlijkse variété-voorstelling, en de regisseur kwam naar me toe met de vraag of ik weer mee wilde doen. Ik stemde toe, en kort daarna begonnen de repetities. Toen ik op de tweede repetitie-avond uit school kwam, was Raymond, die me altijd kwam halen, er nog niet. Niet omdat hij te laat was. Mijn optreden was eerder geëindigd dan ik dacht en ik had besloten naar buiten te gaan en wat frisse lucht te happen terwijl ik wachtte.

Ik zag een auto geparkeerd staan aan de overkant van de straat. Een man zat achter het stuur. Een paar ogenblikken bleef ik naar de man en de auto staren, zonder dat het goed tot me doordrong wie hij was. Toen ik het besefte, had ik het gevoel dat ik in een plas ijskoud water was gestapt. Mijn benen werden zelfs gevoelloos. Hij draaide zijn raampje omlaag en wenkte me. Ik bewoog me niet en hij wenkte nadrukkelijker. Er was verder niemand te zien. Ik aarzelde en stak toen de straat over naar de auto. Teddy Jackson, mijn echte vader, glimlachte naar me en knikte.

'Ik heb op een kans gewacht om met je te praten,' zei hij, 'sinds het moment waarop je Adam naar me toe hebt gestuurd. Heb je een paar minuten?'

Ik keek op mijn horloge. Raymond zou pas over een kwartier komen, dacht ik.

Ik haalde mijn schouders op.

'Waarom?'

'We weten allebei waarom.' Hij bleef glimlachen, maar zijn glimlach verdween toen ik me niet bewoog. 'Alsjeblieft.'

Hij maakte het portier aan de passagierskant open en ik liep om de auto heen en stapte in.

'Hm,' zei hij. We keken allebei recht voor ons uit en niet naar elkaar. 'Ik geloof dat ik dit gesprek wel duizend keer in gedachten heb gerepeteerd.' Hij draaide zich naar me om. 'Hoe ben je er eindelijk achter gekomen?'

'Wat maakt dat voor verschil?'

'Ik dacht dat Haille het nooit aan iemand verteld had. Dat het een geheim was dat ze in het graf met zich had meegenomen. Heeft iemand anders het je verteld?'

Ik keek hem kwaad aan.

'Bent u bang dat iemand anders in deze stad u aan de kaak kan stellen? Is dat het?' vroeg ik verhit.

Hij staarde me even aan en keek toen weer door de voorruit.

'Ik heb een gezin, een vrouw die hier niets van afweet en een heel succesvolle advocatenpraktijk. Ik heb enige reden om er bang voor te zijn,' gaf hij toe. 'Maar het zit me toch dwars. Ik wil geen lafaard blijven, vooral niet nu ik zie hoe jij bent opgegroeid, hoe mooi en talentvol je bent. Ik zou je graag willen claimen.'

'Ik ben geen bezit, een stuk land of iets dat je eigendom is,' zei ik. 'Je kunt geen dochter claimen.'

'Zo bedoelde ik het niet. Wat ik wilde zeggen was dat ik graag trots op je zou willen zijn. Je hebt niets tegen Adam gezegd, maar hij was erg van streek. Hij wist niet wat hij ervan moest denken.'

'Wat heb je hem verteld?'

'Niets. De lafaard in me heeft weer gewonnen,' zei hij. 'Ik deed of ik net zo in de war was als hij. Maar hij is slim. Hij geloofde er niet in en een dezer dagen zullen we een vertrouwelijk gesprek hebben. Waarschijnlijk zal hij het dan wat minder geweldig vinden een Jackson te zijn,' voegde hij er tamelijk somber aan toe.

'Hij is verwend en arrogant,' zei ik. 'Hij mag best een paar toontjes lager zingen, misschien wel een heleboel.'

'Ja, hij is nogal een snob. Dat geef ik onmiddellijk toe. Het is mijn schuld.' Hij zweeg even, keek me aan en knikte toen. 'Ik denk dat ik je een soort verklaring schuldig ben.'

270

'Ik wil helemaal niets van u.'

'Ik wil je er graag iets over vertellen. Alsjeblieft.'

Ik zei niets. Ik bleef zitten, half verlangend de auto uit te springen, en half verlangend naar hem uit te vallen en te vragen waarom hij al die jaren zo laf was geweest. Ik wilde op zijn borst trommelen en hem in zijn gezicht slaan en gillen en gillen en gillen over de leugens, het bedrog, de mensen die leden terwijl hij zijn fraaie advocatenpraktijk opbouwde en zijn veilige gezinnetje stichtte.

'Bijna negentien jaar geleden was ik heel wat minder volwassen dan ik nu ben. Niet minder dan andere jongemannen van mijn leeftijd, maar ik was impulsief en vervuld van mezelf. Mijn carrière was begonnen. Ik had al vrij gauw succes, wat niet altijd goed is. Maar in mijn geval werkte het positief. Ik investeerde goed, vergaarde een vermogen, trouwde met een mooie vrouw en kreeg mijn eerste kind.

'Je moeder,' ging hij glimlachend verder, 'was in die tijd de aantrekkelijkste jonge vrouw in deze stad, en erg sexy. Ze kwam op je af op een manier die al je weerstand deed wegsmelten, en je hoofd op hol bracht met allerlei wilde fantasieën. Ze was,' zei hij lachend, 'een enorme flirt.'

'Ik wil niets meer horen over haar wilde gedrag,' zei ik. 'Elke man die haar heeft gekend en die ik heb gesproken, praat over haar alsof ze met een toverstaf zwaaide en hen hypnotiseerde.'

'Dat is niet zover bezijden de waarheid.'

'Dus u treft geen enkele schuld, wilt u dat soms zeggen?' snauwde ik. 'Het was allemaal haar schuld. Zij verleidde u en omdat ze u verleidde, voelde u geen verplichtingen?' De tranen brandden in mijn ogen en mijn hart bonkte.

'Nee, dat wil ik niet zeggen, al heb ik het heel lang wel zo beredeneerd,' antwoordde hij kalm. 'Ik liet haar een ander de schuld geven en moeilijkheden veroorzaken voor de familie Logan. Het was een makkelijke uitweg voor me, en die accepteerde ik.'

'Waarom deed ze dat?' vroeg ik. 'Waarom zei ze niet gewoon dat u het was?'

'Ik smeekte haar het niet te doen, maar ik geloof dat ze andere motieven had om het niet te doen. Ze deed het niet voor mij. Het had meer te maken met haar relatie met Olivia Logan en de rest van die familie. Kort gezegd, ik bofte dat ik de dans ontsprong en liet het erbij.

'Ik denk niet dat je alle pikante details wilt weten. Laat ik het erop houden dat we een paar gepassioneerde ontmoetingen hadden en, nou ja, de rest weet je.'

'Ja, de rest weet ik,' zei ik. Ik had de knop van het portier al in mijn hand.

'Wacht. Ik ben niet alleen gekomen om je dit allemaal te vertellen. Ik wil iets voor je doen,' flapte hij eruit.

'O? Zoals?'

'Ik weet het niet. Is er iets dat je nodig hebt? Iets dat ik voor je kan kopen?'

'Koop een echte vader en moeder voor me,' zei ik. 'Koop een familie voor me met mensen die om elkaar geven en elkaar liefhebben.'

Hij schudde zijn hoofd.

'Het spijt me. Het zou niemand enig goed doen, het minst van allen de Logans, als ik een openlijke bekentenis zou afleggen, dat ben je toch met me eens?'

'Ja, uw biecht moet u afleggen voor een hoger gezag.' Ik zweeg even, maakte het portier open en draaide me toen om. 'Maar er is één ding dat u voor me kunt doen.'

'Zeg op,' zei hij snel.

'Houd Adam bij me uit de buurt,' zei ik.

'Afgesproken. En, Melody, het spijt me echt.'

Net toen ik uit de auto stapte, verscheen Raymond met de limousine. Haastig stak ik over en stapte in zonder om te kijken tot we waren gekeerd en terugreden naar grootma Olivia.

Mijn vader stond er nog, starend in een duisternis van eigen maaksel.

Het duurde eeuwen voor ik die avond in slaap viel. Ik lag te woelen en te draaien, mijn hoofd was versuft, vol nevelen. Wat had mijn vader pathetisch geklonken. Al zijn verklaringen, zijn beloften en goede bedoelingen konden het bedrog niet uitwissen. Laat het allemaal maar wegspoelen naar de zee waar het thuishoort, dacht ik. Laat me vrij zijn van een verleden dat me aan wanhoop wil ketenen.

De dag daarop voelde ik me uitgeput, en ik volgde de lessen als een zombie. Theresa bleef maar vragen of ik me goed voelde. Ze dacht dat mijn stemming misschien iets te maken had met Cary, omdat zijzelf net de relatie met haar vriend had verbroken. Ik vertelde haar steeds weer dat het dat niet was, maar ze weigerde me te geloven.

'Als je wilt praten, bel me dan,' zei ze, zelfs een beetje beledigd.

Ik had het gevoel dat ik gevangen zat in een web van verwarringen, dat je belette iets te doen of te zeggen wat juist was. Het was beter je terug te trekken in een cocon van stilte en te wachten tot het over was.

Toen ik Cary die middag zag, doorgrondde hij mijn gezicht even snel als plannen voor een nieuw jacht.

'Nog meer problemen met grootma Olivia?' vroeg hij.

'Nee, we cirkelen tegenwoordig van een veilige afstand om elkaar heen, als twee wolven die een zwijgende afspraak hebben gemaakt over elkaars territorium.'

Hij lachte.

'Dus?'

Ik dacht even na. Ik was naar Kenneths steiger gegaan om Cary gezelschap te houden terwijl hij de laatste hand legde aan de kajuit. Het was werkelijk een schitterende boot en even comfortabel van binnen als hij had voorspeld. Hij stopte met het bedraden van het fornuis en staarde me doordringend aan met zijn groene ogen.

'Wat is er, Melody? Heb je bericht van je moeder?'

'Nauwelijks,' zei ik lachend. 'Ik verwacht eerder bericht te krijgen van de koningin van Engeland.'

'Wat is er dan?' Toen ik geen antwoord gaf, draaide hij zich om en legde zijn gereedschap opzij. 'Als we elkaar nu niet onze diepste geheimen en gevoelens kunnen toevertrouwen, zullen we elkaar nooit vertrouwen,' zei hij. Ik keek hem vol liefde aan. Ik kon mezelf gelukkig prijzen dat ik hem had, dacht ik, iemand die me zo toegewijd was. Zou een van grootma Olivia's jongemannen van zogenaamd gedistingeerde families half zoveel liefde voor me kunnen hebben als Cary? Zouden ze me niet alleen maar zien als een stukje van de puzzel die hen succesvol moest doen lijken in de ogen van hun ouders en vrienden? Alsof hij mijn gedachten kon lezen, zei Cary: 'Ik hou van je, Melody, en dat betekent dat ik pijn voel als jij die voelt, en triest ben als jij triest bent, en gelukkig als jij gelukkig bent.'

Ik knikte. Hij wachtte en ik haalde diep adem.

'Cary, ik weet wie mijn echte vader is,' zei ik, 'en hij woont hier in Provincetown.'

273

Hij staarde me aan en liet zich langzaam op de grond zakken, met zijn rug tegen de kast.

'Wie?' vroeg hij met ingehouden adem.

'Teddy Jackson,' antwoordde ik. Even bleef hij verbluft zitten, knipperend met zijn ogen, zijn gezicht onveranderd. Toen begon het tot hem door te dringen; zijn mond viel half open, zijn ogen versomberden.

'Je bedoelt dat dat stinkdier, die haai, dat schuim van de zee je halfbroer is?' Ik knikte. 'Hoe heb je het ontdekt?'

'Mamma heeft het me eindelijk verteld toen ik in Los Angeles was.'

'En je hebt het al die tijd geheimgehouden?'

'Ik wilde het niet geloven of het onder ogen zien. Ik heb mijn best gedaan hem en mijn halfzus Michelle, die ironisch genoeg de pest aan me heeft, zoveel mogelijk te vermijden. Ik dacht dat ik het met de andere leugens kon begraven.'

'Wat is er gebeurd?'

Ik vertelde hem van mijn ontmoeting met mijn vader de vorige avond. Hij luisterde meesmuilend en knikte.

'Helemaal in stijl. Het spijt me, maar ik moet je ook iets bekennen,' zei hij. 'Ik ben blij toe.'

'Blij? Blij dat Teddy Jackson mijn echte vader is? Dat Adam en Michelle mijn halfbroer en halfzus zijn?'

Hij staarde naar de vloer.

'Er zijn momenten geweest... door dingen die hij zei, opmerkingen die hij maakte, de manier waarop hij jou en je moeder behandelde dat ik bang was... vermoedde...' Hij keek naar me op. 'Ik was zo bang dat mijn vader jouw vader zou zijn.'

'Wat?' Ik wilde lachen, maar hield me bijtijds in. Ik besefte hoe vreselijk het voor hem geweest moest zijn met dat idee rond te lopen.

'Ik dacht dat hij je dat had opgebiecht die dag in het ziekenhuis toen hij je bij zich liet komen omdat hij dacht dat hij op zijn sterfbed lag.'

'Maar als ik dat had geweten, Cary, dacht je dan dat ik... dat ik zou hebben geduld dat we minnaars werden?'

'Ik hoopte van niet, maar het was een nachtmerrie voor me.'

'Ik heb er ook over nagedacht,' zei ik. 'We zijn zo'n verre neef en nicht van elkaar dat het niet belangrijk is,' beweerde ik op ferme toon.

'Dat zeg je nu, maar grootma Olivia heeft je leven uitgestippeld als een kaart voor een zeereis. Denk je dat ik niet weet waarom ze wil dat je zo'n fijne dame wordt en naar die snobistische scholen gaat?'

'Het doet er niet toe wat ze wil. Ik heb er genoeg van me zorgen te maken over wat andere mensen van me willen of verwachten. Je had gelijk toen je zei dat we moeten beginnen aan het heden en aan onszelf te denken en niet langer het verleden op te graven,' zei ik.

Hij glimlachte zo warm en vol liefde, dat ik verlangde naar zijn omarming. Hij voelde mijn emoties aan en stond op en kwam naar me toe. We kusten elkaar, een lange, tedere maar intense kus, die alle pijn en duisternis uit ons verjoeg. Hij tilde me voorzichtig op de bank en we kusten elkaar steeds hartstochtelijker. Onze lippen streelden elkaars gezicht en hals. Zijn handen gleden onder mijn blouse en legden zich om mijn borsten. Ik draaide me kreunend om en hij kwam naast me liggen. Ergens in mijn achterhoofd probeerde een klein stemmetje me te waarschuwen, me te smeken met mijn hoofd en niet met mijn hart te denken. Maar Cary's lippen voelden zo zacht aan op mijn borsten en deden mijn hele lichaam tintelen. Ik voelde me wegzweven, omlaag zinken, zonder dat het me iets kon schelen. Ik had er genoeg van om redelijk en logisch te zijn. Ik wilde roekeloos zijn.

Ik voelde me volkomen zorgeloos en bood geen weerstand en hielp hem zelfs mijn rok uit te trekken. We vrijen met elkaar op die splinternieuwe bank, waarvan het materiaal heerlijk zacht aanvoelde onder mijn naakte rug. We verklaarden elkaar zo hartstochtelijk onze liefde dat we geen van beiden ook maar een seconde aarzelden. Hij was in me, hield me vast, wiegend, alle trieste gedachten verjagend. Ik dacht aan niets anders dan de smaak van zijn lippen en de aanraking van zijn vingers. We kwamen tegelijk klaar, onze ziel en lichaam vermengden zich gedurende een ogenblik waarin ik een deel van hem was en hij van mij.

We verbaasden ons allebei dat we ons zo uitgeput voelden en moesten lachen om onze wanhopige pogingen om op adem te komen. Een tijdlang klampten we ons met bonzend hart en nog steeds naakt aan elkaar vast. Toen kwam hij langzaam overeind en keek op me neer.

'Ik...'

Ik legde mijn hand op zijn mond.

'Nee, geen excuses. Niets zeggen, Cary. Er is niets aan de hand.'

Hij glimlachte.

'Ik zou toch liegen als ik zei dat het me speet,' gaf hij toe, en we lachten.

Toen hoorden we het geluid van een opgewonden blaffende hond.

'Wat is dat?'

'Klinkt als Prometheus. We moeten ons gauw aankleden,' zei hij. Haastig trokken we onze kleren aan en hoorden Holly en Kenneth roepen. Ik borstelde snel mijn haar en keek in de wandspiegel, maar tijd om meer te doen was er niet. Ze riepen ons.

'Wat is er?' vroeg Cary verbaasd, toen we de smalle trap opklommen naar het dek.

Holly en Kenneth stonden op de steiger en Holly hield een andere kastanjekleurige retriever-pup in haar armen. Prometheus danste blaffend om hen heen.

'Hij gaat Prometheus gezelschap houden,' zei ze. 'We noemen hem Neptunus ter ere van Kenneths sculptuur.'

'O, wat een schat,' zei ik, haastig de boot afkomend. Ze gaf hem aan me en hij likte mijn gezicht.

'Gaat alles goed daar beneden?' vroeg Kenneth aan Cary. Zijn blik ging van hem naar mij en weer terug. Cary bloosde.

'Uitstekend,' zei hij.

'Het blijft dus aanstaande zaterdag?'

'Geen probleem voorzover ik kan zien,' antwoordde Cary vastberaden.

'Oké, dan doen we het vrijdag, hè, Holly?'

'Zo gemakkelijk kom je er niet vanaf, Kenneth Childs.'

'Waar komt hij niet zo gemakkelijk van af?' vroeg ik.

'Als hij ook maar één ogenblik denkt dat we dat als een huwelijksreis zullen beschouwen...'

'Huwelijksreis!' riepen Cary en ik tegelijk uit.

Ze keken ons allebei stralend aan.

'O, Holly, gefeliciteerd,' riep ik uit, en we omhelsden elkaar. Neptunus drong zich tussen ons in. Hij blafte verontwaardigd, en Prometheus viel hem bij.

276

'Het wordt een eenvoudige huwelijksplechtigheid in het huis van mijn vader,' zei Kenneth.

'Echt waar?'

'Het was Holly's idee om ons door hem te laten trouwen. Ik dacht dat het ons geld zou besparen, dus...'

'Kenneth, dat is geweldig!' zei ik. Ik straalde van blijdschap voor hen beiden.

'Ik dacht wel dat jij er zo over zou denken,' zei hij. 'Kom, ik moet weer aan het werk. Het ziet ernaar uit dat deze creatie zal worden onderbroken door iets dat ze een huwelijksreis noemen,' verklaarde hij.

Cary en ik keken hen na toen ze terugliepen naar het huis.

'Ik hoop dat wij dat op een dag zullen doen,' zei hij. Ik pakte zijn hand.

'Dat zullen we,' beloofde ik.

Hij sloeg zijn arm om me heen.

Misschien was het aan het veranderen. Misschien waren de dreigende wolken eindelijk overgedreven, dacht ik.

Twee dagen later reed Cary me naar grootmama Belinda voor mijn wekelijkse bezoek. Cary ging graag op bezoek bij grootpa Samuel. Hij zei dat hij hem tenminste aan de praat kon krijgen over het vissen. Ik brandde van verlangen grootmama Belinda al het goede nieuws te vertellen. Het leek of de enige bagage die ik ooit meebracht als ik haar bezocht koffers vol droefheid en tragedies waren. Ze bracht nog steeds veel tijd door met Mandel, maar deze keer zag ik hem eerst in de foyer, waar hij zat te dammen met een andere man. Hij herkende me en glimlachte naar me.

'Fijn dat je er bent,' zei hij. 'Ze heeft gezelschap nodig. Ik probeer Braxton hier al de hele week te verslaan met dammen, maar ik krijg nooit de tijd. Ze verliest me niet uit het oog,' verklaarde hij met een twinkeling in zijn ogen.

'Dat is alleen zijn excuus omdat hij bang is van me te verliezen,' zei Braxton. 'Die arme, oude dame de schuld geven. Schaam je, Mandel.'

'We zullen gauw genoeg zien wie zich moet schamen,' antwoordde Mandel en sloeg een van Braxtons stenen.

Cary lachte.

277

'Ze zit op een bank in de tuin,' zei Mandel.

Cary en ik gingen uiteen in de gang; hij ging eerst naar de kamer van grootpa Samuel. Het was een heel warme en heldere middag. De bloemen stonden in volle bloei. Seringen met hun donkerpaarse toortsen klommen tegen de muren en hekken op. Bijen zoemden boven de christusdoorn. De gele theerozen straalden en overal zag ik petunia's. Ik wist hoe graag grootmama Belinda buiten zat, hoe ze genoot van de zon en de prachtige regenboogkleuren om zich heen.

Ik vond haar op haar gebruikelijke bank, met een flauw glimlachje om haar lippen en met gesloten ogen, haar hoofd achterover, genietend van de zon. Haar handen lagen in haar schoot en ze droeg een van haar mooie, gebloemde jurken en een met parels versierde kam in haar haar. Onwillekeurig vroeg ik me af of ik er zo uit zou zien als ik zo oud was als zij.

'Hallo, grootmama,' zei ik, toen ik dichterbij kwam. De laatste tijd begon ze zich steeds meer over me te herinneren, al zei ze nog steeds heel weinig over mijn moeder en stelde ze geen vragen.

Ze gaf geen antwoord, dus ging ik naast haar zitten en nam haar hand in de mijne. Zodra ik dat deed ging een schok van angst en schrik als een elektrische stroom door me heen. Mijn hart stond stil en begon toen wild te kloppen. Haar hand was ijskoud.

'Grootmama?' Ik schudde haar heen en weer. Haar lichaam trilde even, maar haar ogen bleven gesloten. Haar lippen gingen iets verder vaneen. 'Grootmama Belinda!'

Ik schudde haar nog harder en draaide me toen om en schreeuwde naar de dichtstbijzijnde verpleger.

'Gauw!' gilde ik. Hij holde naar ons toe.

'Wat is er?'

'Ze wil niet wakker worden,' zei ik. Hij knielde naast haar neer, voelde haar pols, opende haar ogen en schudde toen zijn hoofd.

'Ze is weg,' verklaarde hij, alsof ze net was opgestaan en weggewandeld.

'Weg? Ze kan niet weg zijn. Ze glimlacht. Ze is gelukkig.'

'Het spijt me,' zei hij en schudde zijn hoofd.

'Nee. Alstublieft. Roep de dokter. Roep iemand!'

'Rustig. Ik zal mevrouw Greene roepen,' zei hij. Toen boog hij zich naar me toe. 'Ze vindt het niet prettig als we te veel ophef maken als zoiets gebeurt,' zei hij luid fluisterend. 'Het brengt de anderen in de war en maakt alles moeilijker.'

'Het kan me niet schelen wat ze denkt. Roep een dokter!'

Hij stond op.

'O, grootmama Belinda, alsjeblieft, ga niet heen. Nog niet. We leren elkaar net kennen en u bent alles wat ik heb. Wacht alstublieft,' smeekte ik haar.

Ik nam haar koude hand weer in de mijne en ging naast haar zitten. De tranen stroomden over mijn wangen, en mijn lichaam wiegde zacht heen en weer. Zwijgend prevelde ik een gebed en bleef haar smeken nog even bij me te blijven.

Even later kwam mevrouw Greene haastig het pad af, vergezeld van twee andere broeders en een verpleegster. De verpleegster liep onmiddellijk naar grootmama Belinda en deed dezelfde uitspraak.

'Haal de brancard uit de ziekenboeg,' beval mevrouw Greene de broeders. 'Breng hem door de zijdeur en breng haar langs dezelfde weg terug. Ik zal het mortuarium bellen.'

'Nee!' riep ik uit en verborg mijn gezicht in mijn handen.

'U kunt meegaan naar mijn kantoor, als u wilt,' zei ze kortaf. 'Ik moet meteen mevrouw Logan bellen. Maakt u zich geen zorgen. Alles is geregeld. Dat doen we altijd zodra we een nieuwe patiënt accepteren.'

'Wat praktisch,' antwoordde ik, de tranen van mijn wangen vegend.

Ze tuitte geërgerd haar lippen en knikte tegen de broeders, die haastig weggingen.

'Blijf bij haar,' beval ze de verpleegster. Toen draaide ze zich om en liep terug naar het gebouw.

Ik draaide me om naar grootmama Belinda en streek haar haar uit haar gezicht. De verpleegster glimlachte naar me.

'Ze is gelukkig gestorven, ze dacht aan iets plezierigs,' zei ze. 'En ze vond het zo heerlijk hier buiten,' ging ze verder. 'Ik weet het,' kermde ik door mijn tranen heen.

'Dit is veel beter dan wanneer ze ziek was geworden en in de ziekenkamer had moeten liggen,' ging de verpleegster verder, meer ter wille van mij dan van grootmama Belinda.

'Ik moet het Cary vertellen,' dacht ik hardop. Ik stond op.

'Ik blijf bij haar,' beloofde de verpleegster.

Ik keek weer naar grootmama Belinda. Haar lippen begonnen paars te kleuren en haar glimlach leek voor mijn ogen te vervagen. Ik bukte me om haar nog één keer aan te raken en liep toen weg. Het leek of er een steen in mijn borst rustte.

Cary was in de kamer van grootpa Samuel, die rechtop in bed zat. Hij had zijn ochtendjas aan en was ongeschoren.

'Hij zegt niet veel,' begon Cary, maar toen hij me aankeek zag hij dat er iets verschrikkelijks gebeurd was. 'Wat is er? Je kijkt zo geschrokken.'

'Het is grootmama Belinda, Cary,' zei ik half snikkend. 'Ze is dood. Ze is net gestorven, in de tuin, vlak voordat ik kwam!'

Hij stond snel op en omhelsde me terwijl ik stond te huilen. Grootpa Samuel leek ons eindelijk op te merken en kwam langzaam bij uit zijn versufte toestand.

'Laura?' zei hij. Cary draaide zich naar hem om.

'Nee, grootpa. Het is Melody. Ze komt net terug van Belinda. Ik vrees dat we slecht nieuws hebben, grootpa. Belinda is weg.'

'Weg?' Hij keek naar mij, naar mijn betraande gezicht en bloeddoorlopen ogen. 'Ik heb haar gezegd dat ze het niet moest doen. Ik heb haar gezegd dat het verkeerd was, maar ze zei dat dat het beste was, het beste voor iedereen.' Hij staarde naar zijn handen en schudde zijn hoofd. 'Ze wist altijd wat het beste was, dus wat moest ik zeggen?'

'Hij is meer in de war dan ooit,' zei Cary. 'Wat gebeurt er nu?'

'Ze brengen haar naar de ziekenkamer en bellen grootma Olivia. Alles is al geregeld. Dat hebben ze al vijf minuten nadat ze hier werd opgenomen gedaan,' voegde ik er bitter aan toe. 'Grootma Olivia denkt aan alles, ze plant en intrigeert, en vergeet niets, uit angst dat er ook maar een ogenblik van gêne zou ontstaan voor haar dierbare familie.'

Cary knikte.

'Maar,' zei hij, 'je waardeert zoiets wél op een moment als dit.'

Ik haatte het om hem gelijk te geven, ik gunde haar de eer niet.

'Breng me alsjeblieft naar huis,' zei ik.

'Oké. Grootpa, we moeten naar huis. Ik kom terug om u te bezoeken.'

Grootpa Samuel keek ons met een heel serieus gezicht aan. Zijn ogen waren klein en donker, en hij knikte met samengeknepen lippen.

'Ze vond dat dat het beste was,' zei hij. 'Maar ik ben er niet van overtuigd. Ga naar het souterrain. Oordeel zelf maar,' ging hij verder.

'Hij is erg in de war vandaag,' legde Cary uit. Hij drukte zachtjes grootpa's hand, gaf hem een klopje op zijn schouder en bracht me naar buiten.

We gingen niet naar mevrouw Greenes kantoor en ook niet naar de damtafel om het Mandel te vertellen. Het leek me beter als hij het zelf ontdekte. Ik had nog steeds het gevoel dat ik in een nevel rondliep.

'Het spijt me,' zei Cary, toen we wegreden. 'Ik weet hoe graag je haar wilde leren kennen.'

'Het ging gebeuren, Cary. Elke keer als ik kwam leek ze zich meer te herinneren.'

'Ik ga meteen naar huis en vertel het aan ma,' zei hij, toen we bij grootma Olivia waren. 'Blijf rustig. Ik bel je later.'

'Het gaat wel,' zei ik en kuste hem.

Ik vond grootma Olivia in grootpa Samuels kantoor, waar ze zat te telefoneren. Ze keek even op toen ik binnenkwam, maar zette haar gesprek met het mortuarium voort.

'Ja,' zei ze, 'ik wil een korte dienst, maar het luxe bloemenarrangement. Nee,' ging ze vastberaden verder, 'u kunt de kist onmiddellijk sluiten. Dank u.'

Ze hing op.

'Eigenlijk dacht ik dat ze langer zou leven dan ik. Ze is jonger en niets hinderde haar ooit half zoals het mij hinderde.'

'Misschien hebt u gewoon nooit gezien hoe erg ze het vond. U hebt haar daar nauwelijks bezocht,' viel ik uit.

'Praat niet op die toon tegen me. Ik wens geen verwijten te horen omdat ik haar beschermd heb en voor haar gezorgd. Op een dag zul je je dat alles realiseren, vooral als je ziet hoe de meeste mensen voor hun zieke familieleden zorgen. Er zijn zoveel aan de kant gezette mensen in dit land,' ging ze verder. 'Ik heb er in ieder geval voor gezorgd dat ze met enige waardigheid en in comfort kon leven en dag en nacht verzorgd werd door professionele hulp.'

'Ze hoorde daar niet. Ze hoorde thuis,' snauwde ik. 'Ze was niet gek. Ze was alleen maar in de war. Grootpa Samuel hoort daar ook niet. U hebt geld genoeg om hem hier in zijn eigen huis, zijn eigen

281

omgeving te laten verzorgen.'

'Om wat te doen? Hier rond te zitten en te kwijlen, of naar buiten te worden gedragen om in een stoel op het grasveld te zitten, zodat iedereen hem kan zien? Niemand van zijn zogenaamde vrienden zou hem kunnen opzoeken. De meesten zijn er erger aan toe of dood. Het zou alleen maar gênant zijn voor de familie. Zelfs al besteedde ik een fortuin aan hem en zorgde ik voor vierentwintig uur per dag hulp, dan zou ik niets aan zijn conditie kunnen veranderen. In ieder geval heeft hij in het tehuis goede medische verpleging, een goed dieet en wat gezelschap. Je moet niet direct met je oordeel klaar staan over dingen waar je zo weinig van weet,' zei ze op scherpe toon. 'Je bent laat in deze familie terechtgekomen. Je weet niets over alle stormen die ik heb moeten trotseren. Belinda is altijd moeilijk geweest en op de een of andere manier altijd een probleem, en Samuel was geen lot uit de loterij, maar ik heb mijn best gedaan voor iedereen,' besloot ze ferm. 'Mij treft geen schuld. Haar dochter, dat is degene die alles op haar geweten heeft.'

Ze haalde diep adem en even zag ze doodsbleek. Toen vermande ze zich en stond op.

'Er is nog veel te doen, ook al heb ik geprobeerd alles van tevoren te regelen.' Bij de deur bleef ze staan en draaide zich naar me om. 'Was je erbij toen het gebeurde?' vroeg ze zacht en bijna bezorgd.

'Nee. Ze was al weg toen ik haar vond in de tuin. Ze... glimlachte.'

Grootma Olivia knikte.

'Waarschijnlijk dacht ze aan de man met de zeis als de zoveelste bezoeker die haar om een afspraak kwam vragen,' zei ze een beetje weemoedig. 'Ze was een mooi meisje. Iedereen maakte haar altijd complimentjes over haar volmaakte gelaatstrekken. Het zal niet lang duren of ik zal weer voor haar moeten zorgen. Je verliest je lasten niet omdat je deze wereld verlaat,' mompelde ze en verliet het kantoor.

Ik bleef even staan en keek peinzend om me heen. Ik voelde een smörgåsbord van emoties: droefheid, gekweldheid, verwarring en sympathie. Ik ging achter het bureau zitten. Mamma moet het weten, dacht ik. Ze moet weten dat haar eigen moeder net is gestorven. Ik staarde naar de telefoon. Ik had niet één keer geprobeerd

282

met haar in contact te komen sinds mijn terugkeer en zij had evenmin iets van zich laten horen, maar ik wist het telefoonnummer nog. Ik hield mijn adem in, nam de hoorn op en draaide. Hij ging één keer over en toen kreeg ik een automatische boodschap.

'Sorry, maar dit nummer is niet langer in gebruik,' hoorde ik.

'Wat?'

Ik draaide opnieuw en kreeg weer hetzelfde bericht. Waar was ze? vroeg ik me af. Ze had altijd beweerd dat de telefoon zo belangrijk was voor iemand die audities deed en rollen en opdrachten wilde hebben. Ik belde informatie en vroeg de telefoniste of er een nieuw nummer bekend was. Ze vertelde dat er niets genoteerd stond.

Gefrustreerd dacht ik erover Mel Jensen te bellen, maar ik vroeg me af hoe ik moest verklaren dat ik niet wist wat er gebeurd was met een vrouw die zogenaamd mijn zus was. Toch belde ik ten slotte en sprak met zijn kamergenoot, omdat Mel een auditie deed.

'Gina Simon?' zei hij. 'Die heb ik al een hele tijd niet meer gezien, al maanden niet meer. Ik weet niet waar ze naartoe is. Eerlijk gezegd geloof ik dat Mel iets zei dat haar huurcontract verlopen was en de eigenaar het haar lastig maakte.'

'O, nou ja, bedankt.'

'Zal ik vragen of Mel je belt? Waar ben je?'

'Nee, het is in orde,' zei ik, nog meer in verlegenheid gebracht. 'Zeg maar dat ik hem het allerbeste wens en veel geluk.'

'Ik zal het doen.'

Ik hing op en bleef nog even zitten, denkend aan mamma. Voorzover ik wist had ze al die jaren dat haar moeder nog leefde weinig belangstelling voor haar getoond. Droevig als het was, ik dacht niet dat ze erg van streek zou zijn omdat ze niet had gehoord dat haar moeder gestorven was.

Misschien had grootma Olivia gelijk: misschien was grootmama Belinda veel beter af geweest in het tehuis. Daar pretendeerde in ieder geval niemand méér te zijn dan hij of zij was. Ze zorgden voor je omdat ze betaald werden om voor je te zorgen, en als ze je aardig vonden en iets extra's voor je deden, dan was dat oprecht gemeend en simpel.

De begrafenis van grootmama Belinda werd goed bezocht, maar niet omdat zoveel mensen zich haar herinnerden. Sommige mensen dachten zelfs dat ze al lang geleden was gestorven. De mensen kwamen omdat het de zuster was van grootma Olivia, en grootma Olivia genoot nog steeds veel aanzien in de gemeenschap. De dienst werd bijgewoond door regeringsfunctionarissen, bijna alle invloedrijke zakenlieden en intellectuelen. Ik zag mijn vader en zijn vrouw, maar ik vermeed het zo veel mogelijk hem aan te kijken, en hij zei niets tegen me.

Grootma Olivia begroette de rouwenden niet na afloop van de dienst. We gingen allemaal naar het kerkhof en daarna vertrokken de rouwenden, behalve rechter Childs, Kenneth, Holly, Cary, May en tante Sara, die met ons teruggingen naar huis. Grootma Olivia zei dat een wake en het te eten geven van een hoop mensen alleen maar een verlenging betekende van het laatste afscheid, en een uitstel om verder te gaan met het leven.

Toch kregen we iets te eten, en later zaten we allemaal achter het huis te praten. Holly ging met tante Sara en May een wandeling langs het strand maken. Holly en tante Sara konden het tegenwoordig goed met elkaar vinden. Ze hielp tante Sara zelfs over haar rouw heen te komen. Grootma Olivia viel in slaap in haar stoel, terwijl Cary over de boot praatte met rechter Childs en Kenneth.

Ten slotte gingen Cary en ik in de vallende schemering naar de steiger, waar de meeuwen sierlijk boven het zilverkleurige water zweefden.

'Ik vraag me af of Holly gelijk heeft. Of we werkelijk allemaal terugkeren naar een of ander spiritueel lichaam en dan weer opnieuw beginnen,' zei ik.

Cary zweeg even en keek me toen glimlachend aan.

'Ik ben opnieuw begonnen. Ik ben opnieuw begonnen toen jij hier kwam,' zei hij. 'Dus misschien is het waar. Misschien is het de liefde die ons tot leven wekt.'

Ik leunde tegen zijn schouder en hij legde zijn arm om me heen, zodat ik me veilig voelde. De zon zakte verder naar de horizon. De wolken dreven naar de horizon alsof ook zij omlaag zakten. De meeuwen riepen ons vanuit de schaduw.

En ik nam zachtjes afscheid van de grootmoeder die ik nauwelijks gekend had, maar wier zachte ogen me vulden met beloften die ik moest houden.

17. Een eind aan de stilte

Zoals Cary beloofd had, was Kenneths boot het volgende weekend gereed voor de eerste vaart. Cary ging van tevoren een paar keer proefvaren en was de rest van de week bezig alles te perfectioneren en de motor bij te stellen, tot hij tevreden was. Het weer was ons goed gezind. Cary kwam me zaterdagochtend vroeg halen. Het was een volmaakte dag met hier en daar een paar wolkjes in een lichtblauwe lucht. En wat het belangrijkste was, de zee was kalm, er stond net voldoende wind om voor goed zeilweer te zorgen.

Grootma Olivia maakte er geen negatieve en geen positieve opmerking over. Ze wist waar ik naartoe ging en waarom, maar ze negeerde mijn voorbereidingen. In de week na de dood van haar zuster voltrok zich een dramatische verandering in haar gedrag. Ze was teruggetrokken, praatte minder tijdens het eten en bracht meer tijd in haar eentje door in grootpa Samuels kantoor, waar ze oude papieren doorkeek. Ze sliep veel en kreeg weinig bezoek.

Rechter Childs kwam ongeveer net zo vaak als vroeger, maar zijn bezoeken duurden korter en hij at maar één keer bij ons. Aan het eind van de week ging grootma Olivia met hem naar het kantoor van grootpa Samuel, waar ze ongeveer een uur lang achter gesloten deuren documenten bespraken. Toen hij weer naar buiten kwam, zag hij er nerveus en vermoeid uit. Hij zei nauwelijks iets tegen me voor hij wegging, en toen hij weg was, ging grootma Olivia meteen naar bed, zonder zelfs maar naar me te kijken.

Ze informeerde nog steeds dagelijks naar mijn vorderingen op school, gaf commentaar op mijn uiterlijk en waarschuwde me niets te doen dat mijn huidige en komende succes kon verstoren, maar haar woorden leken onbetekenend. Het waren plichtmatige, automatische woorden, zinnen zonder passie. Was het mogelijk dat grootmama Belinda's dood haar werkelijk iets had gedaan? vroeg ik me af. Ik begon medelijden met haar te krijgen, iets wat ik niet had gedacht ooit te zullen hebben.

Ik zei niets tegen Cary, vooral niet op de ochtend van onze eerste vaart. De hele weg naar Kenneths huis praatte hij opgewonden en gaf me weinig kans er een woord tussen te krijgen. Ik moest lachen om zijn uitbundigheid, maar voelde me tegelijkertijd ontroerd.

Holly had een lunch klaargemaakt van koude kreeft met salades en Portugees brood, wijn, koffie en worteltaart. Zij en Kenneth verrasten ons door in nieuwe, bij elkaar passende zeilkleding te verschijnen. Het was de eerste keer dat Holly iets redelijk modieus droeg en ik vond dat ze er fris en aantrekkelijk uitzag.

'Ik moet mijn uiterlijk aanpassen aan mijn rol, nietwaar?' zei Kenneth, die rondparadeerde in zijn kapiteinspet.

De sfeer van blijheid en geluk werkte aanstekelijk. Iedereen lachte en was vrolijk.

Kenneth en Cary gooiden de boot los en we zeilden de zee op, zachtjes wiegend op de golven, terwijl de wind ons in het gezicht streek en ons haar deed dansen op ons voorhoofd. We baadden in de zon en het sproeiwater. De boot was gestroomlijnd en even snel als Cary voorspeld had. Hij gleed sierlijk door het water. Kenneth zei dat de boot zó gemakkelijk te hanteren was, dat hij een nieuweling op een ervaren zeiler kon doen lijken. Hij liet mij zelfs aan het roer om het te bewijzen. Cary straalde van trots, stapte als een pauw over het dek, controleerde elke naad, elk mechanisch onderdeel, de boot gewoon uitdagend in één enkel opzicht tekort te schieten.

Toen we het anker uitgooiden, gingen Cary en Kenneth vissen, terwijl Holly en ik de lunch klaarzetten. Toen we gegeten hadden, speelde ik viool en zong een paar van de liedjes die pappa George me had geleerd. Ik kon me niet herinneren wanneer ik het ooit in mijn leven meer naar mijn zin had gehad. We namen allemaal rust en dommelden zelfs een beetje in, voor we weer in actie kwamen en terugvoeren naar de kust. Deze keer zeilden we sneller, en Holly en ik krijsten als er een golf op het dek spatte en ons doorweekte. Het was een van de gelukkigste dagen van mijn leven en ik vond het jammer dat er een eind aan kwam.

Kenneth en Holly hadden besloten de volgende dag in het huis van rechter Childs te trouwen. Het zou geen groot feest worden. De rechter zou hen in de echt verbinden in bijzijn van een paar vrienden en daarna zou een diner worden gegeven voor een klein gezelschap, waarna Kenneth en Holly een week op huwelijksreis zouden gaan naar Montreal. Cary en ik hadden beloofd voor het strandhuis en de puppy's, Prometheus en Neptunus, te zorgen. Cary zei dat hij de honden elke avond mee naar huis zou nemen.

We wisten allemaal dat hij het druk zou krijgen. Longthorpe had besloten hem het groene licht te geven en een contract met hem te tekenen om zijn jacht te bouwen. Kenneth bood Cary zijn huis aan, wat betekende dat Cary het atelier kon gebruiken. Nu had hij in ieder geval een reden om in Kenneths huis te zijn. Terwijl hij daar aan Kenneths boot had gewerkt, was het huis ons kleine paradijs geworden, onze schuilplaats, waar we ons konden verbergen voor de nieuwsgierige ogen van de wereld, met alleen de meeuwen en andere vogels als getuigen. En nu zou dat zo blijven.

En dus, toen het schooljaar ten einde liep, stond ik mezelf langzamerhand toe te geloven dat er werkelijk zoiets bestond als een regenboog na het onweer. Ik maakte me niet langer zorgen over mamma. Ik accepteerde dat ze uit mijn leven verdwenen was. Mijn vader zag ik zelden en ik hoorde of zag niets van Adam. Michelle meed mij meer dan ik haar. Het was gemakkelijk het allemaal achter me te laten en aan de toekomst te denken, een toekomst waarin plaats was voor de liefde tussen Cary en mij.

Ik geloofde erin toen we die dag terugkwamen van het zeilen. Gebruind en heel tevreden verlangde ik er zelfs naar grootma Olivia deelgenoot te maken van mijn ervaringen. Maar toen ik terugkwam was het huis donker en stil, en ik ontdekte Loretta in haar eentje in de keuken. Ze vertelde me dat grootma Olivia niet beneden was gekomen voor het eten.

'Dat is niets voor haar, maar ik heb het diner bovengebracht, en ze heeft in bed gegeten,' zei Loretta. 'Het gaat niet goed met die vrouw. Er is iets mis,' verklaarde ze, maar niet met liefdevolle bezorgdheid. Ze vertelde het als een nuchter feit en ging verder met haar werk.

Zolang ik in het huis had gewoond, had ik me slecht op mijn gemak gevoeld als ik naar grootma Olivia's slaapkamer ging terwijl ze in bed lag. Ook nu aarzelde ik. Hoewel ik een zekere mate van respect voor haar had gekregen, was ik nog steeds niet erg dol op haar. Ik geloofde trouwens niet dat ze iemand was die een ander toestond enige genegenheid voor haar te koesteren. Zelfs de rechter sprak zelden op liefdevolle toon tegen haar, althans niet als ik erbij was. Het leek wel of hij dacht dat ze hem, als hij dat deed, belachelijk zou maken of bekritiseren.

Toch voelde ik me een beetje bezorgd en ik klopte op haar deur. Ik kreeg geen antwoord, dus klopte ik harder, tot ik hoorde: 'Wat is er?'

Ik deed de deur open en keek naar binnen. Ze zag eruit als een klein kind in het grote bed, met haar loshangende haar, en haar lichaam nog kleiner door de enorme kussens.

'Ik wilde alleen even vragen hoe het met u gaat. Loretta zei dat u niet beneden bent gekomen om te eten en...'

'Het gaat goed,' zei ze ferm, maar voegde eraan toe: 'Zo goed als mogelijk is.'

'Hebt u iets nodig?'

Ze staarde me even aan en liet toen een spottend lachje horen, alsof ik een belachelijke vraag had gesteld.

'Nodig? Ja, ik heb een nieuw lichaam nodig. Jeugd. Een familie met een man die zo sterk is als mijn vader vroeger. Nee,' zei ze, 'ik heb niets nodig wat jij me kunt geven.' Ze zweeg even en glimlachte toen bijna. 'Denk je dat je op het punt bent gekomen waarop je denkt dingen voor mij te kunnen doen?'

'Ik bedoelde alleen...'

'Ik ben moe, erg moe. De strijd put me uit. Maar ik wil geen sympathie en ik wil niet dat iemand medelijden met me heeft. Ik noem alleen een feit dat je zelf op een dag zult meemaken. Je leeft, je werkt hard en je sterft. Verwacht niets meer, dan zul je niet teleurgesteld worden. Je kunt Loretta naar boven sturen om het blad weg te halen. Dat kun je voor me doen,' zei ze. Ze maakte een gebaar met haar handen of ze me weg wilde duwen.

Ik liep naar de deur, maar voor ik hem dicht kon doen zei ze: 'Een ogenblik nog.'

'Ja?'

'Ik denk niet dat ik morgen naar het huwelijk ga. Ik voel me niet opgewassen tegen festiviteiten en party's. Het stelt trouwens toch niet veel voor als huwelijksplechtigheid.'

'Zal de rechter niet teleurgesteld zijn?'

Ze lachte spottend.

'Ik kan niets bedenken dat ik onbelangrijker vind dan het feit of Nelson Childs gelukkig is,' zei ze. En toen, alsof haar hoofd plotseling in steen was veranderd, liet ze het met een smak op het kussen vallen.

Ik staarde naar haar. Ondanks haar geld en haar macht had ik medelijden met haar. Ik voelde de aandrang het tegen haar uit te schreeuwen: 'Ik heb medelijden met je, met jou en je bezorgdheid voor wat behoorlijk of goed is voor de familie. Kijk eens wat er van je geworden is! Kijk eens wat je over hebt aan het eind van je harde, boosaardige leven.'

De woorden lagen op mijn lippen, maar ik slikte ze in, deed de deur dicht en ging Loretta zeggen dat ze het blad weg moest halen. Toen ging ik naar bed en dacht aan het huwelijk van Kenneth en Holly en droomde van mijn eigen huwelijk, en was dankbaar dat ik niet zou eindigen als die trieste, oude vrouw.

De volgende ochtend bleef grootma Olivia in bed. Ze vroeg niet naar mij en ik ging niet bij haar langs om goedendag te zeggen voor ik naar het huwelijk ging. Cary, May en tante Sara haalden me af en waren verbaasd toen ze hoorden dat grootma Olivia het af liet weten.

'Voelt ze zich niet goed?' vroeg tante Sara.

'Ik geloof het niet, al kan ik me niet voorstellen welke ziekte en bacterie het zou wagen haar lichaam binnen te dringen,' zei ik. Cary lachte, maar tante Sara keek of ik gevloekt had en deed haar best te verbergen hoe geshockeerd ze was.

Het huwelijk was eenvoudig, maar ontroerend. Rechter Childs leek zich grootma Olivia's afwezigheid niet erg aan te trekken. Hij was zo gelukkig dat Kenneth had toegestemd zich door hem in de echt te laten verbinden, dat hij zijn blijdschap door niets liet verstoren.

Een lange tafel was klaargezet op de patio. Er was champagne, kaviaar en andere hors d'oeuvres. Daarna volgde het diner, dat verzorgd werd door dezelfde cateraars als voor Kenneths feest ter gelegenheid van *Neptune's Daughter*. De apotheose was een schitterende bruiloftstaart.

Ik leerde Kenneths broer en zus en hun gezinnen kennen, maar ze waren de eersten die weggingen. Kenneth en Holly vertrokken vóór de andere gasten omdat ze naar Boston moesten voor het vliegtuig naar Montreal.

'Let op Neptunus,' waarschuwde Holly me toen ik met haar naar de jeep liep. 'Hij vindt het enig om Kenneths sokken in het zand te begraven, en dat doet hij misschien ook met die van jou en Cary.'

We omhelsden elkaar.

'Ik denk dat je horoscoop gelijk had,' fluisterde ik.

'Ja, en als hij dat niet had gehad, dan zou ik er wel voor gezorgd hebben dat hij het wél had,' zei ze met een vrolijke lach. Toen stapte ze bij Kenneth in de jeep. We gaven elkaar nog een laatste hand.

'Wees voorzichtig,' zei ze. 'Mercurius staat deze maand niet in een gunstige positie.'

'Ik beloof het,' zei ik, en liet haar hand los toen Cary naast me kwam staan. We draaiden ons naar elkaar om en glimlachten en dachten aan de komende dagen als we het strandhuis voor ons alleen zouden hebben, een soort huwelijksreis voor onszelf.

Maar het bleek een drukke week voor ons beiden te zijn. Cary begon aan Longthorpes boot en ik moest me voorbereiden op het eindexamen. Hij kwam me elke dag uit school halen, waarna we May oppikten. May ging vriendschappelijker om met haar klasgenootjes en had een paar vriendinnen, en wilde, gelukkig voor Cary en mij, na schooltijd iets samen met hen doen. Tante Sara liet haar meestal een vriendin meebrengen uit school of stond haar toe naar het huis van een vriendinnetje te gaan, zodat ze zich nooit hoefde te vervelen.

Gewoonlijk zat ik op een deken te studeren, terwijl Cary aan zijn nieuwe project werkte. Voordat hij ophield om me thuis te brengen, maakten we een wandeling over het strand, of bleven we zitten en staarden naar de zee. Tegen het eind van de week werd het ongewoon warm, en donderdagmiddag legde hij zijn gereedschap neer, draaide zich naar me om en vroeg of ik wilde zwemmen.

'Zwemmen?'

'Naaktzwemmen,' zei hij uitdagend.

Hoewel we ver van de naaste buren waren en het strand vrijwel altijd verlaten was, vond ik het idee om overdag naakt te gaan zwemmen nogal angstig.

'Als er eens iemand komt?'

'Er komt niemand.'

'Het zou kunnen.'

'Nou, ik ben niet bang,' zei hij met die duivelse grijns van hem, en hij begon zijn hemd uit te trekken. Hij ging op het zand zitten en trok zijn schoenen en sokken uit, keek achterom naar mij en trok toen zijn broek en onderbroek uit. Even bleef hij zo zitten en staarde naar het water. Toen keek hij uitnodigend naar mij. 'Nou?'

Mijn vingers bewogen zich in de richting van mijn blouse. Hij stond op en liep naar het water, waar hij op me wachtte. Een paar seconden later stond ik naast hem en pakte hij mijn hand.

'Klaar?'

'Nee,' zei ik. 'Het water is koud.'

'IJskoud, maar heerlijk,' beloofde hij. We renden de zee in, luid gillend en lachend tot we onder water waren. Het leek of we in ijspegels baadden. Ik draaide me om en liep even hard het water weer uit als ik erin was gerend. Cary volgde en lachte zich een ongeluk om mijn gegil. We lieten ons op het warme zand vallen en sloegen snel onze armen om elkaar heen.

Ik huiverde toen zijn lippen de mijne raakten. Hij wreef krachtig over mijn rug en we kusten elkaar opnieuw. De zon was warm genoeg om ons snel op te drogen, maar het was de hitte van onze eigen passie die de kilte uit onze botten verdreef. Overdag vrijen in de open lucht, zodat de hele wereld ons kon zien, maakte elke tinteling, elke gewaarwording intenser. De wind woei door mijn haar, er was zand op mijn gezicht, en mijn lippen proefden zout van het zeewater. Maar niets was belangrijk behalve onze hunkering naar elkaar. Voordat het voorbij was, kwam Neptunus bij ons en begon ons allebei te likken. We lachten.

'Ik heb het gevoel dat we in ons eigen privé-paradijs zijn,' zei Cary. 'Niets kan ons hier deren. We zijn gezegend, Melody. Ik ben de gelukkigste man ter wereld.'

We bezwoeren elkaar onze liefde en staarden naar de blauwe lucht, zonder eraan te denken dat we naakt waren.

'Ik weet niet hoe ik de dagen door moet komen als jij naar die chique kostschool gaat,' zei Cary.

Ik kwam overeind, steunend op mijn elleboog, en staarde over het water.

'Waarschijnlijk zal ik het verschrikkelijk vinden,' zei ik. 'Misschien ga ik niet.'

'Wat bedoel je? Ik dacht dat alles in kannen en kruiken was.'

'Dat denkt grootma Olivia, maar ik weet het niet zeker.'

'Meen je dat? Wat wil je dan doen?'

Ik keek hem aan en glimlachte.

'Zou je gewoon hier blijven, bij mij?' vroeg hij.

'Misschien,' antwoordde ik, en zijn ogen begonnen te stralen alsof er kleine kaarsjes achter brandden. Toen versomberden ze en hij schudde zijn hoofd.

'Je houdt de afscheidsrede als de diploma's worden uitgereikt. Iedereen zal zeggen dat je je leven verspilt.'

'Ik leef niet om het iedereen naar de zin te maken, alleen mijzelf,' zei ik, maar hij ging rechtop zitten en begon zich aan te kleden. 'Cary?'

'Laten we geen plannen maken en beloften doen die we niet kunnen houden, Melody. Ik zal je terugbrengen naar grootma Olivia.'

Ik kleedde me snel aan en we gingen weg.

'Ik heb een heerlijke middag gehad, Cary,' zei ik, toen we op grootma Olivia's oprit waren. 'Ik heb ook al aan ons weekend gewerkt. Ze denkt dat ik bij Theresa slaap.'

'Ik weet hoe erg je het vindt om te liegen,' zei hij.

'Als het betekent dat ik bij jou kan zijn is het geen liegen, maar een noodzaak.' Hij lachte.

'Tot morgen,' zei hij en reed weg. Ik keek hem na en toen draaide ik me om en liep het grote huis in, een huis dat op de een of andere manier elke dag leger en somberder was geworden. Zodra ik de deur achter me dicht had gedaan, kwam Loretta haastig de gang door om me te begroeten.

'U moet naar boven om naar uw grootmoeder te kijken,' zei ze.

'Waarom? Wat is er?'

'Ze geeft geen antwoord als ik tegen haar praat. Ik stond op het punt de dokter te bellen.'

'Geeft ze geen antwoord?'

Langzaam liep ik de trap op. Loretta keek me even na en liep toen weg alsof het probleem voor haar had afgedaan. Ik klopte zachtjes op de deur van de slaapkamer, wachtte en ging toen naar binnen. Grootma Olivia lag met haar hoofd weggezakt in het grote kussen. Ze keek niet op om te zien wie er binnenkwam. Ik liep naar het bed.

'Grootma Olivia?'

Ik keek op haar neer. Haar ogen richtten zich op mij, maar haar rechtermondhoek was grotesk vertrokken. Plotseling schoot haar tong als een kleine slang naar buiten en ze liet een afgrijselijk keel-geluid horen dat me achteruit deed deinzen.

'Wat is er?'

Ik tilde de punt van de deken op en keek naar haar kleine lichaam. Haar rechterarm was tegen haar boezem gebogen, de vingers van haar hand waren verstard tot een klauw. Ik zag dat ze over haar borst en hals had gekrabd.

'Ik bel de dokter!' riep ik, en holde naar de telefoon. Later belde ik ook rechter Childs.

Ik wachtte beneden in de zitkamer terwijl de dokter haar onderzocht. Hij en rechter Childs kwamen eindelijk terug.

'Je grootmoeder heeft een beroerte gehad,' verklaarde de dokter. 'Ik wilde een ambulance laten komen en haar naar het ziekenhuis laten brengen, maar ze staat erop om hier te blijven en zich door een verpleegster te laten verzorgen. Ze schudde zo hard nee, dat haar hoofd er bijna afviel. Ik heb iemand gebeld, mevrouw Grafton, die straks komt. Ze is een uitstekende privé-verpleegster, maar ik denk dat het slechts een kwestie van dagen is voor je grootmoeder in het ziekenhuis moeten worden opgenomen. Op het ogenblik is haar toestand vrij stabiel,' ging hij verder, en keek vragend naar de rechter.

'Ik zorg voor alles,' zei de rechter.

'Wordt ze beter?' vroeg ik.

'Op haar leeftijd is een volledig herstel onwaarschijnlijk. Misschien gaat ze wat vooruit met therapie, maar daarvoor móet ze gewoon in het ziekenhuis zijn. Voorlopig heb ik het liefst dat ze zich comfortabel en gelukkig voelt.'

'Gelukkig?' Hoe kon iemand op zo'n manier gelukkig zijn? Bovendien dacht ik niet dat ze gelukkig was voordat dit gebeurde.

'Goed, comfortabel dan,' zei de dokter. 'Op het ogenblik slaapt ze. De verpleegster kan elk moment komen.' Rechter Childs liep met hem naar de deur, en kwam toen weer bij me terug.

'Het is niet leuk om oud te zijn,' zei hij met een flauw glimlach-je. 'Maar ze is een ongelooflijk sterke vrouw. Misschien gaat ze beter vooruit dan de dokter denkt. Maar in ieder geval, na een paar dagen zoals deze, zal ze zeker naar het ziekenhuis worden gebracht. Dan zou ik het prettig vinden als je bij mij kwam logeren. In ieder geval tot je naar je kostschool gaat.'

'Dank u,' zei ik. Ik wist niet zeker wat ik zou doen.

'Oké,' zei hij. Hij keek even in de richting van haar kamer en toen naar mij. 'Met jou alles goed?'

'O, ja, uitstekend.'

'Bel me als je iets nodig hebt of als er iets verandert,' zei hij, en ging weg.

Twintig minuten later kwam mevrouw Grafton, een vrouw van midden vijftig, flinkgebouwd en heel professioneel en zakelijk. Ik bracht haar naar grootma Olivia's kamer; ze ging naar binnen om haar te onderzoeken. Ik liet Loretta de kamer naast die van grootma Olivia voor haar in orde maken. Toen ging ik naar de telefoon en belde Cary, om hem en tante Sara te vertellen wat er gebeurd was.

'Ik kom meteen naar je toe,' zei Cary.

'Nee, alles is in orde. Eerlijk gezegd ben ik moe en wil ik gaan slapen. Ik heb morgen wiskunde-examen.'

'Oké, we komen morgen naar haar kijken,' zei hij.

'Ik wil over een dag of wat naar grootpa Samuel om het hem te vertellen, Cary.'

'Hij zal je niet eens herkennen,' zei Cary, 'laat staan dat hij begrijpt wat je zegt.'

'Toch zullen we het hem moeten vertellen. Niemand anders doet het.'

'Oké. Je kunt oude gewoonten niet verbreken, hè, Melody?'

'Hoe bedoel je?'

'Zelfs nu kun je niet nalaten eerst aan anderen te denken,' zei hij, en toen lachte hij. 'Geeft niet. Ik plaag maar. Ik kan me gewoon niet voorstellen dat grootma Olivia een beroerte heeft gehad.'

'Ze is ook maar een mens, Cary.'

'Bijna niet te geloven.'

Later, voordat ik in slaap viel, bedacht ik hoe erg het was voor een vrouw om haar familie zo krachtig en autoritair te regeren, dat ze geen liefde, sympathie of verdriet voelde op een moment waarop ze daar de meeste behoefte aan had. Hoe vurig ze het ook beweerde, ze kon niet tevreden zijn over zichzelf en wat ze had bereikt, zelfs niet ter wille van de familie.

In de volgende zesendertig uur ging grootma Olivia iets vooruit. De dokter kwam terug en verklaarde dat ze iets van haar spraakvermogen terug had gekregen.

'Het zal nog steeds moeilijk zijn haar te verstaan, maar ze is beter dan ik verwacht had,' zei hij. 'Ze heeft zelfs de bewegingen van haar hand meer onder controle. We zullen zien,' ging hij verder. Hij wilde kennelijk niet meer zulke sombere voorspellingen doen als de vorige dag. 'De verpleegster blijft nog een paar dagen en ik kom elke dag langs,' beloofde hij.

Rechter Childs was er ook het grootste gedeelte van de dag. Loretta vertelde het me. Ze zei het op een toon of ze zich erover beklaagde dat hij haar meer werk bezorgde. Ik zou denken dat ze minder werk had nu grootma Olivia invalide was. Toen ik de volgende middag uit school kwam, vertelde mevrouw Grafton me dat mijn grootmoeder naar me gevraagd had. Ik ging onmiddellijk naar haar toe en liep langzaam naar het bed. Mevrouw Grafton had haar in een zittende houding overeind geholpen en haar haar geborsteld. Haar mond was nog vertrokken en haar arm lag onhandig tegen haar lichaam, maar toen ik dichterbij kwam, sloeg ze haar ogen op en stak haar linkerhand uit om me dichter naar zich toe te trekken.

'Niii,' stamelde ze.

'Rustig aan, grootma Olivia,' zei ik zacht.

'Niii.. sfaaa,' ging ze verder. Ik schudde mijn hoofd. Ik begreep er niets van. Ze probeerde het nog eens en nog eens, maar dezelfde verwarde geluiden kwamen eruit. Ten slotte kwam mevrouw Grafton dichterbij en maakte haar hand los uit de mijne.

'Probeert u zich te ontspannen, mevrouw Logan.'

Grootma schudde heftig haar hoofd.

'Ze heeft spirit,' zei mevrouw Grafton. 'Vol leven en wilskracht.'

'Wat probeert ze te zeggen?' vroeg ik.

'Ze zei: "Niets is veranderd." Wat dat ook mag betekenen.'

Ik knikte en keek naar grootma Olivia.

'Ik weet wat het betekent. Het betekent dat ze zelfs nu nog ons leven wil beheersen,' mompelde ik. 'Ik weet zeker dat ze beter wordt.'

Ik schudde verbluft mijn hoofd en ging de kamer uit.

De volgende dag vond Cary de tijd om me naar grootpa Samuel te brengen. Sinds de dood van grootmama Belinda was ik er niet meer geweest, en Cary ook niet. Nu grootma Olivia ziek was, voelde ik me nog schuldiger dat we hem geen van beiden bezocht hadden. Er was niemand om zich ervan te overtuigen dat hij goed verzorgd werd, niemand behalve wij, dacht ik.

Terugkeren naar het rusthuis was droevig voor me. Ik moest mezelf eraan herinneren dat grootmama Belinda er niet meer was. Toen we in de foyer kwamen, zagen we Mandel in zijn eentje op een bank zitten en naar de grond staren. Hij keek op en glimlachte toen hij ons zag.

'Hoe gaat het, meneer Mandel?' vroeg ik.

'O, goed, kindlief. Goed. Leuk je weer te zien. Heel prettig.' Zijn ogen dwaalden telkens af, alsof hij probeerde te begrijpen waarom we hier waren. Was Belinda nu dood of niet? Ik kon bijna horen dat hij het zich afvroeg.

'We komen mijn grootvader opzoeken,' legde ik uit. 'O. O, ja, ja. Hoe heet hij?'

'Samuel Logan,' zei ik.

'O, ja. Ik geloof niet dat ik hem ken,' zei hij. Toen tuurde hij weer naar de grond en zweeg. We namen afscheid en liepen door de foyer naar de kamer van grootpa Samuel. Hij zat bij het raam naar buiten te staren, een deken over zijn knieën.

'Hoi, grootpa,' zei Cary als eerste. Hij draaide zich niet om tot Cary zijn hand pakte. 'Hoe gaat het, grootpa?'

Grootpa Samuel keek naar hem en toen naar mij.

'Je hebt haar meegebracht. Goed, goed,' zei hij, en keek weer uit het raam.

Cary schudde zijn hoofd en haalde zijn schouders op. Ik deed een stap naar voren en nam grootpa Samuels hand van hem over.

'Grootpa Samuel, we zijn gekomen om u te vertellen dat grootma Olivia ziek is. Er is een verpleegster in huis,' zei ik. 'De dokter dacht niet dat ze vooruit zou gaan, maar ze is al een stuk beter.'

Hij keek me aan.

'Ik zei nee, maar ze zei dat het moest. Zeg tegen je moeder dat het me spijt,' zei hij. 'Ik heb nee gezegd.'

'Het heeft geen zin,' zei Cary. 'Ik heb het je gezegd. We verspillen onze tijd. Hij weet niet eens meer waar hij is. Hij zal zich later niet meer herinneren dat we hier geweest zijn, Melody.'

'Je zult wel gelijk hebben,' zei ik.

Plotseling draaide grootpa Samuel zich weer naar ons om, en deze keer stonden zijn ogen helderder.

'Ga maar kijken, dan zul je zien dat ik het niet was. Ik heb niets getekend.'

296

'Waar kijken?' Ik draaide me om naar Cary. 'Waarom zegt hij dat toch steeds?'

'Je weet dat hij in de war is. Waarschijnlijk heeft het niets te betekenen.'

'Ik heb nee gezegd tegen haar,' herhaalde grootpa Samuel. 'Ik zei haar dat het een zonde was.'

We bleven nog een kwartier lang proberen grootpa Samuel te laten begrijpen wie we waren en waarom we daar waren, maar het heden scheen niet tot hem door te dringen. Hij was verdiept in herinneringen, verdronk erin.

Op weg naar buiten klaagde ik tegen mevrouw Greene dat grootpa op zo'n mooie dag in zijn kamer zat.

'Ter informatie,' antwoordde ze, 'hij is de hele ochtend buiten geweest en pas kort geleden naar binnen gebracht. Tenzij je van plan bent hier vierentwintig uur te blijven, zou ik je willen adviseren je kritiek voor je te houden,' snauwde ze en liep weg.

'Ik ga liever in bed dood dan hier,' zei ik. 'Grootma Olivia heeft geen ongelijk dat ze zo koppig is in dit opzicht.'

'Ze boft dat ze het zich kan veroorloven dag en nacht een verpleegster te hebben,' merkte Cary op. 'Anders zou ze ook in zo'n tehuis zijn.'

Hij bracht me naar huis en ging toen weer aan de boot werken. Ik had nog steeds een hoop examens voor de boeg, maar toen ik in mijn kamer zat te studeren, bleven mijn gedachten teruggaan naar grootpa Samuels ogen en zijn angst dat hij de schuld zou krijgen. Waarom was hij zo onverbiddelijk in deze tijd van zijn leven? Was het omdat hij dacht dat hij binnenkort tegenover zijn Schepper zou komen te staan?

Hoe hadden ze het voor elkaar gekregen mijn grootmoeder op zo jonge leeftijd op te bergen? vroeg ik me af. Wat voor diagnose hadden de artsen gesteld? Wat had grootma Olivia over haar gezegd? Ik was zo nieuwsgierig dat ik mijn gedachten niet bij mijn werk kon houden. Ik ging naar buiten en liep om het huis heen naar de achterkant en naar het souterrain. Daar had ik de foto's van mamma gevonden en de geheimen ontdekt die deze familie verborgen hield. Misschien had grootpa Samuel gelijk. Misschien moest ik terug om te zien wat ik nog meer kon vinden.

Aan de noordkant van het huis was een metalen kelderdeur. Ik dacht niet dat er iemand geweest was sinds Cary me vorig jaar erheen had gebracht.

In de deuropening bleef ik aarzelend staan. Wat verwachtte ik eigenlijk te zullen vinden? Wílde ik het vinden? Wilde ik al die afschuwelijke dingen lezen? Ik bleef staan en dacht aan de verwrongen, zieke, oude vrouw die nu boven gevangen lag in haar eigen lichaam. Misschien was er gerechtigheid geschied. Misschien was het tijd om te vergeten.

En toch kon ik niet weggaan. Misschien was het een morbide nieuwsgierigheid; misschien was het een behoefte om de dingen te begrijpen. Ik liep verder de trap af en maakte de volgende deur open, stapte naar binnen en trok aan een koord. Een aan het plafond bungelende, kale gloeilamp verlichtte het souterrain. Ik bleef even staan en dacht aan de dozen op de metalen planken waarin we de foto's hadden gevonden. Ik haalde ze tevoorschijn en begon te zoeken in de dozen; de zijkanten, bovenkant en bodem waren slap door het vocht. Er waren zoveel foto's, oude schooldocumenten, rekeningen, kwitanties, een reeks inkopen en gebeurtenissen die onbetekenend waren, hetzelfde spoor dat elke familie naliet, dacht ik.

Alle dozen waren hetzelfde. Grootpa Samuels achteruitgaande geestesvermogens zaten vol vreemde kronkelingen, dacht ik. Het maakte allemaal deel uit van zijn verwarde verbeelding. Ik wilde juist opstaan om weg te gaan toen ik een metalen kistje zag dat verborgen stond onder een paar houten planken aan de andere kant van het souterrain. Ik liep erheen, tilde de planken eraf en trok het kistje tevoorschijn. Het was op slot, en ik kon nergens een sleutel vinden.

Waarom was dat kistje hier verborgen gebleven en waarom was het het enige dat op slot was? Ik veegde het af en nam het mee toen ik het souterrain verliet. Ik ging niet terug naar het huis, maar liep naar de garage, waar ik gereedschap kon vinden, en zocht een schroevendraaier. Het duurde even, maar ik wrong hem onder het deksel en wrikte met veel moeite het slot open. Toen tilde ik het deksel op en keek in het kistje.

Ik zag een klein stapeltje documenten in zakelijke, bruine enveloppen. Ik haalde er een uit, maakte hem open en haalde het papier eruit. Toen ging ik zitten lezen.

Natuurlijk had ik altijd gedacht dat het een overdrijving was om

298

te zeggen: 'mijn hart veranderde in steen' of 'mijn bloed stolde'. Hoe kon een menselijk hart stilstaan, beven, verbrijzelen en weer verder kloppen? Hoe kon je lichaam bevriezen en weer warm worden?

Toch gebeurde dat alles met me. Ik dacht dat ik nooit meer zou kunnen staan of ademhalen, nooit meer een geluid zou kunnen uitbrengen. Mijn ogen wilden weigeren de woorden te lezen.

Maar geen vlucht, geen ontkenning, geen terugtrekken kon de werkelijkheid veranderen.

Ik haalde diep adem en keek de rest van de papieren in het kistje door. Al lezend raakte ik steeds meer geschokt. Ten slotte beefde ik zo hevig dat ik zeker wist dat ik zou vallen als ik naar buiten ging. Ik stopte alle papieren weer terug, deed het kistje dicht en stond op.

Geen orkaan, geen tornado, geen aardbeving zou deze familie zo erg kunnen schokken als wat ik hier in mijn handen had.

18. Eindelijk dan toch, de liefde

Langzaam liep ik de trap op, elke stap zwaarder en moeizamer. Mijn lichaam probeerde zich te verzetten alsof ik naar een brand toeliep. Ik voelde me als iemand die de poort naar de hel nadert, waarachter zich de duivel bevindt. Het metalen kistje met de afschuwelijke informatie brandde onder mijn arm.

De late middagzon was achter donkere wolken verdwenen. Schaduwen leken voor mijn ogen te dansen toen ik door de gang op de eerste verdieping naar grootma Olivia's slaapkamer liep. Mijn hart bonsde wild bij elke stap die ik nam. Ik voelde me versuft en duizelig, en ik had het gevoel dat ik door de gangen van een nachtmerrie dwaalde. Ik wist niet eens of ik wel een woord zou kunnen uitbrengen. Ik was bang dat als ik mijn mond opende, er alleen maar gesis uit zou komen.

Vlak voordat ik bij de deur van de slaapkamer kwam, ging hij open en mevrouw Grafton kwam naar buiten. Eerst zag ze me niet in de schaduw. Toen deed ik een stap naar voren, in het schemerige licht van de gang. Ze schrok, onderdrukte een kreet en legde haar hand op haar hart.

'O, ik zag je niet,' zei ze. Ze zweeg even, terwijl ze knipperde met haar ogen en me aandachtig opnam. 'Is alles in orde?'

'Ik moet mijn grootmoeder spreken,' zei ik somber.

'Ze zakt telkens weg.'

'Toch moet ik met haar praten,' zei ik. Mevrouw Grafton haalde haar schouders op.

'Zoals je wilt. Ik ga naar beneden om iets te eten en dan breng ik haar diner boven.'

Ik knikte en ze liep weg. Aarzelend bleef ik met mijn hand in de lucht bij de deurknop staan. Ik hoopte dat ik elk moment wakker zou worden en het inderdaad allemaal een nachtmerrie zou blijken. Misschien zou ik als ik die knop aanraakte met een schok wakker worden en mezelf in bed terugvinden.

Niet dus.

Ik draaide de knop om en liep naar binnen.

Grootma Olivia zat min of meer rechtop tegen twee kussens. Haar haar hing in losse pieken om haar gezicht. Haar mond was verwrongen en enigszins opgezwollen en hing een eindje open, en haar ogen waren gesloten. Invalide, geveld door haar ziekte, zou ze op elk van die duizenden oude mensen hebben geleken die in verpleeghuizen wachtten tot de klok het laatste uur sloeg. Maar haar diamanten ringen en armbanden, haar kostbare satijnen lakens en linnen nachthemd lieten duidelijk weten dat dit nog steeds een vrouw van macht en aanzien was. Ze kon vanuit het graf nog bevelen geven.

Ik stond naast het bed en keek op haar neer, zag haar smalle boezem op en neer gaan. Haar neus trok en haar lippen trilden en weken enigszins vaneen, zodat een rij grauwe tanden te zien was. Haar voorhoofd was gerimpeld, alsof lelijke gedachten met de snelheid van het licht langs haar ogen schoten en weerkaatst werden in de duisternis die haar insloot.

Ik wachtte en legde het metalen kistje op het bed naast haar en maakte het open. Haar oogleden trilden, ze opende haar ogen en sloot ze onmiddellijk weer voor zij ze opnieuw opende. Ze keek naar me op. Haar ogen verhelderden toen het tot haar leek door te dringen waar ze was en wie ik was. Haar mond ging open en ze liet een geluid horen. Ongetwijfeld een bevel, dacht ik.

'Ik kom u een paar dingen vragen,' zei ik, 'en ik zal er meteen bij zeggen dat uw ziekte me niet zal beletten antwoorden te verlangen.'

Ze sperde haar ogen open, van verbazing en van verontwaardiging. Ze wilde protesteren toen ik het metalen kistje ophief en hoog genoeg hield dat ze het kon zien. Ze keek naar het kistje en toen weer naar mij; een nieuwe angst tekende zich af op haar gezicht.

'Ja, grootma, ik heb het gevonden. Grootpa Samuel praatte er vaak genoeg over om mijn nieuwsgierigheid te wekken, en ik ben naar het souterrain gegaan waar u al uw zonden hebt begraven, en ik heb het gevonden — en wat erin zat,' zei ik. Ik haalde het eerste document eruit en hield het even vast. Toen zette ik het kistje neer en vouwde het document open.

Ze begon haar hoofd te schudden, maar ik ging door.

'Ik weet dat u zich maar al te goed ervan bewust bent wat er op dit en op de andere papieren staat, maar ik wil dat u er nog eens naar kijkt. Ik weet zeker dat u alles beneden hebt opgeborgen, zodat u het nooit meer hoefde te zien, maar nu zult u wel moeten.'

Ik stak mijn hand met het document naar voren en hield het voor haar neus. Haar ogen gleden er overheen en toen probeerde ze zich af te wenden, maar ik legde snel mijn hand op haar voorhoofd en draaide haar hoofd terug, zodat ze naar mij en naar het document moest kijken.

'Wie denkt u wel dat u bent? God zelf? Wat gaf u het recht zoiets te doen, iedereen verdriet en leed te berokkenen, iemands hele leven te bepalen en het leven van degenen die haar liefhadden en die zij liefhad? Waar haalt u in godsnaam die arrogantie vandaan?'

Ze deed haar best om iets te zeggen.

'Fa... mmm...'

'Hoe bent u hieraan gekomen?' vroeg ik, en haalde een ander document uit het kistje. 'Hoe hebt u hem zover gekregen? Het heeft iets te maken met de hele rest, hè? Ik zal het ontdekken, grootma. Ik zal achter de kleinste bijzonderheden komen en ik zal alles bekendmaken,' verklaarde ik.

Ze sperde haar ogen zover ze kon open en voor het eerst sinds ik haar gekend had, zag ik er angst in. Ze schudde krachtig haar hoofd.

'Niieee.'

'Ja, grootma, ja. De kostbare naam Logan zal terechtkomen in de goot waarin hij thuishoort. U mag dan rijk zijn en veel bezit hebben, maar u bent geen haar beter dan de doodgewoonste crimineel, net als degenen die u hierbij hebben geholpen.'

'Fammmmm.'

'O, u probeert me te vertellen dat u dit weer voor de familie hebt gedaan, hè?'

Ze knikte.

'U wilde alleen alle anderen beschermen?' vroeg ik met een kille glimlach. Weer schudde ze heftig haar hoofd. Mijn glimlach verdween. 'Dat is de grootste leugen van allemaal, grootma Olivia. Alles wat u gedaan hebt, deed u voor uzelf, om uw hoge en machtige positie in de gemeenschap te kunnen handhaven, of uw kostbare reputatie. Of u hebt dingen gedaan om wraak te nemen of degenen te kwetsen die u niet de liefde en het respect gaven waar u meende recht op te hebben. Kom niet bij me aan met het woord "familie". Familie is alleen maar uw excuus voor slechtheid. Dat weet ik nu.'

Ze hield op met haar hoofd te schudden en staarde voor zich uit. Ik stopte de documenten weer terug in het kistje.

'Ik ken natuurlijk niet het eind van het verhaal, maar ik zal het te weten komen,' beloofde ik haar.

Ik deed het kistje dicht en nam het weer onder mijn arm.

'Als ik naar u kijk, grootma, besef ik dat u nu pas begint uw verdiende loon te krijgen. Ik had bijna medelijden met u. Ik deed bijna wat u haat: medelijden met u hebben, maar daar hoeft u zich geen zorgen meer over te maken. Ik kan niet genoeg vergiffenis opbrengen om ook maar een ziertje sympathie voor u te voelen. Wat dat betreft kunt u gerust zijn, grootma.

'Als ik hiermee klaar ben, zal ik tegen de dokter zeggen u in het verpleeghuis onder te brengen waar u hoort. U zei toch dat ik niet moest aarzelen als het zover was? U was toen zo dapper. Nou, tante Sara, Cary en ik zullen ervoor zorgen, en zelfs rechter Childs zal niet protesteren.'

Ik zweeg even.

'Ik neem aan dat hij hiervan op de hoogte was, hè?' vroeg ik, het kistje omhooghoudend. Ze staarde even naar me, sloot haar ogen, opende ze weer en schudde haar hoofd. 'Nee? Waarom niet? Bedoelt u dat er toch íets was dat hij u geweigerd zou hebben? Was u daar bang voor?'

Ze knikte en schudde toen weer haar hoofd. Ze probeerde haar hand naar me uit te strekken, maar ik deed een stap achteruit.

'U kunt niets doen, niets, om dit goed te maken. Niets kan rechtvaardigen wat u hebt gedaan en het verdriet dat u hebt veroorzaakt.'

Ik draaide me om en ze riep iets op haar onverstaanbare manier. Ze gaf een hese gil, die door mijn hele lichaam ging. Met al haar resterende kracht hees ze zich overeind en schreeuwde weer, maar ik keerde haar mijn rug toe, liep de kamer uit en sloot de deur voor haar afgrijselijke kreet.

Zodra ik beneden was, ging ik naar het kantoor en belde Cary.

'Ik wil dat je me komt halen, Cary,' zei ik. 'Je moet me ergens naartoe brengen.'

'Wanneer?'

'Nu meteen.'

'Wat is er? Je stem klinkt zo vreemd.'

'Kom je?' antwoordde ik.

'Natuurlijk, maar...'

'Dank je. Heb geduld met me, ik zal je later alles uitleggen, oké? Alsjeblieft,' ging ik verder.

'Oké, Melody,' zei hij. 'Ik kom.'

Toen ik uitgesproken was, haalde ik diep adem, pakte de telefoongids, zocht het nummer op en belde het nummer van mijn vader. Zijn vrouw nam op.

'Is meneer Jackson aanwezig?' vroeg ik.

'Met wie spreek ik?'

'Melody Logan,' antwoordde ik kortaf.

'Een ogenblik alstublieft.'

Een paar seconden later was hij aan de telefoon.

'Met Teddy Jackson,' zei hij formeel.

'Ik wil u over een halfuur in uw kantoor spreken,' zei ik.

'Pardon?'

'Kom naar uw kantoor. Ik moet u iets laten zien en u iets vragen. Veel vragen eigenlijk.'

'Ik begrijp het niet goed,' zei hij zwakjes.

'Dat komt wel,' beloofde ik. 'Zorg dat u er bent.' Toen hing ik op. Mijn hart bonsde zo hevig dat ik even moest wachten om diep adem te halen en tot rust te komen.

Ik zag mevrouw Grafton voorbij lopen met het eten voor mijn grootmoeder. Ze keek even naar binnen, maar liep door naar de trap.

Ik denk niet dat grootma Olivia vanavond veel honger zal hebben, dacht ik.

Twintig minuten later stopte Cary voor het huis en ik holde naar buiten om in zijn truck te stappen.

'Wat is er aan de hand? Is er weer iets met grootma Olivia? Brengen ze haar naar het ziekenhuis?'

'Nog niet. Rij me naar het centrum, Cary.'

'Waarheen?'

'Het kantoor van mijn vader.'

'Wat?'

'Doe het alsjeblieft.'

Hij staarde me even aan.

'Wat zit er in dat kistje?'

'Ik beloof je dat ik alles uit zal leggen zodra ik kan,' zei ik. 'Vertrouw me.'

'Natuurlijk.' Hij haalde zijn schouders op, startte de motor en reed weg.

'Wat het ook is, ik hoop dat je het me gauw vertelt,' zei hij, toen hij naar Commercial Street reed. Hij keek even opzij naar mij. 'Ik kan me niet herinneren dat je je ooit zo vreemd hebt gedragen, Melody.'

Ik haalde diep adem, maar zei niets. Hij schudde zijn hoofd en reed nog sneller. Toen we bij het advocatenkantoor van Teddy Jackson kwamen, zagen we dat er binnen licht brandde en dat zijn auto op de gereserveerde parkeerplaats stond. Cary wilde uitstappen.

'Wacht alsjeblieft in de auto op me, Cary,' zei ik.

'Waarom?'

'Dit is iets dat ik zelf moet afhandelen. Alsjeblieft.'

'Dit bevalt me niets, Melody. Je zit in moeilijkheden en ik hoor er meer over te weten. Ik hoor je te kunnen helpen.'

'Ik zit niet in moeilijkheden, Cary. Dat is het niet. Heb alsjeblieft nog even geduld.'

Onwillig ging hij weer in de truck zitten en deed het portier dicht.

'Dank je,' zei ik en stapte uit.

Het kantoor van mijn vader was luxueus, met dik, vast tapijt, leren banken in de wachtkamer, muren met houten panelen en olieverfschilderijen. Er was een grote, juridische bibliotheek, en zijn eigen kantoor was reusachtig. Het had grote ramen aan de achterkant die een volledig uitzicht boden op de haven. Hij stond bij het raam met zijn handen in zijn zakken naar buiten te staren toen ik binnenkwam.

'Wat is er aan de hand?' vroeg hij, blijkbaar nogal geërgerd over de manier waarop ik hem had gedwongen hierheen te komen.

'Dit,' zei ik en zette het metalen kistje op zijn mahoniehouten bureau. Hij staarde er even naar en liep er toen naartoe.

'Wat is dat?' Hij maakte het kistje open en haalde er een van de documenten uit. Toen hij het las, kreeg hij een vuurrode kleur. Hij keek even naar mij, legde het document neer en pakte een ander. 'Heeft zij je dit gegeven?'

'Nee. Ze had het verborgen in het souterrain,' zei ik.

Hij knikte, tuitte zijn lippen en ging achter zijn bureau zitten.

'Wie weet het nog meer?'

'Voorlopig alleen ik,' zei ik. 'Cary wacht buiten op me, maar ik heb hem nog niets verteld. Ik wil eerst alles weten, elk vunzig detail.'

'Ik ken niet elk vunzig detail,' antwoordde hij scherp. Ik keek hem strak aan en hij wendde zijn blik schuldbewust af. 'Ik wilde het niet doen, maar ze chanteerde me,' begon hij en keerde me zijn rug toe.

Ik ging voor het bureau zitten.

'Ga door,' zei ik.

'Ik wist niet dat ze de waarheid kende over Haille en mij. Ik weet nog steeds niet zeker hoe ze erachter is gekomen. Ik vermoed dat Haille het haar heeft verteld, haar ermee heeft getergd misschien. Ik weet het niet.'

Hij ging rechtop zitten in zijn stoel.

'Ze kwam die avond op mijn kantoor, beval me hier te komen, bijna net zoals jij deed,' ging hij met een flauw lachje verder. 'Ze vertelde me wat er gebeurd was en wat ze wilde en wat ik moest doen.

'Ik begon te protesteren en ze vertelde me dat ze niet zou aarzelen me aan de kaak te stellen, Haille terug te halen, mijn ondergang te bewerkstelligen, juist op het moment dat ik zo'n prachtige start had gemaakt.

'Dus deed ik wat ze wilde. Ik zorgde voor alle juridische kwesties,' bekende hij. 'Ik was er niet blij mee en ik kon Jacob en Sara niet meer onder ogen komen, maar ten slotte wist ze me in de waan te brengen dat het zo het beste was.'

'O, ik ben ervan overtuigd dat u erg bezorgd was,' zei ik sarcastisch.

'Tja, ik... hoor eens, zij moest het besluit nemen,' protesteerde hij.

'Ze was niet de moeder; ze was niet de vader. Zij moest niet het besluit nemen. U liet haar voor God spelen!' schreeuwde ik.

Hij leek te verschrompelen in zijn stoel. Hij sloeg zijn ogen neer.

'Wat is er met haar gebeurd?' vroeg ik. Ik wilde niets tegen Cary zeggen voordat ik alle details kende en voor ik wist wat haar uiteindelijke lot was.

Hij keek op.

'Heeft Olivia je niets verteld?'

'Grootma Olivia heeft een beroerte gehad. Ik dacht dat iedereen in Provincetown dat nu wel wist. Ze kan niet praten.'

'O.'

'Nou?'

'Ik weet alleen wat me verteld is, Melody. Laura en Robert Royce gingen zeilen. Ze raakten in een storm en Robert verdronk. Olivia vertelde me dat Karl Hansen haar met zijn vissersboot oppikte en Laura bij haar bracht. Ze was volslagen krankzinnig en leed aan traumatische amnesie. Ze was naakt toen hij haar op zee vond, en Olivia, nou ja, Olivia dacht daar natuurlijk het ergste van. In ieder geval, Karl had voor Samuel gewerkt en wist wie Laura was. Daarna nam Olivia de touwtjes in handen. Ze zorgde ervoor dat Karl het aan niemand vertelde en toen besloot ze Laura heimelijk in een instituut te laten opnemen. Ik geloof dat de hele kwestie haar in pijnlijke verlegenheid bracht. Er werd een wettelijke voogdij geregeld en Laura werd daar achtergelaten waar ze voorzover ik weet nog steeds is. Ik heb nooit....'

'Nooit de moeite genomen om erachter te komen?'

'Het was me uit handen genomen,' protesteerde hij. 'Ik dacht, naarmate de jaren verstreken, dat ze... dat het zo het beste was.'

'Om uw eigen geweten te sussen,' zei ik beschuldigend. Ik stond op. 'Ik verwacht dat u ons nu alle hulp zult geven die nodig is.' Hij knikte.

'Toen ik ontdekte dat de man die ik geloofde dat mijn vader was in werkelijkheid mijn stiefvader was, droomde ik over de man die mijn echte vader was. Ik fantaseerde dat hij een geweldig mens was, iemand die waarschijnlijk niet eens wist dat ik zijn dochter was, maar als hij erachter zou komen, onmiddellijk naar me toe zou komen, van me zou houden, van alles voor me zou doen. Ik droomde dat we eindelijk een vader-dochter relatie zouden hebben.'

'Melody...'

'Nu,' ging ik snel verder, 'ben ik dankbaar dat u verkoos een lafaard te zijn. Ik wil niet dat iemand ooit weet dat u mijn echte vader bent. Ik zou de schande niet overleven.'

Hij staarde me met een vuurrood gezicht aan, terwijl ik de papieren bijeenraapte en ze teruglegde in het kistje.

'Je bent eigenlijk net als zij,' zei ik. 'Geen wonder dat het lot jullie bijeenbracht.'

'Melody...'

Ik draaide me om en liep bij hem vandaan.

Cary las aandachtig de documenten en legde ze toen neer. Hij keek me met grote, verbijsterde ogen aan. Zijn mondhoeken waren zo strak getrokken dat het leek of zijn lippen elk moment konden knappen.

'Ik begrijp het niet,' zei hij. Hij schudde zijn hoofd, weigerde te geloven in zo'n verraad en zo'n bedrog.

We zaten in de truck voor zijn huis. De wolken waren met de schemering meegekomen, en het begon te regenen, een stage, harde regen. Ik vertelde hem alles wat mijn vader mij had verteld.

'Al die tijd dachten we dat grootpa Samuel wartaal uitsloeg over wat grootmama Belinda was aangedaan,' besloot ik.

'Hoe kon dat? Waarom?'

De tranen drupten langs zijn wangen als kleine waterdiertjes die ontsnapten. Hij scheen zich er niet van bewust te zijn, zelfs niet toen ze van zijn kin dropen.

'Haar eigen grootmoeder,' zei hij. 'De moeder van mijn vader...'

'In haar verwrongen manier van denken geloofde ze dat ze de familie beschermde tegen schande en ontberingen. Er is geen enkele manier om te rechtvaardigen wat ze deed, en ik veroordeel haar even scherp als jij,' zei ik, 'maar nu ik met haar geleefd heb en weet wie ze is, en nog een paar dingen waarin ze gelooft en die ze heeft gedaan, begrijp ik hoe dit mogelijk is geweest.'

'Ik niet. Dit zal ik nooit begrijpen.'

Hij sloot zijn ogen en hield zijn hoofd achterover alsof hij zijn verdriet wilde wegslikken.

'Mijn vader... mijn vader voelde zich enorm schuldig ten opzichte van Laura.'

'Ik weet het.'

'En grootma Olivia wist dat ook. Ze moet het hebben geweten,' zei hij snel.

'Misschien. Misschien zag ze alleen haar eigen schuld, haar eigen verdriet, haar eigen angst, Cary.'

'Ze heeft geen grammetje liefde in zich,' mompelde hij. 'Ik haat haar meer dan ik iemand ooit gehaat heb. Ik ben blij dat ze een beroerte heeft gehad. Ik hoop dat ze vannacht doodgaat.'

'Word niet net als zij, Cary. Uiteindelijk zit je dan zo vol haat dat je niet meer kunt liefhebben.'

Hij staarde even voor zich uit.

'Wat moeten we doen? Moet ik het aan ma vertellen?'

'Nee, laten we er eerst naartoe gaan,' zei ik. 'Misschien... kunnen we haar thuisbrengen.'

Hij knikte glimlachend.

'Misschien.' Hij draaide het sleuteltje in het contact om.

'We gaan morgenochtend, Cary. Het is nu te laat.'

'Nee, ik kan de gedachte niet verdragen dat ze daar nog vijf minuten langer is,' zei hij. 'We moeten er nu heen.' Hij keek naar de papieren. 'Ik weet waar dat is. Het is een rit van vier, viereneenhalf uur.'

'Maar dan komen we daar middenin de nacht aan,' merkte ik op.

'Wat geeft dat nou?' zei hij, en startte de motor. 'Ik kan je thuis afzetten, als je wilt.'

'Cary Logan, denk je heus dat ik je dit in je eentje laat opknappen?'

Hij schudde zijn hoofd.

'Oké, laten we gaan,' zei ik. 'Waarschijnlijk zouden we toch niet kunnen slapen. Moet je niet iets tegen je moeder zeggen?'

'Nee, ik wil niet nog één leugen meer vertellen, zelfs geen leugentje om bestwil.'

Ik glimlachte.

'Oké, maar we moeten op alles voorbereid zijn, Cary.'

'Ik ben voorbereid,' zei hij. Hij reed weg. 'Zo voorbereid als ik ooit kan zijn.'

Het was een lange, moeilijke rit. Cary praatte meer over Laura dan hij ooit had gedaan, herinnerde zich dingen die ze samen hadden gedaan, dingen die ze zei. Ik voelde dat dit gedachten waren die hij zichzelf in de laatste paar jaar had verboden. Hij was bang voor wat het ophalen van die herinneringen hem zou kunnen doen.

Een paar keer tijdens de rit bleef hij zwijgend zitten. De tranen rolden over zijn wangen als hij terugdacht aan die tragedie en al het verdriet van iedereen.

Hoe kon grootma Olivia die diensten bijwonen, wetend wat ze

wist? vroeg ik me af. Hoe kon ze er zo van overtuigd zijn dat ze deed wat juist was ter wille van de familie, zo zeker van zichzelf dat ze haar gevoelens kon begraven? Hoe kon ze haar zoon zien lijden zonder ooit iets te zeggen? In plaats van een hart zat er een ijsblok in haar borst, dacht ik. Hoe slecht moest ze door haar eigen ouders behandeld zijn om zo'n vrouw te kunnen worden?

Ik had niet zo verbaasd moeten zijn. Ze borg haar zuster op zonder een spoortje berouw en deed hetzelfde met haar man. Individuen betekenden niets voor haar, met haar fanatieke geloof in de reputatie van de familie. Liefde was slechts een ondergeschikt ongemak. Correct gedrag, prestige, respect, rijkdom en macht waren de vijf punten van haar ster, en die ster was in haar ziel gegraveerd.

Ik leunde achterover, sloot mijn ogen en dommelde even weg. Toen ik wakker werd, waren we bij een stad. Ik zag de lichten van een restaurant dat dag en nacht open was.

'Wil je koffie of zo?' vroeg Cary.

'Ja, graag,' zei ik. We stopten en bestelden koffie en donuts.

Cary at en dronk zwijgend, verzonken in zijn woede. Ik zei niets. Ik pakte zijn hand en keek hem glimlachend aan. Hij kwam bij uit zijn verdwaasde stemming, en knikte.

'Het gaat weer,' zei hij. 'Alles komt in orde.'

'Dat komt het, Cary.'

We reden nog een uur voor we de ingang van het instituut vonden. Het was een hoog gebouw van grijze steen, met een parkeerterrein links. Het was te donker om het duidelijk te kunnen zien, maar er leken een paar mooie tuinen omheen te liggen. We zagen hoge hekken en een bos.

De buitenkant van het gebouw was helder verlicht. We parkeerden, Cary zette de motor af en toen bleven we roerloos zitten en probeerden onze krachten te verzamelen.

'Klaar?' vroeg hij ten slotte. Ik knikte en we stapten uit en liepen naar de ingang. De deur was op slot, maar ernaast was een zoemer met een bordje ALLEEN NA 22.00 UUR. Cary drukte op de bel en we wachtten. Het buitenlicht weerkaatste op het glas van de deur, zodat we binnen niet veel konden zien. Het zag eruit als een klein halletje met een dubbele deur. Er kwam niemand, dus drukte Cary weer op de bel, nu wat langer.

'Het is al laat, Cary.'

'Er moet iemand zijn,' zei hij koppig.

Eindelijk ging de dubbele deur open en een roodharige man in een witte broek en een lichtblauw hemd kwam naar de voordeur. Hij leek niet ouder dan dertig; hij was slank, minstens één meter tachtig, met sproeten op zijn voorhoofd en wangen. Hij tuurde door het glas voor hij opendeed, fronste zijn wenkbrauwen en deed toen snel open.

'Wat wilt u?' vroeg hij.

'We komen iemand halen,' zei Cary vastberaden.

'Hè?'

'Mijn zus,' zei Cary.

'Waar hebt u het over? Het is drie uur 's nachts,' zei de man.

'Het kan me niet schelen hoe laat het is. Ze hoort hier niet te zijn,' zei Cary, en ging tussen de man en de deur staan. De man deinsde achteruit alsof hij dacht dat Cary hem zou slaan.

'U kunt nu niet naar binnen. Het bezoekuur begint morgenochtend om tien uur.'

'We zijn er nu en we komen binnen. Ga degene die de leiding heeft halen,' beval Cary.

De roodharige man keek van hem naar mij en deed toen een stap in de richting van de dubbele deur. Cary stak zijn hand uit om te voorkomen dat de deur dichtging.

'U krijgt grote moeilijkheden hierdoor,' dreigde de man.

'Mooi. En ga nu iemand halen. Vooruit!' beval Cary zo fel dat de man haastig wegliep. Cary en ik volgden en liepen de hal in. Er was een balie met een glazen ruit vlak voor ons. Rechts stonden banken en stoelen, kleine tafeltjes, rekken met tijdschriften en een televisietoestel. De deur recht voor ons gaf waarschijnlijk toegang tot het instituut, dacht ik.

We wachtten en hoorden eindelijk voetstappen aan de andere kant van de deur. Hij ging open en een zwaargebouwde vrouw in verpleegstersuniform kwam naar buiten gestormd. Haar donkerbruine haar was nogal ruw afgeknipt bij de nek en oorlelletjes. Haar heupen schuurden tegen het stijve materiaal van het uniform, wat een ritselend geluid gaf.

'Wat is hier aan de hand?' vroeg ze. Ze keek met haar zwarte kraalogen naar Cary. Ze sloeg haar armen voor haar zware boezem als een stormram en bleef op een paar centimeter afstand van hem staan.

'Mijn zuster is illegaal hierheen gebracht,' zei Cary. 'We komen haar halen.'

Ze staarde hem even aan, en keek toen verward naar de roodharige man.

'Moet ik de politie bellen?' vroeg hij.

'Nog niet,' zei ze. Haar nieuwsgierigheid was geprikkeld.

'Wie bent u en wie is die zus die u zoekt?' vroeg ze.

'Ik ben Cary Logan. Dit is Melody Logan. De naam van mijn zus is Laura.' Tegen mij ging hij verder: 'Laat haar maar zien.' Ik toonde haar een paar documenten uit het kistje. Ze keek me achterdochtig aan, pakte ze toen uit mijn hand en begon te lezen. Toen ze uitgelezen was, zag ik dat haar gelaatsuitdrukking iets verzacht was.

'Hebt u dit net ontdekt?' vroeg ze.

'Ja, vandaag,' zei Cary. 'Die papieren zijn onjuist. Mijn zuster had wél ouders en geen wettige voogd,' zei hij.

'Waar zijn uw ouders? Waarom zijn ze niet meegekomen? Als dit waar is?'

'Mijn vader is onlangs gestorven en mijn moeder... mijn moeder is niet in staat deze reis te maken. Eerlijk gezegd weet ze de waarheid nog niet,' legde Cary uit.

Ze gaf me de documenten terug.

'Dit is een juridische kwestie en moet op behoorlijke wijze worden behandeld.'

'Hoor eens...'

'Maar wat betreft uw zuster,' ging ze verder, 'vrees ik dat u te laat bent.'

'Wat?'

Mijn hart stond stil. Ik ging naar voren en pakte snel Cary's hand.

'Ze is helaas korte tijd na haar komst hier overleden,' zei ze.

'Overleden? Hoe?' vroeg ik.

'Ze is verdronken. We hebben uw grootmoeder ervan op de hoogte gesteld. Zij stond vermeld als naaste bloedverwant.'

'Hoe kon ze verdrinken?'

'Het was opzet, zelfmoord,' bekende de verpleegster na een ogenblik. 'Ik heb geen toestemming om de details uit de doeken te doen. Er zijn altijd juridische problemen als zoiets gebeurt. Maar het was niet onze schuld,' ging ze snel verder. 'Ik begrijp echt niet wie u bent en waarom u hier bent,' voegde ze eraan toe.

Cary staarde haar alleen maar aan, weigerde haar te geloven.

'Ik wil mijn zuster zien. Nu,' zei hij.

De verpleegster keek hem aan of ze haar oren niet kon geloven.

'Begrijpt u niet wat ik zeg?' vroeg ze.

'Cary, kom mee,' zei ik.

'Nee. Ik wil haar nu zien. Ik ga niet weg voordat ik haar gezien heb,' hield hij vol.

'Bel de politie,' zei de verpleegster tegen de roodharige man. Hij draaide zich met een ruk om en verdween naar binnen.

'Cary, het heeft geen zin,' drong ik aan. Hij schudde zijn hoofd.

'U liegt,' zei hij tegen de verpleegster. 'Ze heeft u in haar macht. U moest dit zeggen voor het geval ik ooit hier zou komen, niet?'

'Geen sprake van. Ik weet niets van u. En ik lieg niet over mijn patiënten.'

Een andere man verscheen, een oudere, zwaargebouwde man.

'Moeilijkheden, mevrouw Kleckner?' vroeg hij.

'Ja,' zei ze. 'De politie is gebeld, Morris. Niemand mag zomaar binnenkomen,' zei ze, haar blik strak op Cary gericht.

'Cary, laten we gaan,' smeekte ik, maar hij was zo hard en onwrikbaar als een van Kenneths beelden. Het was of ik probeerde een boom te ontwortelen.

De breedgebouwde man ging in de deuropening staan. Mevrouw Kleckner keek naar mij.

'Ik lieg niet. U zult het via de juiste kanalen moeten doen en dan zult u horen dat ik de waarheid spreek. U maakt het alleen maar moeilijker voor uzelf.'

'Het spijt me,' zei ik, 'maar u moet goed begrijpen dat we dit allemaal net te weten zijn gekomen, en het is echt allemaal onwettig gebeurd. U zult u ongetwijfeld kunnen indenken wat een schok het voor ons was. Daarom is hij zo in de war. Het is niet zijn bedoeling problemen voor u te veroorzaken. Begrijp het alstublieft,' smeekte ik.

Ze dacht even na en knikte toen.

'Wacht hier. Ik heb iets dat u misschien kan helpen te accepteren wat ik zeg,' verklaarde ze en liet ons alleen. De zwaargebouwde man kreeg gezelschap van de roodharige man, en beiden blokkeerden de deur.

'De politie is onderweg,' zei de roodharige opgewekt.

'Cary, we brengen ons op deze manier alleen maar in moeilijkheden,' fluisterde ik. Hij hoorde me niet. Hij keek naar de twee mannen. Even later kwam de verpleegster terug met een klein linnen zakje.

'Dit waren haar persoonlijke eigendommen. Onder meer dit,' zei ze, terwijl ze een dik schrift eruit haalde. 'Het was haar dagboek. Haar artsen moedigden haar aan het bij te houden, hopend dat herinneringen, gedachten, zouden helpen haar haar identiteit terug te geven. Niemand is het komen halen. Als ze niet overleden was,' ging de verpleegster op hardere toon verder, 'zou ik het u niet geven, wel?'

Ik nam het zakje en het schrift aan en trok aan Cary's hand.

'Alsjeblieft, Cary, ze heeft gelijk.'

Hij verslapte, accepteerde wat ze had gezegd.

'Waar is ze begraven?' vroeg hij zacht.

'Dat weet ik niet. U zult zich morgen met meneer Crowley in verbinding moeten stellen voor verdere bijzonderheden. Hij is onze administrateur, en hij is morgenochtend om negen uur in zijn kantoor. Ik moet u nu vragen dit gebouw te verlaten. De politie is onderweg en zal u arresteren als u niet weggaat,' dreigde ze.

'Cary...'

'We zijn te laat,' zei hij meer tegen zichzelf dan tegen mij.

'Het spijt me,' zei mevrouw Kleckner, 'maar ik heb u de waarheid verteld. Ik heb meer gedaan dan ik moet doen en meer dan meneer Crowley zal goedkeuren, vrees ik.'

'Dank u,' zei ik en trok nog harder aan Cary's hand.

'Laura,' zei hij hoofdschuddend. 'Het spijt me dat we te laat waren.'

We waren bij de truck op het moment dat de politieauto kwam. De agenten spraken met mevrouw Kleckner en ondervroegen ons. Toen we beloofden te zullen vertrekken, lieten ze ons gaan.

Cary reed vol woede en haat terug. We spraken nauwelijks een woord tegen elkaar. Het enige wat hij nu nog belangrijk vond was uit te zoeken waar Laura was begraven. Halverwege de ochtend stopten we voor grootma Olivia's huis. We waren allebei fysiek uitgeput, maar onze emoties gaven ons de kracht om door te gaan.

Loretta kwam haastig de gang af toen we binnenkwamen.

'Waar was u?' vroeg ze.

'Wat is er?'

'Het ging gisteravond erger met uw grootmoeder en ze is halsoverkop naar het ziekenhuis gebracht.'

'Ze gaat niet dood,' zei Cary hoofdschuddend. 'Zo gemakkelijk zal ze er niet afkomen.'

Loretta's ogen puilden bijna uit haar hoofd.

'Wat?'

'Niets. We zijn op weg naar het ziekenhuis,' zei ik en we gingen weg.

Rechter Childs stond in de hal met de arts te praten toen we kwamen.

'Melody! Waar waren jullie?' vroeg hij. 'Iedereen was dodelijk ongerust.'

'Doet er niet toe waar we geweest zijn,' zei Cary.

'Hoe gaat het met haar? Kan ze praten?'

'Ik ben bang van niet,' zei de dokter. 'Ze ligt in coma.'

Cary liet zijn schouders zakken, maar zijn gezicht klaarde op toen hem iets te binnen schoot.

'Weet u iets over Laura?' vroeg hij aan de rechter.

'Wat? Wat is er met Laura?'

'Hij weet het niet, Cary,' zei ik. 'Dat heeft ze me nog verteld.'

'Wat is er, Melody?' vroeg de rechter.

We gingen naar de kantine van het ziekenhuis om iets te eten en ik vertelde mijn grootvader het hele verhaal. Hij luisterde vol afgrijzen.

'Ik denk dat ik haar nooit echt heb gekend. Dat ze dat allemaal voor me geheim heeft kunnen houden. Ze was wel heel erg vastberaden en gesloten, een vrouw die letterlijk niemand nodig had. Het spijt me,' zei hij tegen Cary. 'Ik zal proberen uit te zoeken wat je wilt weten. Ik beloof het je. Gaan jullie naar huis en zorg dat je een beetje uitrust. Laat mij dit maar afhandelen.'

'Dank u, grootpa,' zei ik, en hij glimlachte.

Ik ging naar huis met Cary om hem te helpen met tante Sara en May, waarna we naar zijn schuilplaats op de vliering gingen en in elkaars armen in slaap vielen.

Op dat moment leek het de veiligste plaats ter wereld.

Epiloog

Grootma Olivia stierf twee dagen later, zonder nog bij bewustzijn te zijn gekomen. Haar dokter zei dat het een zegen was, want als ze uit het coma was geraakt, zou ze er veel erger aan toe zijn geweest, en Olivia Logan was niet het soort vrouw dat in een verpleeginrichting kon leven.

Cary wilde de begrafenis niet bijwonen, maar mij overkwam iets vreemds. Ik zag de dingen plotseling vanuit grootma Olivia's standpunt. Waarom zouden we de vuile was buiten hangen? Waarom zouden we de familie in verlegenheid brengen?

'Per slot wil je hier blijven wonen en een eigen leven opbouwen, Cary.'

Hij luisterde en schudde toen glimlachend zijn hoofd.

'Jij was waarschijnlijk de juiste keus voor grootma Olivia's troon, Melody. Dat strekt de duivelin tot eer, maar dat is dan ook alles,' ging hij vastberaden verder. 'Oké, ik zal een bij de gelegenheid passend gezicht trekken. Ik zie wel dat ik jou nodig zal hebben om ervoor te zorgen dat ik van nu af aan doe wat juist is,' zei hij plagend.

Kenneth en Holly waren terug van hun huwelijksreis en we hadden allemaal een avond met elkaar doorgebracht om alles te vertellen.

'Ze was een koude, hardvochtige vrouw, en zo intimiderend dat de meeste mannen het niet tegen haar op durfden te nemen, vooral niet de mannen in haar familie,' merkte Kenneth op. 'Ik herinner me nog hoe bang ik voor haar was toen ik jonger was en bij Haille, Chester en Jacob op bezoek kwam. Als ze ons iets opdroeg deden we het, en snel ook. Maar ik heb nooit gedacht dat ze gelukkig was.'

'Ze wilde ook niet dat iemand anders gelukkig was,' mompelde Cary.

Niemand zei iets. Het was beter om te wachten tot het onweer was overgedreven en de hemel weer blauw zou worden.

De begrafenis werd zo druk bezocht als verwacht kon worden. We hadden besloten grootpa Samuel niet te laten komen. Hij begreep niet wat er gebeurd was en we waren het er allemaal over eens dat het alles alleen maar verwarrender en moeilijker voor hem zou maken.

Ik weet niet hoe ik door mijn eindexamen heenkwam, maar het lukte en mijn cijfers waren zo goed als ik gehoopt had. Ik bleef bij tante Sara, en sloot me op in wat Laura's kamer geweest was, waar ik bijna twee dagen lang mijn afscheidsrede zat te schrijven en te herschrijven.

Sinds grootma Olivia's ziekenhuisopname en dood, had ik mijn intrek weer bij Cary, tante Sara en May genomen. Ik haatte de gedachte aan dat grote, lege huis, vol duisternis, schaduwen en familiegeheimen.

De rechter bestudeerde alle paperassen van de nalatenschap, en op een dag gingen we met z'n allen naar zijn huis om te horen wat er zou gaan gebeuren. Grootma Olivia had gedaan wat ze beloofd had... ze had instructies nagelaten dat het grootste deel van het familievermogen uiteindelijk in mijn bezit zou komen. Voorlopig bleef het in een trust die beheerd werd door haar bankiers en effectenmakelaars, en de rechter werd benoemd tot executeur-testamentair.

'Je zult een beslissing moeten nemen ten aanzien van het huis,' zei hij. 'Je kunt het te koop aanbieden of erin gaan wonen.'

'Laten we het verkopen,' zei ik snel. 'Het heeft te weinig gelukkige herinneringen.'

'Ik begrijp het,' zei de rechter.

Met zo'n vermogen in handen kon Cary er zeker van zijn dat zijn droom om boten te bouwen werkelijkheid zou worden. Hij kon voortborduren op het kleine begin en zijn eigen zaak vestigen. Kenneth gaf hem advies en samen gingen ze in de omgeving op zoek naar een goede plek voor een werkplaats.

De avond voor de diploma-uitreiking maakten Cary en ik een wandeling op het strand. Ik was toch te zenuwachtig om te slapen. Sinds grootma Olivia was overleden stonden onze familie en ik in het middelpunt van de belangstelling. Ik was zenuwachtig en overtuigd dat de aanwezigen op elk woord van mijn afscheidsspeech zouden letten.

317

'Heb je er al over nagedacht wat je wilt gaan doen, Melody?' vroeg Cary. We bleven aan de rand van het water staan en staarden naar het lichtende pad dat de maan op het water wierp en dat tot aan het eind van de wereld liep.

'Ik ga niet naar die kostschool, Cary. Het soort leven dat groot-ma Olivia voor me uitstippelde is niet het leven dat ik voor mezelf wens,' zei ik. 'Ik streef er niet naar mijn naam in de societyrubrie-ken te krijgen.'

'Ik weet dat je intelligent bent en waarschijnlijk naar de univer-siteit zou moeten gaan, maar...'

'Ik wil niet naar de universiteit alleen om te zeggen dat ik gestu-deerd heb, Cary. Misschien ga ik volgend jaar. Maar ergens in de buurt. Ik geloof dat ik vrij goed weet wat ik wil.'

'En dat is?'

'Ik wil iets simpelers, maar substantiëlers. Ik wil wat ik nooit heb gehad, Cary. Ik wil een echte familie, echte liefde.'

'Zou je dat kunnen vinden bij mij? Nu?' vroeg hij verlegen. 'We zouden die nieuwe zaak samen kunnen opbouwen en ons eigen huis bouwen en we...'

Ik legde mijn vingers op zijn lippen.

'Ik vroeg me al af wanneer je de moed zou opbrengen het te vra-gen,' zei ik, en hij lachte.

We kusten en omarmden elkaar. De zee leek nog feller te glinste-ren en de sterren – de sterren waren nog nooit zo helder geweest.

De volgende dag was het prachtig weer. Er was geen wolkje aan de lucht, de wind was warm en zacht en de diploma-uitreiking kon in de open lucht worden gehouden. Ik begon mijn speech met de eerste regels van een liedje uit de bergen dat pappa George me jaren en jaren geleden had geleerd.

'Ik ben ver van huis geraakt met niet meer dan hoop en een gebed,
Maar ik heb een koffer vol herinneringen om me warm te houden in
eenzame nachten.

Ik richtte me tot de anderen die voor het eindexamen geslaagd waren en trok een vergelijking met het lichten van het anker en wegzeilen — we waren nu kapitein over onze eigen bestemming. We lieten onze ouders, onze vrienden en onze docenten achter op de kust en zetten een eigen koers uit. Ik sprak over moed en over kansen in het leven, en bedankte onze families en docenten dat ze ons die gegeven hadden. Ik eindigde met het zingen van de eerste regel van *This Land Is Your Land*, en er gebeurde iets gedenkwaardigs: het hele publiek viel me bij en zong het lied tot de laatste regel mee.

Ik voelde me overweldigd door het applaus en de gelukwensen daarna. Mensen die me niet goed kenden vertelden me hoe trots grootma Olivia zou zijn geweest. Cary's ogen werden somber en kwaad, maar hij bedwong zijn woede toen ik hem berispend aankeek.

Later was er een feest bij tante Sara. Kenneth, Holly en rechter Childs waren er ook, evenals Roy Patterson en Theresa. Cary maakte een strandpicknick klaar en ik speelde viool. Rechter Childs zei dat hij de volgende dag een stuk van de feesttaart mee zou nemen naar grootpa Samuel.

Spoedig daarna stelden Cary en ik de datum van ons huwelijk vast. Intussen bracht ik de zomer door met May en Sara, terwijl Cary aan de nieuwe boot werkte en de werkplaats begon te bouwen op het terrein dat hij en Kenneth hadden uitgezocht.

Op een ochtend kwam May binnen met de post en zwaaide opgewonden met iets naar me. Het was een ansichtkaart. Hij was verstuurd uit Palm Springs, Californië. Veel stond er niet op.

Hoi,
Ik dacht dat ik je maar even een regeltje moest sturen om je te vertellen dat ik niet meer bij Richard ben. Ik heb nu een echte agent. Hij heeft me zelfs meegenomen naar Palm Springs voor een vakantie en hij zegt dat ik een goeie kans heb om het te maken.
Wens me succes.
Gina Simon

'Wie is Gina Simon?' gebaarde May en sprak toen de naam zo goed en zo kwaad als het ging uit.

'Iemand die ik eens gekend heb,' zei ik. 'Niet belangrijk.'

Ik gooide de kaart in de vuilnisbak, maar later ging ik terug om hem er weer uit te halen.

Ik kon het niet helpen. Ik was als iemand die verdwaald was in de woestijn en een druppel water kreeg.

Ik ging naar boven en legde de kaart bij mijn andere souvenirs.

En toen keek ik naar Laura's bezittingen, de enige dingen die over waren van haar vreemde en tragische bestaan. Cary en ik konden het geen van beiden opbrengen er iets mee te doen. Maar ik kon ze ook niet langer negeren. Ik pakte het dikke schrift dat haar dagboek was geweest. Toen ging ik naar beneden en ging achter het huis zitten in de grote, houten stoel die naar de zee gekeerd stond en begon te lezen.

Lang geleden leefde ik een sprookjesachtig leven, begon het. Ik sloeg mijn ogen op en haalde diep adem.

In de verte lag een zeilboot in de luwte en bleef afgetekend liggen tegen de blauwe horizon, terwijl de donzige, witte wolkjes erboven wachtten op dezelfde wind.

De hele wereld stond stil en hield zijn adem in. Zelfs de meeuwen verstarden op het strand en keken naar mij.

Toen de wind weer opstak, voerde hij een lied met zich mee, alsof hij wilde dat ik het zou zingen voor Laura, voor Cary, voor ons allemaal.

Ik zal het zingen, dacht ik.

Nu, eindelijk, zal ik het zingen.

b-

d